哲学卷

新青年
LA JEUNESSE

张宝明 主编 张 剑 副主编

3

新文化元典
丛书

河南文艺出版社

图书在版编目(CIP)数据

新青年.哲学卷/张宝明主编. —郑州:河南文艺出版社,2016.5(2025.1 重印)
(新文化元典丛书)
ISBN 978-7-5559-0348-2

Ⅰ.①新… Ⅱ.①张… Ⅲ.①期刊-汇编-中国-民国 Ⅳ.①Z62

中国版本图书馆 CIP 数据核字(2015)第 286623 号

总 策 划	王国钦
策　　划	王淑贵
责任编辑	王淑贵
美术编辑	吴　月
责任校对	陈　炜
装帧设计	张　胜

出版发行　河南文艺出版社
本社地址　郑州市郑东新区祥盛街 27 号 C 座 5 楼
承印单位　河南省四合印务有限公司
经销单位　新华书店
纸张规格　640 毫米×960 毫米　1/16
印　　张　22.5
字　　数　251 000
版　　次　2016 年 5 月第 1 版
印　　次　2025 年 1 月第 5 次印刷
定　　价　41.00 元

版权所有　盗版必究
图书如有印装错误,请寄回印厂调换。
印厂地址　焦作市武陟县詹店镇詹店新区西部工业区凯雪路中段
邮政编码　454950　电话　0391-8373957

出版说明

一、为纪念《新青年》(原名《青年杂志》)创刊100周年,本社特别策划出版"新文化元典丛书"。

二、本丛书由著名学者张宝明主编并提供稿本,由本社分"平装普及"与"精装典藏"两个版本先后出版。"普及版"以大众阅读为目标,分为"政治卷""思潮卷""哲学卷""文学创作卷""文学批评卷""文字卷""翻译卷""青年妇女卷""文化教育卷""随感卷"10卷;"典藏版"以学者研究为指归,延续了本社1998年版《回眸〈新青年〉》的版本形式,分为"哲学思想卷""社会思潮卷""语言文学卷"3卷。

三、本丛书在编辑过程中,对文章内容(包括当时特殊的语言、语法使用,习惯性虚词、数字、异体字用法,对外文中人名、地名的个性化翻译等)及作者署名均以其原貌呈现。为方便今天读者阅读,本次出版对原文中的繁体字进行了简体转换,对可以确定的技术性错讹进行了订正,对个别的标点符号用法进行了相对规范。对错讹较多的英语、俄语等外文,特邀有关专家进行了认真校订。

四、"随感卷"内容选自《新青年》原版各卷中的"随感录"。因原文发表时大部分并无标题,本次专卷出版的标题为主编所加。

五、本丛书的策划出版,也是我们对2019年"五四"运动100周年的一次提前纪念。

河南文艺出版社
2016年5月

回眸:唯以深情凝望……(代序)

张宝明

1492年10月11日,克里斯托弗·哥伦布看见海上漂来一根芦苇,欢呼雀跃地宣布了被称为"救世主"之新大陆的发现。

1915年9月,《青年杂志》创刊。这就是那个日后易名为《新青年》的月刊,她从此成为一代又一代青年人心目中拨云见日的精神新大陆。

饶有情趣的是,无论是彼岸还是此岸的"新大陆",其发现过程都需要有敢于冒险的勇气、勇于担当的气魄、胸怀天下的责任。500年前,哥伦布想方设法说服了西班牙女王得以扬帆;100年前,陈独秀费尽口舌让出版商动心,在那出版业凋敝、萧条的时代,主编那"让我办十年杂志,全国思想全改观"的信誓旦旦背后多少有些心酸。

一个世纪过去了,重温百年历史记忆,翻阅那一页页泛黄的纸张时,我无法用编选或剪辑来保存这样一个精神存照。

作为20世纪一轮最为壮丽的精神日出,《新青年》以其鲜活的时代性入世,演绎了一台精彩纷呈的思想史专场。她已经在百年的风雨沧桑中固化为一尊灵魂的雕像、一座精神的丰碑。形而下的标本馆可以被肢解、分离,甚至拆卸为齿轮和螺丝钉,可谁若是声称复制出形而上的灵魂标本馆,我们不免顿生疑窦。因为灵魂的雕像和精神的丰碑只能内化于每一个人的心底,存贮于每一个人的心灵。

回望百年,再也没有这样的思想演绎更值得我们咀嚼了。仿佛,她就是我那无法用肉眼观看的神经末梢。岁月陶铸了文化的沧桑,年龄剪断了思想的记忆。"剪不断,理还乱。"因此,面对沧桑的文化记忆,面对凌乱的思想线团,我们无法用具象化的"编选"或"剪辑"称谓,更无法用当年文化先驱的启蒙来"普及"当下的启蒙。这里的思想静悄悄,这里的灵魂无眠,这里精神永远……我们最好的纪念就是无言面对,默默注目,深深凝望……

《新青年》,已经不是当代青年心目中的"新大陆";回眸《新青年》,无非是想通过那一代知识先驱心中流淌的文字为20世纪中国做一个有血有肉的注脚。发黄的纸张、右行竖迤的文字以及远离的先驱成为朦朦胧胧的追问,我们在回眸中分明看到了自己。我们在解读自己,也在解剖自己,更是在反省着自己。有时,我们又不能不拷问何以如此失去自己。这不是多愁善感,而是因为风雨沧桑的生命之旅招惹了我们的思绪:《新青年》不是一个尘封的历史遗存,而是一个活生生的对象,一段可以触摸的历史,更是一曲跌宕的纸上声音:说你,说他,说我……

风流,不会像诗中说的那样总被雨打风吹去。昔日的倜傥,同样可以因我们的自觉而获得立体的再现。多年之后,长征之后落定延安的毛泽东对埃德加·斯诺吐露心声说:在1916年,我和几个朋友成立了新民学会……许多团体大半都是在陈独秀主编的《新青年》的影响下组织起来的。而我在师范学校读书时,就开始阅读这本杂志了,并且十分崇拜陈独秀和胡适所做的文章。他们成了我的模范,代替了我已经厌弃的康有为和梁启超。青年时代的毛泽东,有很长一段时间都在翻阅、谈论、"思考《新青年》所提出的问题"。1918年2月,读到《新青年》的周恩来在日记中奋笔疾书:晨起读《新青年》,晚归复读之。于其中所持排孔、独身、文学革命诸主义极端赞成。恽代英从武昌写来肺腑之言,盛赞《新青年》的思想价值:我们素来的生活,是在混沌的里面。自从看了《新青年》,渐渐地醒悟过来,真是像在黑暗的地方见了曙光一样。我们对于做《新青年》的诸位先生,实在是表不尽的感激。当时在陆军第二预备学校读书的叶挺也热情洋溢地表达过对《新青年》的仰慕和膜拜:空谷足音,遥聆若渴。明灯黑室,觉岸延丰。最后并以急不可待的心情期盼着"思想界的明星"(毛泽东语)。陈独秀指点迷津:吾辈青年,坐沉沉黑狱中,一纸天良,不绝于缕,亟待足下明灯指迷者,当大有人在也。

热血的政治青年对此刊有一种天然的偏爱,在校读书的文学青年对此更是欢喜。北大学生杨振声曾这样回忆说:像春雷初动一般,《新青年》杂志惊醒了整个时代的青年。冰心也这样评论《新青年》:"五四"运动前后,新思潮空前高涨,新出的报纸杂志像雨后春笋一样,目不暇接。我们都贪婪地争着买,争着借,彼此传阅。其中我最喜欢的是《新青年》里鲁迅先生写的小说,像《狂人日记》等篇,尖锐地抨击吃人的礼教,揭露着旧社会的黑暗和悲惨,读了让人同情而震动。凡此种种,举不胜举。

热血青年如是说,引导"新青年"的当事人更是引以为豪。胡适就曾在20世纪30年代为重印《新青年》激动不已,并挥毫题词:《新青年》是中国文学史和思想史上划分一个时代的刊物。最近二十年中的文学运动和思想改革,差不多都是从这个刊物出发的。胡适为重印《新青年》的广而告之及定位,与其在1923年写给"新青年派"高一涵、陶孟等同人的信中表述一脉相承:二十五年来,只有三个杂志可代表三个时代,可以说创造了三个新时代:一是《时务报》,一是《新民丛报》,一是《新青年》。《民报》与《甲寅》还算不上。题中之意还在于:《新青年》创造了一个崭新时代,永远不会被遗忘和尘封。鲁迅作为"新青年派"的中坚,也曾在为《中国新文学大系》所作的序言中鼓与呼:凡是关心现代中国文学的人,谁都知道《新青年》是提倡"文学改良",后来更进一步号召"文学革命"的发难者。从学术"象牙塔"走向办杂志、发议论的公共空间,从学问家到舆论家,"新青年派"知识群体经历了一个艰难的选择里程。这里,我们不难从鲁迅心灰意冷的"钞古碑"到满怀激情地"听将令"之转变窥见同人们的"一斑":但是《新青年》的编辑者,却一回一回的来催。催几回,我就做一篇。这里我必得纪念陈独秀先生,他是催我做小说最着力的一个。

....

我们知道,在世界文明史上,18世纪的法国因其启蒙运动的舆论力量留下盛名,并产生了一批以伏尔泰为精神领袖的舆论之王。当作为社会良知化身的知识分子以公共面目出现时,就获得了舆论家的声誉。胡适这位现身说法的当事人这样用英文将其正名为"Journalist"或者"Publicist",而且对"意中舆论家"有这样的诉求:有"笔力"、懂国内外"时势"、具"远识",其中"公心"和"毅力"最不可或缺——这是胡适1915年1月尚在美国留学时日记中记下的夙愿。回国任职北京大学后,学问家的身份反被舆论家的名声所掩盖,他走了一条"一发不可收"的不归路。从此,思想史上的胡适而不是学术上的胡适,成为声名鹊起的一代思想骄子。

《新青年》创刊于上海,兴隆于北京,终结于广州。在这一平台上汇聚起来的"新青年派"同人,学术凹陷,思想凸显;学问淡出,舆论立言。"五四"新文化运动的天空中,最耀眼的是那一抹以"民主""科学"为主调的绚丽彩虹。舆论的彰显与张扬,拉动着中国现代性加速转型。1905年科举的终结,让传统士人走向边缘,而舆论家的身份意识和担当情怀重新将他们推向时代的浪尖和话语的中心。这里,"新青年派"同人不再是书斋里"钻牛角"、翻故纸的学术把玩者,而是一批"执牛耳"、观天下的社会现实参与者。行走于风雨故园中的时代先驱们,可以不是理性、冷静的审慎思考者,却是理想在前、激情在身的担当者。一百年后回眸《新青年》,我们可以为他们的急不择言、话不留余的语言暴力保持一份反思的态度,但毋庸置疑的是,他们留下的文本却为我们读懂20世纪以及当下的中国提供了弥足珍贵的思想路径。从这里,走进历史现场;在这里,读懂近世中国。的确,在享受这一新文化运动元典阅读快感之际,无论如何都无法阻止我们的心跳。

这里,不但有"妙手"写下的"文章",更有"道义"担当的"铁肩"。《新青年》寻求真理、坚持真理的使命感与历史同在,历历在目;新文化运动敢于担当、勇于担当的责任感与日月同辉,常读常新。听其言——陈独秀在文学革命的战车上立下过"愿拖四十二生的大炮为之前驱"的誓言,还有那振聋发聩之守护"民主""科学"的承诺:西洋人因为拥护德、赛两先生,闹了多少事,流了多少血,德、赛两先生才渐渐从黑暗中把他们救出,引到光明世界。我们现在认定:只有这两位先生,可以救治中国政治上、道德上、学术上、思想上一切的黑暗。若因为拥护这两位先生,一切政府的压迫、社会的攻击笑骂,就是断头流血,都不推辞。信誓旦旦,掷地有声。观其行——1919年6月8日,陈独秀为声援和欢迎"五四"运动中被捕出狱的学生撰写的《研究室与监狱》就是一篇激情四溢、气势磅礴的短平快舆论:世界文明发源地有二:一是科学研究室,一是监狱。我们青年要立志出了研究室就入监狱,出了监狱就入研究室,这才是人生最高尚优美的生活。从这两处发生的文明,才是真正的文明,才是有生命有价值的文明。陈独秀雄于言、力于事的个性和品格,在舆论抛出三天之后"知行合一"。被胡适誉为"一个有主张的'不羁之才'"的陈独秀,在经过三个月的监禁后,成为中国共产党的创始人。

　　无独有偶,作为《新青年》主力的舆论家胡适向来以性格稳健、思想"健全"著称。即使如此,他在"新青年派"同人营造的公共空间里丝毫不减锐气,文风堪称犀利直接、所向披靡。如同我们看到的那样,当《民国日报》记者邵力子以北洋政府下令"取缔新思想"之舆情发难胡适,并"三十六计,走为上计"揣测其生病住院时,当事人严正地在《努力周报》上发布公告:我是不跑的,生平不知趋附时髦;生平也不知躲避危险。封报馆,坐监狱,在负责任的舆论家的眼里,算不得危险。然而,"跑"尤其是"跑"到租界里去唱高调:那是耻辱!那是我决不干的!这就是"新青年"那一代知识先驱的共同心声和承诺。知其言,观其行。新文化运动的舆论家就是这样直面着人生、关注着社会、履行着诺言、担当着责任。胡适很早就认识到"舆论家之重要"并"以舆论家自任"。应该说,无论是陈独秀还是胡适,尽管在北京大学地位显赫,但真正"暴得大名"并在中国政治史、思想史、文化史上留下重要的影响,依靠的不是作为学问家的"学术"志业,而是以不安本分的"舆论家"起家。在《新青年》周围,一个知识群体为国家、民族的现代性演进而不遗余力地万丈激情挥洒自如。不甘于自处出世、超然的边缘,而要走向中心,有所担当的"家国""天下"情怀体现得淋漓尽致。

百年回眸,在演出那场思想史专场的新文化思想舞台上,海归们给沉寂的中国注入了前所未有的生机。陈独秀、胡适、周作人、鲁迅、李大钊、钱玄同、刘半农、高一涵、沈尹默……"新青年派"同人扬鞭策马、奋笔疾书。本来,学术是他们的安身立命之本,学问家应该是他们原汁原味的角色担当。但是,归国后面对中国的现实,让他们有一种坐不住、不安分的冲动,携带着西方文明的种子,他们很快从一身长衫的学问家华丽转身为西装革履的舆论家,成为指点江山、激扬文字的中心人物……

百年回眸,新文化元典已经走过了一个世纪。在"知识分子到哪里去了""知识分子还能感动中国吗""人文学还有存在的必要吗"之追问不绝于耳的今天,重读《新青年》是那样的情真意切。只要启蒙还没有"普及",只要"五四"先驱设计的目标还没有抵达,只要"中国梦"还在路上,我们就不能不读《新青年》!百年回眸,那是一个渐行渐远的大时代。我们只有以这样的方式默行注目礼……

百年回眸,《新青年》同人打造的"金字招牌"历历在目。当我们手捧10卷本"普及版"的时候,其实我们是在"提高"着对自我与这个时代的认知。本来,"普及"和"提高"就是一个问题的两个方面,无法化约,采用这样的划分完全是为了阅读的需要。我们深知,其中的每一卷都是一个个精神的制高点、诗意心灵的停泊站:"政治卷""思潮卷""哲学卷""文字卷""文学创作卷""翻译卷""文学批评卷""随感卷"的单打以及"青年妇女卷""文化教育卷"

的组合,都能够给读者带来无限的遐想。一杯茶,或一杯咖啡,在原汁原味的隽永文字中咀嚼、品味、思考,唯有这样的互动才能使我们徜徉于心旷神怡的天地。或浓烈,或淡雅,或遥远,或温馨,思想的滋味本来如此……

目录

人生唯一之目的 …………………………… 李亦民　1
述墨 ………………………………………… 易白沙　9
述墨（续二号）…………………………… 易白沙　17
述墨（续）………………………………… 易白沙　22
叔本华自我意志说 ………………………… 刘叔雅　28
我 …………………………………………… 易白沙　36
孔子平议（上）…………………………… 易白沙　43
孔子平议（下）…………………………… 易白沙　48
戴雪英国言论自由之权利论 ……………… 高一涵　55
乐利主义与人生 …………………………… 高一涵　59
赫克尔之一元哲学 ………………………… 马君武　65
赫克尔之一元哲学（续前号）…………… 马君武　70
赫克尔之一元哲学（续前号）…………… 马君武　76
赫克尔之一元哲学（续前号）…………… 马君武　85
孔子之道与现代生活 ……………………… 陈独秀　92
再论孔教问题 ……………………………… 陈独秀　99
读《荀子》书后 …………………………… 吴　虞　103
物质实在论（哲学问题之研究一）……… 恽代英　106
我之孔道观 ………………………………… 常乃德　115

消极革命之老庄	吴　虞	121
儒家大同之义本于老子说	吴　虞	124
柏格森之哲学	刘叔雅	127
读弥尔的《自由论》	高一涵	132
德意志哲学家尼采的宗教	凌　霜	137
诸子无鬼论	易白沙	141
欧战与哲学	蔡元培	153
斯宾塞尔的政治哲学	高一涵	159
实验主义	胡　适	171
马克思学说	顾兆熊	193
马克思学说的批评	凌　霜	214
我的马克思主义观	李大钊	219
老子的政治哲学	高一涵	242
罗素的社会哲学	高一涵	253
罗素的逻辑和宇宙观之概说	王星拱	266
唯物史观在现代史学上的价值	李大钊	273
马克思还原	李　达	280
马克思派社会主义	李　达	290
马克思的共产主义	存　统	304
马克思学说	陈独秀	317
自由世界与必然世界	瞿秋白	328
实验主义与革命哲学	瞿秋白	342

人生唯一之目的

李亦民

人类以藐然一身,存于大地,生生死死,不可究诘。虽至圣大哲,亦唯有委之自然。自然者,莫知其由而由,莫知其至而至。循事记录,但得曰天地间有此事实云云,不可穷其目的也。特人生寿算,约数十纪。数十纪间,不可无衣以卫身、无食以果腹、无室庐以蔽风雨。于是乎农工商贾,各出智能,以事所事。或则手胼足胝,披星戴月;或则化材成器,懋迁有无。总总林林,遂成今日所谓社会之局。凡此种种,可一言以蔽之曰"求生"。求生者,人类自初至终之目的也。

既得生矣,衣、食、住一无所缺矣。甚至积米为山,堆金满屋,仍复敝敝营营,如吾人目睹之现象。其最不可解者,视生命如草芥,等驱壳于土苴。如古今侠烈之就义捐躯,战士之疆场效命,其活动之行径,适与吾人所谓求生者分道而僻驰。凡此诸般,既不可委为自然,复不可目为生计,殆人生于生活之外,别有所求乎?盖仅饱食暖衣,延目前之呼吸,决不足以尽人生能事也。于是,人生之目的乃成极有趣味之论题。人生行动,恒听命于感情。猛虎当前,怯者越涧;置鸩于酒,甘之如饴。所以动其情者异也。吾国古学,于人生社会之本然,绝少研究。如所谓喜、怒、哀、乐、爱、恶、欲,差足以发情感之大凡,然论列未曾入细。此等情感,酝酿于心界之现象如何?发露于外界之影响奚若?不可得而闻也。其吉光片羽,散见群经者,则曰"民以食为天",曰"饮食男女,人之大欲",曰"抚我则后,虐我则仇"。论治术者,亦恒曰"使人遂其乐生之心",是则人情当然之向往,固未尝非古人所知。特其所以垂教,用为大经大法者,别有所在。故"克己制欲"为圣门唯一之训诫,而利用厚生之道,反置诸脑后也。

自《周易·系辞》立"仁义"为人道之极,至《孟子》而诋諆功利,等于蛇蝎。汉室崇尚儒术,沿袭至今。人间所传述皈依者,舍"忠君亲上"等片面为人的道德外,别无他物。于发育长养国民实际之生活,皆听之自然。士林之彦,至以不事家人生产,交相矜宠。叩以人生进路,当何所出?则曰:"希圣,希贤!"否则,服古入官已耳。"蚩蚩之氓",更舍顺帝之则,别无可以率由之道。故我中华民族之大多数(包含农、工、商三种而言),实未尝被丝毫之教泽。其生也,纯为自然之事实;其动也,纯出天赋之本能,与鹿、豕、虫、鱼无殊异也。人而等于鹿、豕、虫、鱼,其生存可谓绝无意趣矣!

欧西自唯物哲学发明,文人学士,大声疾呼,号召于众曰:人类之目的,幸福而已,快乐而已;人类之仇敌,痛苦而已。何者为幸福、为快乐,当就之?何者为痛苦,当避之?何者足以致我痛苦,当除之?此与吾国"抚我则后,弱我则仇"之旨,后先相应。彼中宗教道义之士,亦未尝不斥为背于礼法。顾其势力,浸淫磅礴,至于今日,已举一切政治、法律、风俗、习惯而受其支配。社会群众,各向所谓幸福快乐之途而奔驰。我讲道德、说仁义、耕田食、凿井饮之民族,与彼相见,遂以形见势绌,而无可如何,是岂民族之咎哉?不能不太息痛恨于功利主义之见嫉也。

昔者杨朱曾倡"为我"之说矣。全豹不可见,其义见之列书者,差近于性分之真,不作伪以欺天下。而孟氏斥为无君,詈为禽兽。然则所谓人者,绝不容有为我之念存于胸中。纯为外物之牺牲,乃足以尽其性分乎?是大谬不然矣。儒家之教忠、教孝,曷尝不以我身为中心?因其为我之君也,故当忠;为我之亲也,故当孝。若不识谁何之君亲,甚或仇敌视之,固无所施其忠孝也。彼孟氏之滔滔不竭,亦唯门户之见。有以驱之,顾必以"为我"为病,所见犹出佛氏之下。佛说虽戒"我见",而其以此世界为"我见"所成,固透宗之论也。

撒格逊民族,以个人主义著闻于世。其为人也,富于独立自尊之心,用能发展民族精神,以臻今日之强盛。我国惩忿窒欲之说,入人最深。凡事涉利己者,皆视为卑卑不足道。必须断绝欲求,济人利物,乃能为世崇仰。不知自我欲求,所以资其生也。设无欲求,则一切活动,立时灭绝,岂复有生存之必要?顾欲以人力禁制之,于是日言"合群",日言"公益",而所谓"合群""公益"者,尽变为涂饰耳目之名词。人人心中,各怀一最小限度之个人主义,实不可以告人,亦不肯举以自白。而虚拵诈伪之习,乃日益加剧。

甚矣!人情之不可遏抑。遏抑之,乃不能不走于偏宕。若决江河,沛然莫之能御也。曷若顺人性之自然,堂堂正正,以个人主义为前提,以社会主义为利益个人之手段。必明群己之关系,然后可言"合群";必明公私之权限,然后可言"公益"也。

唯物哲学,倡言利己主义,姑无论矣。英人亚丹·斯密以能言伦理、心理著闻于世。居恒于唯物派之理论,颇示反对。然其论人情自利之倾向,初不以为病而激扬之。其余英国之经验学派、德国之官厅学派(日本译曰官房学派),概以利己主义为人类生活唯一之基础。最近德国硕学修谟拉总合诸说,认自爱自利为人类行为之唯一原因。然则为我云者,亦何必讳莫如深哉?假使人人各扩其为我主义至于最大限度,则全国无不适之我,斯无不适之人。所谓黄金世界者,舍此皆为梦想也。

吾人既言为我主义,则所以实践此主义者将置我于何境乎?居今日以立言,本可各立预定之线路,进至目的地点,以安其身。南北东西,各适其适,初非有划一之境界也。然观人类已往之事实,确有一物焉,驱之使向于同一之进路,则前述之"感情"是已。修谟拉之说曰:"人类意识之基础,并一切行为之究竟出发点,为快苦之感情。无论何种行为,其动机必出于就快乐、避痛苦之企图。即诸般之道德组织,亦取快乐主义。否则,去此世之快乐,以达彼岸之快乐者也。瞑想主义之伦理学,且以幸福为人生唯一之指归。幸福云者,去不快、享快乐之谓也。此求幸福之心理,乃人类意识不可灭之特征。"此就人间心界已然之现象,而致其钻研者也。至唯物派之快乐说,其源出于希腊大哲爱比克罗司。爱氏之言曰:"人类最终之目的,快乐而已。快乐非他,即满足感性之谓也。"斯皮挪萨更为精密之说明,以快与不快定善恶邪正之标准。至边沁又扩充快乐之分量,创为"最大多数最大幸福"之说,谓快与不快为人类行为之二大发动机。就此以视,吾人之至情已可概见,吾人之趋向亦不难立决矣。

然则所谓快乐者,果何物乎?依爱比克罗司之解答,则为"满足感性";斯皮挪萨谓为"满足欲求之意志";修谟拉之说亦谓"快乐者,使吾人满意之谓;痛苦反之,而压迫吾人者也"。是则快、苦云者,以吾人之自由意志为其根本。凡顺吾人之意志、从心所欲者,快乐;逆吾人之意志、不能如愿者,痛苦也。人类意志,依程度之文野、教育、风习、宗教、法律之种种不同,快、苦感情亦随之而生差异。要其为人生趋避之标的,则至不可诬也。修谟拉曰:"快乐为人生之指南车,痛苦乃航船之警备塔。"洵至言哉!

此等理解,在心理学家、社会学家大都一致承认。盖无论何种巧辩,不能反乎人性以立言也。然则,怀抱为我主义,审择快乐与痛苦,以抉进取之途,乃人类自然之大方针。宅此身于安乐之乡,非人生唯一之天职乎?

世有反对此说者乎,必曰人类为群居动物,独标为我主义,与群居之理性不相容。且乐极生悲,未有不能坚苦卓励,而能向上发展者。群情趋于快乐,且与进步主义不相容。是足以流毒社会,堕落人群者也。虽然,此未究明为我与快乐之真性,纯以世俗眼光论事者耳!

人生天地间,乃自然之事实,非有为而生也。既非有为而生,则除维持此自然身体之生活及适意外,不能发现第二之目的。如谓人曰:汝须爱人,须利人,须爱物,须利物。为达爱人利人、爱物利物之目的,虽牺牲本身,亦为当然之事。则必决定一前提曰"人也者,为人与物而生者也",然后乃有立脚之根据。否则,其结论为不可通。盖叩其何以爱与利,不在本身而在人物,不能得切当之解答也。人类既无为人、为物之天职,则所当为者,舍我而外,更有谁哉?乃为之教者,必使其精神附丽于人(君为臣纲,父为子纲,夫为妻纲。是为臣、为子、为妻者,各以身附丽于君父与夫也),依草附木。附于奴隶、牛马不能独立自主之惨境,尚有何向上发展之可言?"为我"两字,既为天经地义,无可为讳。则转眼于外界,接触于我之身心者,但有快乐、痛苦两境,商量审择之间,去苦而就乐,亦乃人性之自然,天赋之权利。吾人所当自为主张者也。

第仅曰"为我",仅曰"去苦就乐",浅闻之士每诮为卑劣,不足以语高尚。且快、苦感觉,为人类之本能,无所用其提倡。即鹿、豕、虫、鱼,其蠢然动息,感觉中亦未尝无快、苦两境。余既以等于鹿、豕、虫、鱼为人生之病,已复以是导人,其陷于矛盾矣。然鹿、豕、虫、鱼之具此本能也,不能自确认之。且其活动,不克出本能一步,所谓"冲动的活动""盲目的活动",未尝有丝毫审议于其间也。吾人既具此本能,自确认之,更自发挥光大之。冲动之来,酌加审议,以调节之,即所以尽其为人之道。至高尚、卑劣云者,则比较程度之差,以目光远迩、见地广狭为其标准,纯属知识问题,与快乐之本身无与。彼杨氏之"为我",拔一毛而利天下不为,其目光至短、见地至狭,非吾人所谓"为我"也。谚所谓"今朝有酒今朝醉",只顾目前娱乐,不计来日痛苦,非吾人所谓"快乐"也。

真能"为我"者,但行动以我身为中心,不为外界所驱使,乃精神上之一转捩,非兢兢与人较量之谓也。至形之于外,则我自为我,当使人之行为,有利于我,否亦无害于我。故人我之间,不能不有交换之条件,而行为之规律,随之以生。真能快乐者,当使前途之希望发生愉快,而现实之享乐次之。故牺牲目前之快乐,以希冀将来,为青年唯一之箴言。修谟拉曰:"为高尚之生活者,当使高尚之感情,支配卑劣之感情;舍弃目前之享荣,而博得将来之效果。"凡此皆基于本人之见地,而广狭各殊。我国民族,素以刻苦相励。而其结果,反以只图目前娱乐著闻于世。虽属知识上之缺憾,抑亦逆性之道德家,其教泽不能真入人心故耳!

爱比克罗司之论快乐也,区为感性快乐与智性快乐两种。感性快乐,人类与群动所同;智性快乐,则人类所独有也。且曰:"人类之寻乐,应以知识及克己精神为手段。抑制一时之快乐,以期其比较的永久。"边沁、弥尔诸氏则谓:"追求个人自身之快乐,不可不兼顾社会公众之快乐。"惟吾人何以必须兼顾公众,则其立说之根据,尚嫌薄弱。至斯宾塞、斯悌文诸氏,更立坚固之地盘,谓:"社会为一有机体,个人为其组成之细胞。细胞欲自求健全,不可不图有机体全身之健全。故个人欲增进生活,寻觅快乐,不可不增进社会全体之活动。"此说足以固边沁、弥尔两氏之壁垒,尚未使吾人满意也。英人古林氏,于十九世纪末期创为"自我实现说",以满足种种欲求为伦理之善,无大异于诸氏。惟关于满足欲求之节制,仍以本身快、苦为立脚点,反复说明。谓:"逞一时之欲求,而不顾其他,乃自灭之道。如恣口腹之欲,不加制限,必至害胃伤肠,病延全体,是以饮食欲自戕也。故欲求之中,一面为感情作用,一面仍不可无理性作用。"其说个人与社会之关联,尤为剀切瞭亮,谓"人类之智能及生活资料,皆辗转受供给于他人,故必相依相扶,以营协同之生活。若自宅于孤立之状态,则死而已矣。故个人求自己之满足,同时不可不求社会全体之满足。求社会全体之满足,不必有他妙巧,但发挥自我之天才,遂其向上发展,自能达其目的。恰如人身诸部之机关,但能自保健康,即于全身福利,有所贡献,理无二致也"。

修谟拉之说曰:"恣意享乐,不能忍受痛苦,诚为荼毒人间之恶魔。"然不足以破快乐说之壁垒。盖人类以教育及生活经验之结果,感情跻于高尚。渐认抛弃一时之快乐,以图永久幸福,为人生之必要。故牺牲逸暇之愉快,以事劳作,受训育,为将来之幸福也。制肉体过分之享乐,为防将来之害毒也。其进步之迹,初由肉体感情,进于美的感情,再进于智的感情,更进于道德感情。至是不能以肉体之快感为满足,必于社交家族、智术技能各方面寻永久不变之快乐。快、苦感情,既为种种之结合,其决定意志、指导行为之方向,不能出于一途。如为家族及同胞而战死沙场,亦出于幸福感情之一念,固已超出生理快感之上也。

观此诸说,则快乐主义,一方面仍具有牺牲之精神。特其牺牲也,仍以自我快乐为动机,非于自身快乐以外别有被动之义务也。为快乐而牺牲,肉体方面虽不无苦楚,精神上尽有无限愉快。以其牺牲也,固出于自动的自由意志也。若受外力强迫而为之,则五衷俱痛矣。

青年乎!汝知汝所受之教育,为为人之教育乎?忠孝节义,全非植根本于汝身。由身外之人,课汝以片面之义务。汝知汝所处之境地,为痛苦之境地乎?自由意志,毫无发展之余地。如知之也,其速决汝大方针曰"为我",以进于独立自主之途;其速定汝大目的曰"快乐",以遂汝欲求意志。

(第一卷第二号,一九一五年十月十五日)

述墨

易白沙

　　周秦诸子之学,差可益于国人而无余毒者,殆莫如子墨子矣。其学勇于救国,赴汤蹈火,死不旋踵。精于制器,善于治守。以寡少之众,保弱小之邦,虽大国莫能破焉。今者四郊多垒,大夫不以为辱,士不以为忧。战既不能,守复无备。土地人民,惟人之宰割是听。非举全国之人,尽读墨经,家有禽子之巧,人习高何之力,不足以言救国。以《备城门》《备梯》《备高》诸篇之义,固吾土宇,此"非攻"之说不可缓也。百工废其规矩,则器不足;商贾阻于道路,则货不足;农怠其耕芸,山虞辍其林木,则材不足。国人日用饮食衣服之需,仰给邻国,称贷外债,以土地主权为质,富与贵更据私财,深缄縢肩鐍之藏。一食万钱,一裘千镒,而人民啼饥号寒,遍于四竟之内矣。此"节用"之说不可缓也;人类之立,舍爱莫由也。今者,父子、夫妇、兄弟各不相爱,社会中皆不慈、不友、不孝、不悌之人耳!父自爱不爱子,故亏子而自利。兄自爱不爱弟,故亏弟而自利。子之事父,弟之承兄,亦若是焉。夫妇之间,以利相求。卒之利无两立之道,爱无独生之情,是以尽社会之人,群起而攘夺劫掠。弊之所积,不爱社会,不爱国家,不爱祖宗,不爱子孙,不爱廉耻,不爱名誉,且不自爱其身。此"兼爱"之说不可缓也;见不可布于海内,闻不可明于百姓,则天神地祇、人鬼物魅,为愚民心中不可离之物,是以浅化社会。人心之结,必以宗教。宗教之成,必由信仰。用以劝善禁恶,趋吉避祸,维系社会道德于不坠者,鬼神之力也。中国今日宗教,世俗所论,大约为儒、释、道三派。儒之蔽诡取利禄,无守死善道之风;道之蔽依傍他人,缺少独立之性;释之蔽义在出世,诵经坐食,游惰害群。三者惟存仪式,求其利益人群,清宁世法,慨不可得。此"天志""明鬼"之说不可缓也。是皆墨子之学,荦荦最著者,"勤俭"之说,古今中外所同尊,墨书持之特切。中国今日之恶俗颓风,不益需于此乎?庄子道其学曰:"不侈于后世,不靡于万物,不晖于数度,以绳墨自矫,而备世之急。"又曰:"其生也勤,其死也薄,其道大觳。使人忧,使人悲,其行难为也,恐其不可以为圣人之道。反天下之心,天下不堪。墨子虽独能任,奈天下何!离于天下,其去王也远矣!"墨子称道曰:"昔者禹之湮洪水决江河,而通四夷九州也。名山三百,支川三千,小者无数。禹亲自操橐耜而九杂天下之川,腓无胈,胫无毛,沐甚雨,栉疾风,置万国。禹大圣也,而形劳天下也如此。"使后世之墨者,多以裘褐为衣,以跂蹻为服,日夜不休以自苦为极。曰:"不能如此,非禹之道也,不足谓墨。"读庄生之言,可以窥墨学精神矣!兹篇稽其本末,拾其精英,缀为篇章,扬此绝学。志士仁人,起而行之,斯国家无疆之休也。

第一章 墨学之起源

墨子以前,即有墨学。惟创于何时,不可考见。读墨子之书,溯源祖祢,实宗夏禹。然诸家追论学派,每多异词,今并举之,益见其学之广大无涯、取精用宏,非一朝一夕突然创立者也。

有谓其学出古于古人,墨子变本加厉者。

《庄子·天下》篇:"不侈于后世,不靡于万物,不晖于数度,以绳墨自矫,而备世之急。古之道术,有在于是者,墨翟、禽滑厘闻其风而说之。为之大过,已之大顺。"按:《说文》:"已,用也。""顺"一本作"循","循"与"过"义近。"用之大循",亦犹为之大过也。

有谓其学出于官守者。

《汉书·艺文志》:"墨家者流,盖出于清庙之守。茅屋采椽,是以贵俭。养三老五更,是以兼爱。选士大射,是以上贤。宗祀严父,是以右鬼。顺四时而行,是以非命。以孝视天下,是以上同。"

有谓其学出于史者。

《吕氏春秋·当染》篇:"鲁惠公使宰让请郊庙之礼于天子。桓王使史角往,惠公止之。其后在于鲁,墨子学焉。"按:高注:"其后,史角之后也。"

汪中《述学·墨子序》:"周太史尹佚,实为文王所访(《晋语》)。克商营洛,祝策迁鼎。有劳于王室(《周书·克殷解》《书·洛诰》)。成王听朝,与周公、召公同为四辅(贾谊《新书·保傅》篇),数有论谏(《淮南子·主术训》《史记·晋世家》),身殁而言立。东迁以后,鲁季文子(《春秋传·成四年》)、惠伯(《文十五年》)、晋荀偃(《襄十四年》)、叔向(《周语》)、秦子桑(《僖十五年》)、后子(《昭元年》)及左邱(丘)明(《宣十二年》)并见引重,遗书二篇。刘向校书,列诸墨六家之首。"

有谓由儒家而为墨家者。

《淮南·要略训》:"孔子修成康之道,述周公之训,以教七十子,使服其衣冠,修其篇籍,故儒者之学生焉。墨子学儒者之业,受孔子之术，以为其体烦扰而不说，厚葬靡财而贫民，服伤生而害事，故背周道而用夏政。"

《史记·儒林列传》："田子方、段干木、吴起、禽滑厘之属，皆受业于子夏之伦，为王者师。是时，独魏文侯好学。凌迟以至于始皇，天下并争于战国。儒术既绌焉。然齐鲁之门，学者独不废也。"是禽子亦学于儒。《孟子·告子章句上》赵岐注："告子者，告，姓也。子，男子之通称也。名不害，兼治儒、墨之道者，尝学于孟子，而不能纯彻性命之理。"是告子亦学于儒。

有谓出于道家者。

葛洪《神仙传》："墨子卧后，有人来以衣覆足。墨子乃伺之，忽见一人，乃起问之曰：'君岂非山岳之灵气乎？将度世之神仙乎？愿且少留，诲以要道。'神人曰：'知子有志好道，故来相候。子欲何求？'墨子曰：'愿得长生，与天地相毕耳！'于是神人授以素书，朱英丸，方道灵教戒，五行变化，凡二十五篇。告墨子曰：'子有仙骨，又聪明，得此便成，不复须师。'墨子拜受合作，遂得其验。乃撰集其要，以为《五行记》。"

按：此杂以神仙丹术之说，似为不经，然墨子固言五行也。《抱朴子·内篇·遐览卷第十九》曰："道家有墨子枕中《五行记》。"又曰："其变化之术大者，惟有墨子《五行记》。本有五卷，昔刘君安未仙去时，钞取其要，以为一卷。其法用药、用符，乃能令人飞行上下，隐沦无方。含笑即为妇人，蹙面即为老翁，踞地即为小儿，执杖即成林木。种物即生瓜果可食，画地为河，撮壤成山，坐致行厨，兴云起火，无所不作也。"此列墨子于道家，其说虽诞，治墨学所未曾有。故附于此，以广异闻。

而墨家自道，则谓出于夏禹。

《庄子·天下》篇:"其称道曰:'昔者禹之湮洪水,决江河,而通四夷九州也。名山三百,支川三千,小者无数。禹亲自操橐耜而九杂天下之川,腓无胈,胫无毛,沐甚雨,栉疾风,置万国。禹大圣也,而形劳天下如此。'故使学者以裘褐为衣,以跂蹻为服,日夜不休,以自苦为极。曰:'不能如此,非禹之道也,不足谓墨。'"

本书《公孟》篇:"公孟子曰:'君子必古言服,然后仁。'子墨子曰:'商王纣、卿士费仲为天下之暴人,箕子、微子为天下之圣人,此同言而或仁、不仁也。周公旦为天下之圣人,关叔为天下之暴人,此同服或仁或不仁。然则不在古服与古言矣。且子法周而未法夏也,子之古,非古也。'"

《列子·杨朱》篇:"禽子曰:'以吾言问大禹、墨翟,则吾言当矣。'"张湛注云:"禹翟之教,忘己而济物也。"

综以上诸说,涂辙虽异,归宿则同。曰古之道术、曰清庙之守、曰史官、曰儒家、曰道家与法禹之说,尤不相悖。墨子受业儒术,旋背其道,自不能诬以出自孔门。道家者流,出于史官,墨子亲士修身,澹泊冲远,实近道宗老?为征藏史,史佚复为墨家,导源既同。谓其学必无相通之处,无是理也。史角掌郊庙之礼,即清庙之守耳。《吕氏春秋》尤可与《班志》相印证,故《庄子》不加辨析,但曰:"古之道术而已。"伊古元首,既施治政之方,复操教化之柄。文明学术,多肇自帝王。其迹掌诸史官,则史佚史角,断难决其不识夏制。史佚墨者,文王所访。周公制礼,尚未发端,此时自无《周礼》之可用。是史佚所法,必夏制无疑也。近儒汪容甫,必将史佚与禹列为二事,谓墨学出于史佚,而不法禹,殆未观其会通耳。

《淮南子》曰:"世俗之人,多尊古而贱今。故为道者,必托于神农、黄帝而后能入说。"《庄子》亦曰:"重言十七,所以已言也,是为耆艾。年先矣,而无经纬本末以期年耆者,是非先也。人而无以先人,无人道也;人而无人道,是之谓陈人。"故为道者必托古,知此二说者,乃可语于墨子法夏之故。盖周秦诸子,其学术精审,实远出神农、黄帝、尧、舜、禹、汤之上。许行为农神,彼均贫富、齐社会,非神农所能梦见矣;道家祖述黄帝,彼老庄杨朱之博大,非轩辕所可企及矣;儒家言称尧舜,而孔子已贤于尧舜远矣;墨之法禹,又岂禹所逮哉?

墨子法禹之迹,可以得言者,《论语》孔子称禹:"菲饮食而致孝乎鬼神,恶衣服而致美乎黻冕,卑宫室而尽力乎沟洫。"《辞过》篇所论,即不外此旨。"菲饮食","恶衣服","卑宫室",所以节用;"致孝鬼神",所以明鬼;"尽力沟洫",所以兼爱。惟"美黻冕"之事,与墨子所言不同。《说苑·反质》篇:"禽滑厘问于墨子曰:'锦绣絺纻,将安用之?'墨子曰:'恶!是非吾所用务也。古有无文者得之矣,夏禹是也。卑小宫室。损薄饮食,土阶三等,衣裳细布。当此之时,黻冕无所用,而务在于完坚。'"孔子言禹美黻冕,而墨子乃谓不用黻冕矣。孟子称禹治水三过其门而不入,思天下有溺者,犹己溺之。此兼爱之说所出也。《淮南子·要略训》:"禹之时天下大水,死陵者葬陵,死泽者葬泽,故薄财节葬,闲服生焉。"《齐俗训》高诱注:"三月之服,是夏后氏之礼。"《后汉书》注引《尸子》:"禹之丧法,死于陵者葬于陵,死于泽者葬于泽,桐棺三寸,制丧三月。"此节葬之说所出也。此皆墨学之宗夏制者。墨子更有宗教之仪式,渊源于禹者,则传巨子是也。《史记》言:"禹之治水,左准绳,右规矩。"王肃曰:"左右言常用也。洪水初平,未分道里,大禹析土斫木,为标识以表道路。车船橇樏之用,导水披山之工,非规矩、准绳不能利其器。"故大禹常用规矩。墨子法禹,制器亦工。观其车辖之引重,木鸢之飞,守圉之器,不以规矩不能成方圆。故墨子亦时执规矩。《列子·汤问》篇:"而门人之贤者,传巨子授之。"《吕氏春秋·上德》篇:"孟胜为墨者巨子,善荆之阳城君。阳城君令守于国,毁璜以为符,约曰符合听之。荆王薨,群臣攻吴,起兵于丧所,阳城君与焉,荆罪之。阳城君走,荆收其国。孟胜曰:'受人之国,与之有符。今不见符,而力不能禁。不能死,不可。'其弟子徐弱谏孟胜曰:'死而有益阳城君,死之可矣;无益也,而绝墨者于世,不可。'孟胜曰:'不然。吾于阳城君也,非师则友也,非友则臣也。不死,自今以来,求严师必不于墨者矣,求贤友必不于墨者矣,求良臣必不于墨者矣;死之,所以行墨者之义。而继其业者也,我将属巨子于宋之田襄子,田襄子,贤者也。何患墨者之绝世也?'徐弱曰:'若夫子之言,弱请先死以除路。'还没头前于孟胜,因使二人传巨子于田襄子。孟胜死,其弟子死之者八十三人。二人以致令田襄子,欲反死孟胜于荆,田襄子止之曰:'孟胜已传巨子于我矣。'不听,遂反死之。"此可以考见墨家传巨子者数事:

(一)巨子必传于贤者。

(二)巨子得传,则其学不绝于世。

(三)巨子死,弟子必皆殉之而死。

(四)巨子死,必传巨子于可以不死之贤者。

(五)贤者受巨子,同门弟子皆听其令。

巨子之传,即传其制器之规矩,犹佛家传衣钵也。(巨子、规矩皆当作"巨"。《说文》:"规,巨也。")《庄子》言其以巨子为圣人,皆愿为之尸,冀得为其后世,至今不决。墨家之尊重巨子,从可知矣。缅法夏后之准绳,近创宗教之仪式,诚中国空前绝后之学也。

按,禹宗五行之教,《墨子》亦言五行,故道家遂谓有"五行之记",亦墨家法禹之一证也。其详见后章。

(第一卷第二号,一九一五年十月十五日)

述墨（续二号）

易白沙

第二章　墨子历史

墨子遗事，西汉人已不能言其详。太史公《史记》，惟附数语于《孟子荀卿列传》，且不能定其时代。墨子为周季学术一大宗派，记载如此简略，此史公之疏也。兹征讨群书，得其荦较，为录于下：

（一）**墨子之姓名**　墨子姓名，旧有二说：一谓姓墨氏，名翟；一谓姓翟氏，名乌。究以前说为确，可证之书：（1）《史记·孟子荀卿列传》，（2）《荀子·非十二子》篇，（3）《韩非子·显学》篇，（4）《吕氏春秋·当染》篇，（5）《汉书·艺文志》，（6）郑樵《通志·氏族略》，皆谓墨子姓墨名翟者也。而《墨子》本书，亦自称曰翟，是即古人称名之例。伊世《珍琅环记》，引贾子《说林》，谓墨子姓翟名乌。其母梦日中赤乌入室，惊觉生乌，遂名之，此说不足据。陶弘景《真诰·稽神枢》篇："墨狄服金丹而告终。"以"狄"为"翟"，亦非古义。

（二）**墨子之国籍**　墨子为鲁人，为宋人？亦一疑问。高诱《吕氏春秋·当染》篇注，以为鲁人。葛洪《神仙传》，以为宋人。就墨子本书考之，当以鲁人为是也。

(1)《贵义》篇:"墨子自鲁即齐。"

(2)《鲁问》篇:"越王为公尚过束车五十乘,以迎子墨子于鲁。"

又考《吕氏春秋·爱类》篇:"公输般为云梯欲以攻宋,墨子闻之自鲁往,见荆王曰:'臣北方之鄙人也。'"《淮南子·修务训》亦云:"自鲁趋而往,十日十夜至于郢。"皆墨子为鲁人之确证。《史记》班固,谓为宋大夫者,以鲁人而仕于宋也。后人遂因此,误为宋人。

(三)**墨子之时代** 墨子生卒年月,无所考见,故治墨学者,各执一说。瑞安孙诒让著《墨子间诂》,考定精审,为诸说所不逮。今分列于左,读者仍取孙说可也。葛洪《神仙传》:"墨子年八十有二,入周狄山学道。"其说虽不足尽信,然墨子实寿考,征以汪中孙诒让所载,尚非虚语矣。

(1)《史记·孟子荀卿列传》:"墨翟或曰并孔子时,或曰在其后。"

(2)《汉书·艺文志》:"墨子名翟,为宋大夫,在孔子后。"

(3)《后汉书·张衡传》注,引衡集论"图纬虚妄"疏云:"公输般与墨翟,并当子思时,出仲尼后。"

(4)《史记索隐》引刘向《别录》:"墨翟在七十子之后。"

(5)毕沅《墨子注叙》:"墨翟实六国时人,至周末犹存。"

(6)汪中《墨子序》:按《耕柱》《鲁问》二篇,墨子于鲁阳文子,多所陈说。《楚语》惠王以梁与鲁阳文子,韦昭注:"文子,平王之孙,司马子期之子。"其言实出世本。故《贵义》篇:"墨子南游于楚,见献惠王,献惠王以老辞。"献惠王之为惠王,犹顷襄王之为襄王。由是言之,墨子实与楚惠王同时,其仕宋当景公、昭公之世,其年于孔子差后，或犹及见孔子矣。《艺文志》以为在孔子后者是也。《非攻中》篇言"知伯以好战亡，事在春秋后二十七年"，又言"蔡亡"，则为楚惠王四十二年，墨子并当时及见其事。《非攻下》篇言"今天下好战之国，齐晋楚越"，又言"唐叔吕尚邦齐晋，今与楚越四分天下"。《节葬下》篇："言诸侯力征，南有楚越之王，北有齐晋之君。"明在勾践称伯之后，秦献公未得志之前，全晋之时，三家未分，齐未为陈氏也。《檀弓下》："季康子之母死，公输般请以机封。"此事不得其年。季康子之卒，在哀公二十七年。楚惠王以哀公七年即位，般固逮事惠王。《公输》篇："楚人与越人舟战于江，公输子自鲁南游楚，作钩强以备越。"亦吴亡后楚与越为邻国事。惠王在位五十七年，本书既载其以老辞墨子，则墨子亦寿考人与？

（7）武亿《墨子跋》：《楚语》："惠王以梁与鲁阳文子。"注："文子，平王之孙，司马子期之子，鲁阳公也。"惠王十年，为鲁哀公十六年，孔子方卒。又翟本书《贵义》篇："子墨子南游于楚，见楚献惠王。"楚世家无此名，是献惠即惠王，误衍一献字。审是则翟实当楚惠王时，上接孔子未卒，故太史公一云并孔子时，说非无据。

（8）孙诒让《墨子年表》：墨子前及与公输般、鲁阳文子相问答，而后及见齐太公和（见《鲁问》篇："田和为诸侯，在安王十六年。"），与齐康公兴乐（见《非乐上》篇："康公卒于安王二十三年。"），楚吴起之死（见《亲士》篇："在安王二十一年。"）上距孔子之卒（敬王四十一年），几及百年，则墨子之后孔子，盖信。审核前后，约略计之，墨子当与子思并时而生，年尚在其后（子思生于鲁哀公二年，周敬王二十七年也。下及事鲁穆公，年已八十余，不能至安王也。《史记·孔子世家》："子思年止六十二。"则不得及穆公，近代谱牒书，或谓子思年百余岁者，并不足据），当生于周定王之初年,而卒于安王之季,盖八九十岁,亦寿考矣。其仕宋盖当昭公之世,邹阳书云宋信子罕之计,而囚墨翟。(《史记》本传)其事他书不经见。秦汉诸子,多言"子罕逐君",高诱则云"子罕杀昭公"(《吕氏春秋·召类》篇注),又《韩非子》说"皇喜杀宋君"(《内储说上》)。子罕与喜当即一人。窃疑昭公实被放杀,而史失载。墨子之囚,殆即昭之末年事与?

(四)墨子之遗事 墨子者,躬行君子也。身所行者,即学说所主张。昔者齐王问墨子曰:"古之学者为己,今之学者为人。何如?"对曰:"古之学者,得一善言,以附其身。今之学者,得一善言,务以悦人。"(北《堂书钞》八十三,《太平御览》六百七引《新序》)盖墨子之行于身者,即言于口者,故其遗事,多撰入后章,与学说相发明。兹不备述,述其异闻而已。

一曰墨子梦周公。

《论语》载孔子梦周公,不知墨子亦梦周公。《吕氏春秋·博志》篇:"孔丘墨翟,尽日讽诵习业,夜亲见文王周公旦而问焉。"此言墨子与孔子同梦也。《贵义》篇:"子墨子南游使卫,关中载书甚多。弦唐子见而怪之曰:'吾夫子教公尚过曰、揣直曲而已。(言不必多读书)今夫子载书甚多,何有也?'子墨子曰:'昔者周公旦朝读百篇,夕见漆十士(漆,七假借字),故周公旦佐相天子,其修至于今。翟上无君上之事,下无耕农之难。吾安敢废此?'"是墨子尝以周公之勤劳自勉,则夜见周公,亦精神上应有之召感矣。

二曰墨子哭歧道。

《荀子·王霸》篇言杨朱哭衢,不知墨子亦哭歧道。《吕氏春秋·疑似》篇"墨子见歧道而哭之",高诱注:"为其可以南可以北,言乖别也。"贾子《新书·审微》篇:"故墨子见衢路而哭之,悲一跬而缪千里也。"按可南可北,一跬千里,皆所染篇所言之理。

三曰墨子吹笙。

墨子,非乐者也,然实善于乐。《吕氏春秋·善因》篇:"墨子见荆王,衣锦吹笙,因也。"高诱注:"墨子好俭非乐,锦与笙非其所服也。而为之,因荆王之所欲也。"《艺文类聚》四十四引《尸子》云:"墨子吹笙,墨子非乐而于乐有是也。"按《淮南·主术训》谓"墨子修先王之术,通六艺之论",是墨子实通于乐,惟不言乐耳。

四曰墨子从赤松子游。

葛洪《神仙传》:墨子年八十有二,乃叹曰:"世事已可知,荣辱非常保。将委流俗,以从赤松子游耳。"乃入周狄山,精思道法,想象神仙,于是数闻左右山间有诵书声者。墨子卧后,又有人来以衣覆足。墨子乃伺之,忽见一人,乃起问之曰:"君岂非山岳之灵气乎?将度世之神仙乎?愿且少留,喻以道要。"神人曰:"知子有志好道,故来相候。子欲何求?"墨子曰:"愿得长生,与天地相毕耳。"于是神人授以素书,朱英丸,方道灵教戒,五行变化,凡二十五篇。告墨子曰:"子有仙骨,又聪明,得此便成,不复须师。"墨子拜受合作,遂得其验。乃撰集其要,以为《五行记》。乃得地仙隐居,以避战国。至汉武帝时,遣使者杨违束帛加璧以聘墨子,墨子不出。视其颜色,常如五十许人。周游五岳,不止一处。

(第一卷第五号,一九一六年一月十五日)

述墨（续）

易白沙

第三章 《墨经》

一 《墨经》之名称

古代典籍，以经称者，老聃、孔子称《诗》《书》《礼》《乐》《易》《春秋》为六经（《庄子·天运篇》）。管子称《诗》《书》《礼》《乐》为四经（《管子·戒篇》）。此六艺称经之最古也。然非六艺，亦可称经。禹益治水，作《山海经》，则纪山川异物者（《论衡·别通篇》）。吴语言挟经秉枹，则为兵家之书；而《黄帝内经》为医家之言；荀卿子引道经，为道家之义；老子五千言，汉人谓之《道德经》；屈原《离骚》，后世谓之《离骚经》；《汉书·艺文》则《论语》《孝经》，亦称为经，传诸六艺之列。《管子·牧民》以下十篇，皆谓之经言。韩非书《内储说》上下，亦分为经。经之名称亦广矣。

《墨子》之书以经称者，见于《庄子·天下篇》。试列其说于下：

"相里勤之弟子，五侯之徒。南方之墨者，苦获已齿邓邻子之属，俱诵墨经，而倍谲不同。相谓别墨，以坚白同异之辩相訾，以觭偶不仵之辞相应。"

按《墨子》有《经》上下、《经说》上下四篇,阐明逻辑,为全书之纲领。墨经之名,所以立也。惟《庄子》所谓《墨经》,乃指墨子全书而言,非仅四篇。盖墨家别树旗帜,卓然成一家之学。其书所依据之六经,亦与孔子删订之六经,绝不相类。所引夏书、商书、周书,孔子未删之书也;所征之诗,孔子未删之诗也;所举《春秋》,周之《春秋》、郑之《春秋》、燕之《春秋》、宋之《春秋》、齐之《春秋》也。故墨家学术博大,与孔子并称显学。

二 《墨经》之文字

墨经多古籀之文,较周秦诸子,尤难解训。晋人鲁胜以后,遂成绝学。其书虽存,无人讲习,故文字脱误,不可校读。古文奇字,为后人妄改者甚多。试观说文,可证二事。(一)《墨经》之羛字。义下云:"墨翟书,义从羛。魏郡有羛阳乡,读若锜。按今之义字,不从弗而从我,此后人所改也。"(二)《墨经》之绷字。绷下云:"墨子曰:'禹葬会稽,相棺三寸,葛以绷之。'按今《节葬篇》,此句凡三见,皆作缄而不作绷,此后人所改也。"

即此二事,可证西汉时《墨》原本尚少谬误,至明人刊行之道藏本,已异于许叔重所读者也。今读其全书,仓籀遗意,犹有存者,分列于下,以为文字学之参考焉。(其不可考者,《经说》上篇之"雦"字,说下篇之"頯"字,《大取》篇之渻字,《杂守》篇之卣字。)

(一)古文。

长,"张"之古文。《所染》篇,范吉射染于长柳朔,《吕氏春秋》《群书治要》皆作"张柳朔"。

予,"序"之古文。《尚贤》中篇,诲女予爵,予《诗经》作序。

兹,"滋"之古文。《非攻》上篇,其不仁兹甚,言不仁滋甚也。

睘,"环"之古文。《节葬》下篇,三睘,言三环绕也。

方,"傍"之古文。《天志》上篇,方施天下。

羊,"祥"之古文。《明鬼》下篇,敬君取羊,取福祥也。

佳,"惟"之古文。同上,矧佳人面。

丌,"其"之古文。《公孟》《鲁问》《备梯》《备城门》等篇,皆有此字。

台,"诒"之古文。《经说》上篇,台彼,诒彼也。

沵,"流"之古文。《经说》下篇,沵梯者不得沵。

兑,"锐"之古文。《备城门》篇,兑其两端。

莫,"幕"之古文。同上。

夫,"鈇"之古文。同上,铁鈇。

鬲,"隔"之古文。《备梯》篇,杀有一鬲。

舄,"碣"之古文。《备穴》篇,柱下傅舄。

曼,"蔓"之古文。《迎敌词》篇,曼延燔人。

(二)籀文。

遬,"速"之籀文。《明鬼》下篇,其此之憯遬也。

䕚,"嗌"之籀文。《节葬》下篇,哭泣不秩,声翁翁䕚形近而误。

虝,"虎"之籀文。《经说》上篇,画虝,当为虎籀文,籀文多偏旁也。

佩,"鼠"之籀文。《备穴》篇,佩佩当为鼠鼶之籀文。

(三)古文之误。

(四)古文"雷"之误。《非攻》下篇,四电诱祇,四当作田,雷之古文也。

臺,古文"握"之误。《经说》上篇,臺执,臺当作奎,古文握字。

攽,古文"杀"之误。《鲁问》篇,贼攽百姓,攽当作㪷,古文杀字,《尚贤·中篇》,误作贼傲万民。

（五）类似古籀之字。

䳜，鹤也。《非攻》下篇，䳜鸣十馀夕，即鹤鸣。

聆缶，吟谣也。《三辩》篇，息于聆缶之乐。《太平御览》引为吟谣。

偄，援也。《节用》上篇，侵就偄橐。

倚，碬也。《天志》中篇，倚明知之。

㵄，洒也。《明鬼》下篇，㩁其血。《太平御览》㵄作洒。

恕，智也。《经》上篇，恕明也。

㽞，諰也。《经说》上篇，知其㽞也。

㦥，县也。同上。㦥于欲之理。

舳，屈也。《经说》下篇，舳倚则不正。

竝，并也。同上。

帚，寝也。同上。

骡，赢也。同上。

疶，癯也。同上。

䅘，稗也。同上。

磨鹿，磿鹿也。《备高临》篇，唐鹿卷牧。

㭒，柏也。《备穴》篇，用㭒若松，㭒当为柏，梓之别体。

醓，醢也。同上。

剀，岀也。《杂守》篇，角脂剀羽，即考工记之㠯，㠯之误也。

蠹，蚕也。《备蛾传》篇蠹其两端，蠹当为蚕，刺矛也。

（六）古之俗字。

洀，法之俗字。《备蛾传》篇，以为洀程，即法程也。隋邓州舍利塔铭，法作洀。

宍，肉之俗字。《迎敌祠》篇，食其宍广，韵宍俗肉字。

三 《墨经》之篇目

《墨子》之书，流传后世者，约分二种：一为十五卷，七十一篇；一为三卷，十三篇。言十五卷者，曰《唐书·经籍志》、曰《新唐书·艺文志》、曰《宋史·艺文志》、曰《崇文书目》，以及马端临之《文献通考》、王应临之《玉海》、晁公武之《读书志》皆是也。言七十一篇者，《汉书·艺文志》是也，是为《墨经》之完本。

《隋书·经籍志》："《墨子》十五卷，目一卷。"马总意林谓"《墨子》十六卷，亦并目录为一卷"。《吕氏春秋》高诱注，则言"《墨子》七十二篇，盖并目一篇，皆与十五卷七十一篇之说，不悖谬也"。

按班固、高诱，皆言篇数。《唐书》以后，仅言卷数，而不言篇数，疑《墨经》汉以后即有残阙。孙诒让言北宋时尚有完本，恐不可据。杨倞注《荀子》云："墨子著书三十五篇（见《修身》篇注），则唐时已无完本矣。"毕沅曰："藏本云：'阙者八篇，而有其目。《节用》下、《节葬》上中、《明鬼》上中、《非乐》中下、《非儒》上是也，当是宋本如此。'而馆阁书目云：'自《亲士》至《杂守》为六十一篇，亡九篇。恐是八讹为九。又七十一篇。亡其九，当存六十二，而云六十一，亦二之讹也。其十篇者，藏本并无目，亦当是宋时亡之。然则宋时所存，实止五十三篇耳。'然《诗正义》引《备冲》，则尚存其目，而不知列在第几。《太平御览》引有《备冲法》，正在此篇，则宋初尚多存与。"此毕沅述七十一篇残阙之大略也。

有言三卷者，郑樵《通志·艺文略》所谓《乐台注》是也。陈直斋《书录解题》、焦弱《侯篇籍志》，亦均言三卷。吴正传《战国策》校注，引《兼爱·中篇》"楚灵王好士细要"数语，云："今按《墨子》三卷中无此文，亦言三卷。有言二卷十三篇者，《潜溪诸子辩》。上卷七篇，号曰'经'；下卷六篇，号曰'论'，共十三篇，则又分为上下二卷。"黄氏日抄《墨子》之书凡二,其后以论称者多衍复,其前以经称者善文法,则又分为前后二卷。言二卷者,有篇数;言三卷者,未著明篇数。不知三卷之《墨子》是否即二卷之《墨子》,实一疑问。分为二卷,前经后论,则后人所称之经,非《庄子》所称之《墨经》矣。二卷三卷之本,今皆失传,吾今所得读者,五十三篇之阙文而已。

(第二卷第一号,一九一六年九月一日)

叔本华自我意志说

刘叔雅

　　盗贼盈国，天地既闭，崩离之祸，不可三稔。而夸者死权，贪夫殉财，邪僻之徒，役奸智以投之，若蝉之赴明火。朝无不二之臣，野寡纯德之士。齐仲孙曰："国之将亡，本必先颠。"今日是也。昔者余杭章先生，闵党人之偷乐，忧民德之日衰，宣扬佛教，微言间作。惟恢心邪执，众庶所同，大乘之教，不可户喻。欲救其敝，斯亦难矣。德意志大哲叔本华先生，天纵之资，既勇且智，集形而上学之大成（Deussen 博士语也），为百世人伦之师表（R. Wagner 教授语也），康德而后，一人而已。先生之说以无生为归，厌生愤世，然通其义可以为天下之大勇，被之横舍则士知廉让，陈之行阵则兵乐死绥。其说一变而为尼采超人主义，再变为今日德意志军国主义。余获读遗书，窃抽秘旨，世之君子，得以览焉。

　　先生名亚特，姓叔本华氏（Arthur Schopenhauer），普鲁士之丹崎（Dantzig）人也。父为大贾，家富不赀。母曰约翰拿，博学工文，有声于时。氏幼游学盖亭（Göttingen），受学于当时老师萧尔慈（Schulze）者凡三年，转入柏林大学，受学于斐希特（Fichte），既卒业，讲学柏林大学十余年，以不能人间事，不得充教授，遂去职，居于梅恩河上之佛兰克复（Frankfurt am Main），端居读书，不复讲授。

一千八百六十年,年七十二,卒于家。年二十五时,撰一文曰《充足理由原理之四根》,Ueber die vierfache Wurzel des Satzes vom zureichenden Grunde(英人 Hillebrand 氏译本 Fourfold Root of the principle of suffcient reason,载在 Bohn's Library 中),已为当时学者所称道。其后六年,造《世唯意识论》,Die Welt als Wille und Vorstellung(英人 Haldane,译本 The world as will and as idea),宇宙大名,由此遂立。他若《意志之在自然》Ueber den willen in der Natur(英文本 On the will in Nature,亦载 Bohn's Library 中)与《伦理之二大问题》Die beiden Grundprobleme der Ethik,并为学者所重。殁后十余年,弟子佛劳恩斯他德(Frauenstadt),编其全集,刊之于莱卜崎(Leipzig),凡六卷。斯丁沨(R. Steiner)所纂者凡十三卷,谷利斯巴(Grisebach)所纂者若干卷,三集并行于世。巴克斯(Bax)选译其文,命曰《叔本华文钞》,载《彭氏丛书》。(Schopenhauer's Essays, by Bax in Bohn's Library)又谷利斯巴搜集其笔记,命曰《叔本华随笔》(即 Neue Paralipomena),凡十二篇。

德义生博士有言:"解自然之玄奥之秘钥,实吾人天然自有之,中而得此秘钥者叔本华也。其丰功伟烈虽勒之景钟,被之歌咏,犹未足赞其万一也。"(Deussen, Elemente der Metaphysik. 第二部第一章第八节)叔氏去今五十年矣,今之学者或病其说之旧而短之。然要为希世大哲,其学说浸润于人心者至深,征诸北欧之文艺,自然派、新理想派之人生观、艺术观,与旷世文豪托尔斯泰之思想,实皆与叔氏之说有同感焉。斯可见其影响于世人之精神生活者至大,苟偷婾婴之民闻之可以发扬蹈厉,在狷诈贪饕之徒亦一服清凉散也。其世界观,实兼采柏拉图、康德、斐希特、谢灵格诸诸家之精英,其人生观则得诸印度哲学者为多,为说甚富。兹就其关于自我意志者，略述要指于下：

世界者我之观念也（Die welt ist meine Vorstellung），自我（Ego）与心思之先天条件所创造者也。盖吾人认此世界之存在者，以有眼、耳、鼻、舌、身、意也，我之组织如是，故世界对我呈如是之宪象。我之组织倘与今异，则世界亦必改旧观。物体之有坚有柔，其色之有黑有白，与其占空间，具不可入性，皆在我觉其如是耳。使我无目，安得有色？使我无耳，安得有声？使我无鼻，安得有臭？使我无舌，安得有味？使我无知觉，安得有空间有物体？可知宪象之世界实依我而存在，由我智灵之组织而生，非有绝对之存在者也。然宪象世界之外有真如在，真如，绝对者也。（金刚略疏亦云"真如，绝对"，与先生之说相合。）其存在出于自然，初非由吾人之智识而生，独立不倚，无所赖于吾人之心灵也。（以上所陈见 Die Welt als Wille und Vorstellung 卷一 pp. 3ff.）康德亦谓宪象世界之外有物如（Ding an sich）在，斯即吾人意识中之真如也。然康德虽认此物之存在，同时复谓吾人悟性之范畴（Caterogie），不可施于此物。质言之，即谓此非吾人理性所可得而知也，其可得而知者，唯宪象世界而已，以宪象即吾人之心也。夫心诚不能自降而为物，主诚不能自居为客，然吾人信世界存在之心又实不可排除，故知吾人之自觉实使吾人觉他，使吾人仅为主体但能自觉，则于客体之本质必绝无所知矣。由是观之，吾人虽为己心之主又实兼为其客，犹吾人为他人之心之客也。主兼为客，客亦可以为主，其实质本自相类。批评派于主客之界视等鸿沟，实则非不可泯也。

此相类之本质，为万有所同具，虽在批评派亦不能不承也。笛卡尔、斯皮挪萨、雷布尼兹、海格尔及合理派诸师，皆谓此本质为心思智灵。雷布尼兹且谓万有皆具心思知觉，唯其程度为有差耳。

叔氏则谓此为意志(Wille)，至心思智识皆由意志而生，此说虽万世不易也。我之本质，即万有之本质，此无可疑也。我之本质为意志，是世界之本质亦为意志。(德国近世心理学家 Wundt 及 Kuelpe 诸公皆以意志为人格之中心，Stackenbug 氏亦云人之社会生活成于意志。见 Introduction to the study of sociology, p. 167. 原文作 A man's social life is shaped by the will to live and to make the most of life.) 我之有身，由意志也，我之意志呈此宪象也。我所知觉之物皆属宪象，其生于意志亦犹我也。意志有时甚纯粹，与知灵不相接触，是为激刺性，人身血液之流通及化脓、分泌皆此神力司之。有时与知灵相关，为有意识，是即吾人日常所谓意志或自由意志也。意志斯时遵从动机(Motiv)为有意识之激刺性，如吾欲举手则手自举是也。吾人之动作又有时兼由二者，如瞳子为过强烈之光所激刺则收缩，此由于激刺性者也。然当吾人观察极细之物时，瞳子又自然收缩焉。有意识之意志其力之伟大，实无限量。观彼黑奴有以自止其呼吸而自杀者，可以知意志之力，大莫与京矣。无论其有无意识，为激刺性，抑为自由意志，变化之多至于何许，其为意志则一也。(《人体为意志宪象》之说见同书卷一 §18, 118ff; 卷二 Kap. ××, 277ff.)

　　意志无论有否意识，绝无休止者也。身心皆有倦时而志意独不倦，虽在睡时犹然，观于梦寐可知也。其在人身非仅当其发育之时也，实先吾之身而有矣。吾之身乃意志应其所需而构造组织者也，其在胚胎中使大脑之一部分变作目之网膜(Retina)者，备其见物也；使胸管之黏膜变而为肺者，备吸大气中之酸素也；细管系发生生殖机关者，以个体在发育中欲殖其种也。诸动物之构造，骤观之似其生活之状态为随其形状而来，先有其形然后有其生活，鸟之能飞似因有翼,牛之好触似因有角。然静观细察将见其反,鸟之有翼,因其欲飞,牛之有角,为其好触也。禽兽固有羽翼未成已思奋飞,爪牙未具已思搏噬者矣,牛羊尚未生角已以头触,野豕尚未生牙已以喙攻,故知意志实构造之原动力,而创造进化之中心也。猛兽鹰隼以搏噬为生,故爪牙坚利,力强而目锐。其不欲搏噬,但欲以疾走远窜自全者,则耳聪而足捷,獐鹿麋羚之属是也。水鸟以虫为食,故其足特高,颈喙亦长。枭攻爵于暗,故其目倍明;恐惊宿鸟,故羽柔而飞无声。猪猬龟鳖不能奔窜,故或以其豪自卫,或以其甲自全。南美有树居之兽,以不能奔窜,则其形与生苔之树干无异,籍以自隐。乌贼以不能游泳,敌至则吐褐汁以自蔽。沙漠中之动物,色皆类沙,以他色则如雪中之鸿,易为猎者所见,故以此自隐也。凡此种种皆求生意志(Wille zum leben)为之也。(详见同书卷一§27, pp. 179ff.)然此等自存之具犹未完全,其卓越一切完美莫比者,则人类之智灵是也。动物之意志必形于外,人类则不唯藏而不露,且能作伪(如怒而佯喜,取而佯与)。动物之意志有定,人类则变化万端,此心灵之所以为利器也。

非仅动物之生成进化为由意志也,即植物亦莫不然,惟不若在动物之显著,故人多不察耳。树木之枝柯欲向明,故向上直立。其根欲向湿,故四布于土以求之。种播于地,亦至颠倒不齐矣,然当其萌芽,蔓必向上,根必向下。茸菌,至柔脆之物也,然其力能穿壁裂石以向光明。芋生窨室中,其芽必向明处。女萝能辗转以附乔木。此皆意志也,皆吾人所谓激刺性为之也。激刺性与被动之性能本无大别,盖动机常生激刺,使意志发动。草木之向日乃由激刺,动物亦若是,唯动物有智灵,能自觉日光于其身体生何效果而已。

就意志之表现论之，其上下两端难明而中部易晓。其上端为人类，中部为动植物，下端则矿物也。动植物皆有一定性质，犬之性忠，虎之性猛，狐之性狡，仙人掌喜燥，琉璃草喜湿，及花木之何时苞、何时放、何时实，此皆易晓。夫人而知者也，然人类与矿物之性则甚难知，而知人为尤难。盖一为造化之绝顶，变化万端且能作伪；一则其表现也甚微，非一览所能知也。然经验既久则知人格物，亦匪难事。人固有其一定之性情、气质、癖好，矿物亦莫不然。磁针常指北，物要下坠常成直线，水常就下，某物遇热则膨胀、遇冷则收缩，某物与某物合则成晶体，此类意志之表现在化学最为易见。吾人云火欲燃，水欲流，铁嗜酸素。曰欲曰嗜，非仅比喻之辞也，火水铁盖真有嗜欲也。（详见 Ueber den Willen in der Natur, 3d ed. pp. 96ff.）

叔氏之所谓意志，即斯皮挪萨所谓本质（Substanz），谢灵格所谓绝对也，然又不似汎神论（Pantheismus）认其为神，但视为无意识之造化大力而已。意志现于宇宙间，构成万有（即 principium individuationis），然其自身又非空间、时间律之主宰，且不可思议。人之智灵但知其陆续表现而已，意志之次第表现于时间实依一定之律、一定之型，此一定之型即柏拉图所谓意象（Idea）也。自人类以至于庶物，皆由之而生。其超出空间、时间永久不易，亦犹意志，唯由此而生之个体变化不息耳。下级之意象为重量、不可入性、固性、流性、弹性、电气、磁气、化合力等，高级者惟有机界有之，人类实其绝顶。各级互争其所需之物质、空间、时间，而争生竞存之事起矣。每一有机体表一意象，减少用以征服下级意象之力。机体征服自然力之功愈隆，则其表意象也愈完全，且与所谓美（Schnheit）者愈近也。（详见 Welt als Wille und Vorstellung, I. §§30ff, pp. 199ff.）

意志者，宪象世界之无穷源泉也。一日有意志，则一日有世界。个体有生灭，而意志无始终，有始终者其表现而已。吾人之本质为意志，故永不灭，此印度、希腊、罗马所同认之真理也。由是以观，死无足哀。死生皆天然之序，绝无可逃，且吾人为意志之一部分，意志既不灭，是吾人亦有不死者在，可以自慰藉矣。惟彼自经讲读者，本欲一瞑不视，闻有不死者在，当以为大戚耳。死之所毁者，宪象而已，非意志也，身体而已，非精神也。故自杀者但能解脱宪象耳，非真解脱也。（详见 Neue Paralipomena 第七章）

意志者，众生之本源，故亦万恶之本源也。其所生之世界非最善之世界，乃最恶之世界也，含生之类莫不以相杀为生。试一权为牺牲者之苦与得胜利者之乐，苦多于乐可以立见。历史者无量数屠戮掳掠、阴谋诈伪之记录也，但观其一页则其余可以概见。彼勤勉、坚忍、克制、俭约诸德，无他，利己心而已。真道德惟有慈悲耳，余者皆自求生意志而生。世之相残相杀无有穷期，究其所求，惟在生存。不知生命实不可挽救之痛苦，生命愈完全智灵愈进化则其苦亦愈甚，人之与禽，其苦乐相去真不可以道里计。笑固人类所独有，啼亦人类所独有也。生存即痛苦，故积极之乐全属梦想，绝不可得。惟大彻大悟，明生命快乐一切皆空，则意志自断自灭，可以寂灭免痛苦耳。此义为佛教与基督教所同，二教皆认人生斯世为有罪恶。盖人实生于淫欲，即圣保罗（St. Paul）亦视婚姻为不德也。构精生子诚为罪恶，证以人尽觉其可羞，不敢公行必在帏幪可以知矣。与其生此苦海、欲海中，不如无生之为愈也。基督教之所谓天惠，即在能悟一切皆空。慈悲心、爱他心，以及我相之捐，除意志之否认，皆自此来，超凡入圣之道亦在是矣。耶稣者，即其典型也。圣灵者即慈悲舍弃之精神，欲求此精神涌现于大地，故自断其求生意志，以己身为牺牲，此其所以为救世主也。加特力派之重信誓，好布施，及其不婚之律，持斋之戒，皆最忠于耶稣之精神者也。新派虽曰便俗，然去耶稣之意远矣。惟其中羼杂犹太人之思想，崇信有人格之上帝，视之为造物主，斯大谬耳。（详见 Die Welt als Wille und Vorstellung, I. ,319ff）

　　叔氏自谓其学但本经验以研究世界之本质，于"何以有此世界"之问题绝非所问，以此问题超出吾人智灵之上，终古无从索解者也。吾人智灵之不能解此，犹之聋不闻声、瞽不辨色，既亡其具自不能其事矣。独断派之形而上学家好问"何以""何从"，不知"何以"之义等于"以何因缘"，而空间、时间之外，安得有因果？人类之智灵既不能离因果律，则此等超乎时间、空间以外之事，安得而知耶？欲解此等问题，不异以莛撞钟。万物之本质，非但超乎吾人智识之外，虽有圣人亦不得知，斯实无知觉而又不可知觉者也。（按此又无异唯物论也。）至吾人之智灵，则形式而已，附加之物而已。希腊埃力亚派，中世埃力辑纳（Erigena），及近世布鲁诺（Bruno）、斯皮挪萨、谢灵格诸公所倡之万有一元论，吾所宗也。然泛神论则不敢承，泛神论以其所未知强解所已知，吾之意志说则循科学之通例，据经验之事实，由所已知以求所未知。泛神论为乐观，吾则视世界为万恶之府。吾之说与古今哲人之说皆有间，与斯皮挪萨、雷布尼兹、海格尔之说尤相悬殊也。（详同书 II. ,Kap. L.）

（第一卷第四号，一九一五年十二月十五日）

我

易白沙

挽近民听不钧,大盗崛起。圣智之祸,横于九隅。廉耻之维,绝于四境。天下士夫,各丧其"我"。虽有起居,木俑之踊跃耳,有司其机桔者在?虽有语言,留音器之发声耳,有司其馨欬者存?魂魄离散,芜薉愁苦,日暮涂穷,偲然无所归宿。今之所述,类当《招魂》诗曰:"天之方踌,无为夸毗。"夸毗者,失魂之谓也。

我之名以何因缘而生耶

于宇宙万象中,忽标识一两足纵生之物,谓之曰"人"。于人类晰、黄、棕、红、黑五色中,各持一标识自己之共名,谓之曰"我"。人之名胡由立?人之形胡由成?于是欧西演为动物进化之论,印度腾其十二缘生之说,皆略能解决此疑问矣。胡为而有我?胡为而谓之我?持破我执者,既已无我之名,自不必言我之实。惟今吾人,无一不在我执之中,则我之本原,自不能不探索焉。我之本原惟何,即对于一切傈生、非傈生,画一鸿沟之界,建国立都,设险自守,以与之宣战者也。质言之,我之名词,即个体与他体、此族与他族宣战之名词也。昔者何平叔少育于魏之宫中,画地而处其中曰

"何氏之庐",以为外是皆曹氏土地也。归玄恭当亡明之季,名其读书之室曰"己斋",以为外是皆清夷土地也。此亡国士夫,痛其土宇沉沦,画所居之地,以示异于盗贼夷狄之域中。虽非事实,聊以寓意耳。今人类莫不自名曰"我",亦犹"何庐""己斋"之寓意也。自我以外,皆非我也。我之性质,即独立之性质,即对于他人、他族宣战之性质。《说文》训"我"曰:"施身自谓也,从戈从扌。"扌者,杀之古文。戈而杀者,谓之"我"。其名他人也,谓之曰"佗"。佗本作它。它者,蝎蛇之谓也。(古称人曰它,《诗经·鹤鸣》:"它山之石。"《释文》:"它,古他字。"《周语》"不出于它矣",注"它,它族也"。后人以"佗"代"它"。"佗",《说文》"负何也",非本训。)以戈杀为"我",以蝎蛇为"他",此古人宣战之意也。墨子曰:"圣王为猛禽、狡兽,暴人害民。于是教民以兵,行日带剑,为刺则入,击则断,旁击而不折,此剑之利也。"夫人性罔不自卫,奚待圣王之教?禽兽害我,我必有以与禽兽战;暴人害我,我必有以与暴人战。不独倮虫之我为然,非倮虫之我亦莫不然。角而触者,以角之我而战也。爪而距者,以爪之我而战也。螫而毒者,以蛰之我而战也。不能进其战之道与战之器,虫我也,恶我也;进其战之道与战之器,至于无疆,人我也,善我也。吾人时时居空气中,以抗微虫之啮蚀,此战之隐者;西方晰人,流血千里,日损万人,此战之显者。籀先哲之遗言,往行师其所长,攻其所短,此战于古者;处优胜劣败之潮流,学术竞争,如追亡人,此战于今者。凡此种种相战之司令之名,谓之曰"我"。

我之有无问题

我之有无问题,当以世界有无问题为前提。破我执者,必破世界。形色、领受、名号、作业、心识,五蕴设施有我,五蕴皆空,是故我空。空性非有,亦复非无。人我、法我,亦复无有,则佛氏无我之说尚矣。吾国学者,亦倡无我,其在道家,所论稍近于佛。道家谓我身非我有,乃天地之委蜕,虽倡无我,尚有我之天地。佛家则并我之天地,亦归于灭度矣。老聃言有生之气、有形之状,皆幻。因形移易,随起随灭,无生死之辨,故无我汝之分。《庄子·至乐》篇则以生为大忧,以死为至乐,然既言至乐,则是无生之我,而有死之我。列子言无我,大似佛家轮回之说,试列于下:

"列子行食于道,从见百岁髑髅,攓蓬而指之曰:'惟予与汝知,而未尝死、未尝生也。若果养乎?予果欢乎?'种有几,得水则为继。得水土之际,则为蛙蠙之衣。生于陵屯,则为陵舄。陵舄得郁栖,则为乌足。乌足之根为蛴螬,其叶为胡蝶。胡蝶胥也,化而为虫,生于灶下,其状若脱,其名为鸲掇。鸲掇千日为鸟,其名为干余骨。于余骨之沫为斯弥,斯弥为食醯。颐辂生于食醯,黄軦生于九猷,瞀芮生于腐蠸,羊奚比乎不笋。久竹生青宁,青宁生程。(《尸子》曰程,中国谓之豹。)程生马,马生人,人又反入于机。万物皆入于机,皆出于机。"(《庄子·至乐篇》《列子·天瑞篇》皆同。)

由上所陈,《列子》不仅无我相,且无众生相。"程生马,马生人"二语,又近动物进化之论。达尔文以前,西方言动物学者,亦有谓人类由马而进化也。惟列子谓"万物皆入机、出机",斯为循环,而非进化。道家之"无我论",虽不逮佛氏之精微,大抵皆属出世法，非入世法也。儒家、墨家，同倡"无我"，而同为入世法。其最明了者，莫如孟子、墨翟之言。孟子曰："杀人之父，人亦杀其父。杀人之兄，人亦杀其兄。"墨翟曰："夫爱人者，人必从而爱之。利人者，人必从而利之。恶人者，人必从而恶之。害人者，人必从而害之"。(《兼爱》中篇)儒、墨二家之"无我论"，乃深悉社会对于个人之关系，牺牲自家之我，以爱护他人之我，复假借他人之我，以资助自家之我。彼之无我主义，实无异为我主义也。此儒、墨无我，与佛、老无我，迥然不同者。盖一涉及世界，涉及国家，虽倡无我，适证其有我而已，虽大我、小我之界说不齐，非绝对无我者也。

我与国家及世界之关系

有世界矣，有国家矣，斯不能无我以为之主人。以先后论，我为先，世界次之，国家为后。以轻重言，世界为重，国家次之，我为轻。先后之说，天上地下唯我独尊之说也。轻重之义，天下溺者若我溺之，天下饥者若我饥之之义也。二者相成而不相悖。有目之我，然后五色立；有耳之我，然后五声显；有口之我，然后五味生；有鼻之我，然后五香程。世界一切有形之大地、山川、飞走、潜游，皆因我而亭毒；无形之忧悲、苦恼、欢喜、愉快，皆由我而弛张。我执既空，五蕴随灭，故我先于世界。人类分殖，斯立国家。国之名词，本为对待。国之性质，纯属竞争。蜗角一隅，规模狭隘，无异蜘蛛走网以自维，春蚕吐茧以自缚。元元之众，且难包举，况宇宙万有，各运天游。鸥鸦螂且、猿鱿麋鹿，正味正色，曷知其辩？岂一网一茧所能尽载？故世界先于国家，是之谓先后。世界主义，人群福禄之门。国家名词，蟊贼兵戎之首。同人于野乃亨，同人于宗则吝。

世有哲人,首出庶物,必先破国家之樊,运于大同。众人熙熙,如登春台,大同之谓也。爱国者不如爱世界,忧国者不如忧世界。世界者,我之我与他人之我所归宿也,故国家轻于世界。然而国家者,人生之逆旅也。吾人隆寒而赴温泉之浴,盛暑而登清凉之山,道路万程,非一蹴所能及,势不能不假此逆旅。证一宿之缘,避风雪而荫喝人,亦逆旅赉我之幸福耳。苟或外来之寇,穿墙越垣,突然侵逼,甚至逆旅主人,暴慢无礼,乱法自媾,夺我幸福,与外寇无殊,宿此逆旅无数之我,将奴隶、牛马,为所葬送。我心恻隐,复怀羞恶,必出死蹈亡,恢复幸福,牺牲个体之我,抗卫群体之我。群体之我,个个牺牲,个个抗卫,则我应享之幸福,必不为外盗或主人所夺。他日登山临水,百禄无疆,皆我之牺牲精神所造化耳,故我轻于国家,是之谓轻重。有牺牲个体小我之精神,斯有造化世界大我之气力,有我溺我饥之心,斯有惟我独尊之概,故曰二者相成而不相悖也。由先后之说,必有我而后有世界;由轻重之说,必无我而后有世界。有我者,非有我,亦非无我,我与世界无须臾离;无我者,非无我,亦非有我,个体之小我亡,而世界之大我存。

个体之我亡,世界之我存,何谓也?言去躯壳之我,留精魂之我也;化有数之我,为无数之我也;寿此数十百年之我,为千百世祀无终之我也。非我无以验世界,非世界更无以储我。我与世界,实未有分。我亡而世界未亡,故我之我亡,世界之我不亡。今试证以欧人之我;哥白尼天文学,创地圆之新论,彼仅七十年之我耳,而后人探殖民地,奉其学说为指针,是皆哥白尼之我也。倍根、笛卡儿哲学,倡明穷理,彼一为六十五年之我,一为六十年之我而已,而西方穷理之学大明,是皆倍根、笛卡儿之我也。孟德斯鸠述万法精理,诋卖奴之制,主张人道;卢骚倡人权,申民约,为文明革命之祖。

彼两学者,同为六十六年之我而已,而今日孟德斯鸠、卢骚之我,且布满全世界矣。佛兰克林八十四岁之我耳,发明电学,而电气之用,于今大显,皆佛兰克林之我矣。瓦特八十三岁之我耳,发明汽机,而世界丕变,皆瓦特之我矣。杯黎制排气机,奈端创重学,皮里士利明化学,连那士开植物学,彼皆数十年之我耳,而物质文明,因以大启,则杯黎、奈端、皮里士利、连那士之我,犹徘徊于今世界矣。此外伯伦知理言国家学,边沁言功利,斯宾塞言群学,达尔文言进化,亚丹斯密言理财,康德言哲学,约翰弥勒言罗辑,其学说各能披靡一世,天下学者,云合雾集,鱼鳞杂逻,飚至风起,皆为此数子之我精神所鼓荡而已,此数子之我固在也。以上所举,欧人之我,皆有关系于今之世界、今之国家者,彼之我虽亡,彼世界之我犹在。西方哲人,所以能造化世界、造化国家者,无他,各自尊重其我而已矣。

救国必先有我

我之我力,既如此其巨,虽造化世界,亦觉游刃有余,何况国家。然而天演之场,社稷邱墟,人民台隶,相望不绝者,非我之不足救国,实国人自丧其我也。神州立国,四千年矣。其间数挫于异族,必排而去之;数困于独夫,必起而诛之。黄帝、尧、禹、周公、孔子之我,假手国人之我,张其威权耳。国人之我,犹能救国,似可以此为证明。不图今国人日为丧我之言曰:"甲派固不足救亡,若乙派又奚足以救亡?"此中国必亡之征兆。不思甲、乙而外,尚有我在也。又曰:"社会如此,风气如此,予一人又奚以为?"不知社会者集我而成,风气者由我而出,改社会,移风气,我之天职也。国人丧我之宪象,触目皆是。今日之我为尧、舜,明日之我忽为桀、纣。口之我言伯夷之言,手之我又忽行盗跖之行。我之神明,久不相系矣。举足则有肩舆(近日内地乘轿之风最炽),举手必招侍仆。妇人巾帼装容之事,尽佣奴婢。丈夫饮食居处之常,亦不躬亲。我之官能,早失其用矣,非亡我亡国之明证耶?既知国家危亡,由于国人之丧我,则扶危救亡,非使人人矜重其我,实无他道之可寻。儒、墨者,以无我为我者也。请诵其言,以终斯篇。

曾子曰:"士不可不宏毅,任重而道远。仁以为己任,不亦重乎?死而后已,不亦远乎?"

颜渊曰:"舜,何人也?予,何人也?有为者亦若是。"

孟子曰:"人皆可以为尧舜。"

墨子曰:"圣人恶疾病,不恶危难。"又曰:"杀己以存天下,是杀己以利天下。"(见《大取篇》)

(第一卷第五号,一九一六年一月十五日)

孔子平议（上）

易白沙

天下论孔子者，约分两端：一谓今日风俗人心之坏，学问之无进化，谓孔子为之厉阶；一谓欲正人心、端风俗、励学问，非人人崇拜孔子，无以收拾末流。此皆瞽说也。国人为善为恶，当反求之自身，孔子未尝设保险公司，岂能替我负此重大之责。国人不自树立，一一推委孔子，祈祷大成至圣之默祐，是谓惰性；不知孔子无此权力，争相劝进，奉为素王，是谓大愚。

孔子当春秋季世，虽称显学，不过九家之一。主张君权于七十二诸侯，复非世卿，倡均富，扫清阶级制度之弊，为平民所喜悦。故天下丈夫、女子，莫不延颈举踵而愿安利之。无地而为君，无官而为长，此种势力，全由学说主张，足动当时上下之听。有与之分庭抗礼，同为天下仰望者，墨翟是也；有诋其道不足救国而沮之者，齐之晏婴、楚之子西及陈蔡大夫是也。所以孔子只能谓之显学，不得称以素王。其后弟子众多，尊崇其师，贤于尧舜。复得子夏教授西河，为魏文侯师。子贡常相鲁、卫，家累千金。孔门学术，赖以发扬。然在社会，犹一部分之势力而已。至秦始皇摧残学术，愚弄黔首，儒宗亦在坑焚之列。孔子弟子，善于革命，鲁诸儒遂持孔氏之礼器，往奔陈涉，此盖以王者受命之符，运动陈王，坚其揭竿之志。

远孙孔鲋，且为陈涉博士，与之俱死。刘季马上得天下，不事诗书。项羽授首，鲁竟不下，荐绅先生大张弦诵之声。汉高祖震于儒家之威，鉴秦始覆辙，不敢再溺儒冠，祠孔子以太牢，博其欢心，是为孔子身后第一次享受冷牛肉之大礼。汉武当国，扩充高祖之用心，改良始皇之法术，欲蔽塞天下之聪明才志，不如专崇一说，以灭他说，于是罢黜百家，独尊儒术，利用孔子为傀儡，垄断天下之思想，使失其自由。时则有赵绾、王臧、田蚡、董仲舒、胡毋生、高堂生、韩婴、伏生、辕固生、申培公之徒，为之倡筹安会。中国一切风俗人心，学问过去未来之责任，堆积孔子之两肩。全国上下，方且日日败坏风俗，斫丧人心，腐朽学问。此三项退化，至两汉以后，当叹观止矣！而曹丕之尊孔，实较汉武有加。其诏曰：

昔仲尼资大圣之才，怀帝王之器，当衰周之末，无受命之运。在鲁、卫之朝，教化乎洙泗之上，凄凄焉，皇皇焉，欲屈己以存道，贬身以救世，于时王公终莫能用之。乃退考五代之礼，修素王之事，因鲁史而制《春秋》，就太师而正《雅》《颂》，俾千载之后，莫不尊其文以述作，仰其圣以成谋咨，可谓命世之大圣，亿载之师表者也……

更以孔羡为宗圣侯，修旧庙，置吏卒，广宫室，以居学者。不知汉高帝、武帝、魏文帝，皆傀儡孔子，所谓尊孔，滑稽之尊孔也。典礼愈隆，表扬愈烈，国家之风俗、人心、学问，愈见退落。孔子不可复生，安得严词拒绝此崇礼报功之盛德耶？就社会心理言之，昔之丈夫、女子延颈举踵而望者，七十子之徒尊崇发扬者，已属过去之事。国人惟冥行于滑稽尊孔之彀中，八股试帖，俨然衣钵，久而又久,遂成习惯。有人诋此滑稽尊孔者,且群起斥为大逆不道,公羊家接踵,谶说垒起,演成种种神秘奇谈;身在泰山,目能辨吴门之马;饮德能及百觚;手扛国门之关,足躐郊坰之虎;生则黑帝感召,葬则泗水却流;未来之事,遗于谶书;春秋之笔,绝于获麟。几若天地受其指挥,鬼神为之使令,使人疑孔子为三头六臂之神体!公羊家之邪说,实求合滑稽尊孔者之用心。故历代民贼,遂皆负之而趋矣。乃忧时之士,犹思继续演此滑稽之剧,挽救人心。岂知人心、风俗即崩离于此乎?

中国二千余年尊孔之大秘密,既揭破无余,然后推论孔子以何因缘被彼野心家所利用,甘作滑稽之傀儡,是不能不归咎孔子之自身矣!试分举之:

一、孔子尊君权,漫无限制,易演成独夫专制之弊。君主独裁,若无范围限制其行动,势将如虎傅翼,择人而食。故中国言君权,设有二种限制:一曰天,一曰法。人君善恶,天为赏罚,虽有强权,不敢肆虐,此墨家之说也。国君行动,以法为轨。君之贤否,无关治乱;法之有无,乃定安危。此法家之说也。前说近于宗教,后说近于法治,皆裁抑君主,使无高出国家之上。孔子之君权论,无此二种限制。君犹天也,民不可一日无君,犹不可一日无天。(《尚书大传》孔子对子张语。)以君象天,名曰天王;又曰:帝者,天称也;又曰:天子者,继天理物,改一统,各得其宜。父天母地,以养万民,皆以君与天为一体,较墨翟以天制君者绝异,所以不能维持天子之道德。言人治不言法治,故是尧非桀;叹人才之难得,论舜治天下由于五臣,武王治天下,由于十臣;一人有庆,兆民赖之。《孝经》《论语》之大义微言,莫不主张人治。荀子言,有治君、无治国,有治人、无治法,即师承孔子人治之义,彰明较著以言之也。较管、商、韩非以法制君，又迥然不同，所以不能监督天子之行动。天子既超乎稷躬稼。此讲学之态度，极不明了也。门人如子夏、子游、曾子、子张、孟子、荀卿，群相非谤，各以为圣人之言。岂非态度不明之故，酿成弟子之争端耶。至于生平行事，尤无一定目的。杀身成仁，仅有空论。桓魋一旦见陵，则微服而过宋；穷于陈蔡，十日不食；子路享豚，褫人衣以沽酒，则不问由来而饮食之；鲁哀迎飨，席不正不坐，割不正不食，沽酒不饮；从大夫之后不敢徒行，视陈、宋之时，迥若两人。求如宗教家以身殉道，墨家赴汤蹈火、死不旋踵，商鞅、韩非杀身行学，皆不可得。美其名曰中行，其实滑头主义耳！骑墙主义耳！肸肹见召而欲往，南子请见而不拒，此以行道为前提，小德不逾闲，大德出入可也。后世暴君假口于救国保民，污辱天下之名节，皆持是义。

二、孔子但重作官，不重谋食，易入民贼牢笼。君子谋道不谋食，学也禄在其中，是为儒门安身立命第一格言。孔门之学在于六经，六经乃先王治国政典，管子谓之六家，君与民所共守也。（见《山权》数篇）孔子赞《易》，删《诗》《书》，定《礼》《乐》，修《春秋》，遂有儒家之"六艺"。孔子尝执此考察列国风俗政教，其言曰：

入其国，其教可知也。其为人也，温柔敦厚，《诗》教也；疏通知远，《书》教也；广博易良，《乐》教也；洁净精微，《易》教也；恭俭庄敬，《礼》教也；属辞比事，《春秋》教也。故《诗》之失愚，《书》之失诬，《乐》之失奢，《易》之失贼，《礼》之失烦，《春秋》之失乱。其为人也，温柔敦厚而不愚，则深于《诗》者矣；疏通知远而不诬，则深于《书》者矣；广博易良而不奢，则深于《乐》者矣；洁净精微而不贼，则深于《易》者矣；恭俭庄敬而不烦，则深于《礼》者矣；属辞比事而不乱，则深于《春秋》者矣。

孔子因此，明于列国政教。故陈说"六艺"，干七十二君。孔子三月无君，则皇皇如也，出疆必载质。"六艺"者，孔子之质也，亦孔子之政见书也。孔子尝谓老聃曰："丘治《诗》《书》《礼》《乐》《易》《春秋》六经，自以为久矣，孰知其故矣。以干七十二君。论先王之道，而明周召之迹，一君无所钩用。甚矣，夫人之难说也，道之难明邪？"老子曰："幸矣，子之不遇治世之君也！夫六经先王之陈迹也，岂其所以迹哉！"（见《庄子·天运篇》）是孔子虽干说诸侯，"一君无所钩用"，昔言"禄在其中"，已失效验，忧贫之事，其何可免？既不屑偶耕，又不能捆屦织席，不能执守圉之器以待寇，不能制飞鸢车辖以取食。三千弟子中，求如子贡之货殖，颜回之躬耕，盖不多见。然子贡常相鲁、卫，游说列邦，不专心于货殖；颜回且说齐君以尧舜、黄帝之道，而求显达，其志亦非安于陋巷箪瓢，鼓琴自娱者矣。儒家生计，全陷入危险之地，三月无君，又焉得不皇皇耶？夫孔子或志在救民，心存利物，决非薰心禄饵，竦肩权贵，席不暇暖，尚可为之原恕。惟流弊所趋，必演成哗世取宠、捐廉弃耻之风俗。李斯鉴于食鼠窃粟，遂恶卑贱而悲穷困；鲁诸生各得五百斤金，因尊叔孙通为圣人。彼去圣人之世犹未远也，贪鄙龌龊，已至于此，每况愈下，抑可知矣。以上四事，仅述野心家利用孔子之缺点。言其学术，犹待下篇。

（第一卷第六号，一九一六年二月十五日）

孔子平议(下)

易白沙

中国古今学术之概括，有儒者之学，有九家之学，有域外之学。儒者，孔子集其大成。九家者，道家、阴阳家、法家、名家、墨家、纵横家、杂家、农家、小说家，各思以学易天下，而不相通。域外之学，则印度之佛、晳人物质及精神之科学。所以发挥增益吾学术者。三者混成，是为国学。印度、欧洲，土宇虽远，国人一治其学。螟蛉之子，祝其类我。佛教之发扬于中国，已有明征。西土文明，吾方萌动，未来之演进，岂有穷期。以东方之古文明，与西土之新思想，行正式结婚礼。神州国学，规模愈宏，愚所祈祷，固不足为今之董仲舒道，何也？今之董仲舒，欲以孔子一家学术，代表中国过去未来之文明也。

以孔子统一古之文明，则老庄杨墨、管晏申韩，长沮桀溺，许行吴虑，必群起否认，开会反对。以孔子网罗今之文明，则印度、欧洲，一居南海，一居西海，风马牛不相及。闭户时代之董仲舒，用强权手段罢黜百家，独尊儒术；开关时代之董仲舒，用牢笼手段附会百家，归宗孔氏。其悖于名实，摧沮学术之进化，则一而已矣。汉武帝以来，二千有余岁，治学术者，除王充、稽叔夜、金正希、李卓吾数君子而外，冠圜履句，多抱孔子万能之思想，谓孔子称"西方之人",有圣者焉(见《列子·仲尼篇》),乃与佛教精神相往来,《礼运》言大同之世,天下为公,选贤与能,符于世界未来之文化。此种理论,是否合于事实,非愚所敢武断。即令近代文物,孔子皆能前知,发为预言,遂使远方学术,一一纳诸邹鲁荐绅先生之门,汉武帝复生,亦难从事于斯矣。圣哲之心理虽同,神明之嬗进无限,孔子自有可尊崇者在,国人正无须如八股家之作截搭题,以牵引附会今日学术,徒失儒家之本义耳。

尊孔子者又以古代文明,创自孔子,即古文奇字,亦出诸仲尼氏之手,沮诵仓颉,失其功用(近儒廖平之学说)。夫文化由人群公同焕发,睿思幽渺,灵耀精光,非一时一人之力所能备。文字为一切文化之结晶,尤难专功于一人。故西方言希腊罗马文字者,不详始作之人。中国文字,亦复如是。故学者言文字起源,其说不一。有谓始于"庖牺"者(许慎《说文解字·序》);有谓始于"容成氏、大庭氏"者(《庄子》云:"当是时也,民结绳而用之。");有谓始于"无怀氏"以前者(《管子·封禅篇》);有谓始于"仓颉"者(《鹖冠子》《吕氏春秋》皆言之)。而荀子则曰:"好书者,众矣,而仓颉独传者一也。"此言古人作书者众,不过仓颉集其大成,所以独传。人文孟晋,决非一代一人,能奏功效。文字创造,归美仓颉,犹且不可,况仓颉二千年后之孔子乎?周之保氏,教国子以六书。周秦诸子,皆受保氏之教,孔子因此精于六书。试举许氏《说文解字》所引孔子之说,证列于下:

王　孔子曰:一贯三为王。

士　孔子曰:推一合十为士。

璠　孔子曰:美哉璠与。远而望之,焕若也;近而视之,瑟若也。一则理胜,二则孚胜。

羊　孔子曰：牛羊之字，以形举也。
貉　孔子曰：貉之为言恶也。
乌　孔子曰：乌于呼也。
几　孔子曰：人在下，故诘诎。
犬　孔子曰：视犬之字，如画狗也。
狗　孔子曰：狗叩也，叩气吠以守。

六书纲要，在形、声、训三者。孔子解字，皆能得其本原。愚谓尊孔子者，与其奉以创造文字之虚名，无宁扬其精深六书之实德。为政之道，先以正名。郑氏注曰："正名，谓正书字也，古者曰名，今世曰字。"孔子见时教不行，故欲正其文字之误。文字为一国文明之符号，欲政治修明，必先正其文字。孔子深于文字之学，知其关系人民甚切也。周室衰微，保氏失教，列国并起，文字错乱，实以中国文字，本不统一。一代有一代之文，各国有各国之文，学者不便，莫甚于此。其后大儒李斯相秦，统一文字，以行孔子正名之说。中国文字统一，孔子倡之，而李斯行之，诚不能不拜儒者之嘉赐矣。

古代学术，胚胎既早，流派亦歧。不仅创造文字，不必归功孔子，即各家之学，亦无须定尊于一人。孔子之学，只能谓为儒家一家之学，必不可称以中国一国之学。盖孔学与国学，绝然不同，非孔学之小，实国学范围之大也。朕即国家之思想，不可施于政治，尤不可施于学术。三代文物，炳然大观，岂一人所能统治？以列国之时言之，孔子之学与诸子之学，门户迥异。读周秦典籍者，类能知之。班固《艺文志》曰：

"儒家者流，盖出于司徒之官。道家者流，盖出于史官。阴阳家者流，盖出于羲和之官。法家者流，盖出于理官。名家者流，盖出于礼官。墨家者流,盖出于清庙之守。纵横家者流,盖出于行人之官。杂家者流,盖出于议官。农家者流,盖出于农稷之官。小说家者流,盖出于稗官。"

各家发源不同,学说主张,因以绝异。儒家游文于六经,干说诸侯,以此为质。而道家则以六经为先王陈迹,不合当世采用。法家亦谓国有《礼》有《乐》,有《诗》有《书》,必致消亡之祸。墨家则不遵孔子删订之六经,而别立六经。此异于孔子者一也。儒家留意于仁义之际,而道家则曰"大道废,有仁义""绝仁弃义,民复孝慈",又曰:"为之仁义以矫之,则并与仁义而窃之。"法家则曰:"仁者能仁于人,而不能使人仁。义者能爱于人,而不能使人爱,是以知仁义之不足以治天下。"此异于孔子者二也。儒家祖述尧舜,宪章文武,非先王之法,服不敢服,非先王之法,言不敢言。而法家则以为伊尹无变殷,太公无变周,则汤武不王;管仲无易齐,郭偃无更晋,则桓文不霸。墨家亦曰:"所谓古者,皆尝新矣。"道家亦曰:"三皇五帝之礼义法度,不贵同而贵治。"(道家以上古之世为至德,而又不重守古,此其说似相矛盾。)保守主义终不能战胜进化主义。故荀子亦不法先王,而法后王。此异于孔子者三也。儒家慎终追远,厚葬久丧。而墨家则主张三月之丧、三寸之椁。道家则以天地为棺椁,以日月为连璧,星辰为珠玑,万物为赍送,蝼蚁何亲?乌鸢何疏?皆言薄葬短丧。此异于孔子者四也。儒家乐天顺命,以法自然。此近于道家之无为,而悖于墨家之非命。墨家之言曰:"今用执有命者之言,则上不听治,下不从事。上不听治,则刑政乱;下不从事,则财用不足。"又曰:"欲天下之富而恶其贫,欲天下之治而恶其乱,执有命者之言,不可不非,此天下之大害也。"法家亦言自然，其重在势，道家之言自然，其重在理，与儒家言自然重在天者，稍有不同。此异于孔子者五也。儒家分大人之事、小人之事，不注重农圃。而道家、农家，均贵自食其力，上可以逍遥物外，保全廉耻，不为卿相之禄所诱；下可以仰事俯畜，免于饥寒，不为失业之游民。许行且倡君臣并耕，禁仓廪府库以自养，舒其平等伟大之精神。法家亦重垦令，贵耕稼，恶谈说智能。此异于孔子者六也。儒家不尚物质，重视形而上之道，贱视形而下之器。而兵家重技巧，以为攻战守备之用。墨家长于制器，手不离规矩，刻木为鸢，飞三日而不集；刘三寸之木，以为车辖，而引五十石之重；司空之教，赖以不坠。此异于孔子者七也。以上七事，仅举其大者。各家学术，皆有统系，纲目既殊，支派亦分，不同之点，何可胜道。庄子所谓譬如耳、目、鼻、口，皆有所明，不能相通。当时思想之盛，文教之隆，即由各派分涂，风飙云疾，竞争纷起，应辩相持。故孔子不得称为素王，只能谓之显学。

　　证以事实，孔子固不得称素王。若论孔子宏愿，则不在素王，而在真王。盖孔子弟子，皆抱有帝王思想也。儒家规模宏远，欲统一当代之学术，更思统一当代之政治。彼之学术，所以运用政治者，无乎不备。几杖之间，以南面事业推许弟子。《说苑》曰："孔子言，雍也可使南面，南面者，天子也。"《盐铁论》曰："七十子皆诸侯卿相之才，可南面者数人。"是孔子弟子，上可为天子诸侯，下可为卿相。孔子亦自言"如有用我者，吾其为东周"；又言"文王既没，文不在兹"。此明以文王自任，志在行道，改良政治，非若野心家之囊橐天下。故干说七十二君，而不以为卑；应公山弗扰之召，而不嫌其叛。后人处专制朝代，不敢公言南面之志，或尊为素王，或许以王佐，岂非厚诬孔子？孔子以后，有二大儒：一曰孟子，一曰荀子。

孟子言："五百年必有王者兴,以其时考之则可矣。"又曰："如欲平治天下,当今之世,舍我其谁?"荀子尝自谓："德若尧禹,宜为帝王。遗言余教,足以为天下法式表仪,所存者神,所过者化。"可见孟、荀二巨子,均以帝王自负。列国之君,因疑孔子有革命之野心,不敢钧用。观《史记·孔子世家》所载：

"楚昭王将以书社地七百里封孔子。楚令尹子西曰：'王之使使诸侯,有如子贡者乎?'曰：'无有。''王之辅相,有如颜回者乎?'曰：'无有。''王之官尹,有如宰予者乎?'曰：'无有。''且楚之祖封于周,号为子男五十里。今孔丘述三王之法,明周召之业,王若用之,则楚安得世世堂堂方数千里乎?夫文王在丰,武王在镐,百里之君,卒王天下。今孔丘得据土壤,贤弟子为佐,非楚之福也。'昭王乃止。"

得百里之地而君之,以王天下。孔子之志,孟子已言之。令尹子西,有见于此,遂沮书社之封。儒家革命思想,非徒托诸空言,且行之事实,如田常篡齐,子贡、宰我颇涉谋乱之嫌疑。《史记·弟子列传》："宰我为临菑大夫,与田常作乱,以夷其族。"《墨子·非儒篇》言："孔子遣子贡之齐,因南郭惠子以见田常,则田常之谋齐,宰我、子贡均为谋主。"《庄子·盗跖篇》言："田成子常杀君窃国,而孔子受币。"《胠箧篇》言："田成子一旦杀齐君而盗其国,并与其圣智之法而盗之。"察庄子之言,是孔子亦与闻其事矣。《墨子》又言："其徒属弟子,皆效孔丘。子贡、季路辅孔悝乱乎卫,阳虎乱乎齐,佛肸以中牟叛,漆雕形残。"《庄子》又言："子路欲杀卫君,而事不成,身菹于卫东门之上。"由诸家所说,子贡、宰我、阳虎、佛肸、漆雕开，皆欲据土壤，以施其治平之学。此处于专制积威之下，不得已而出此。汤武革命，一以七十里，一以百里，天下称道其仁。儒家用心，较汤武尤苦，而诛残贼、救百姓之绩，为汤武所不逮，以列国之君，罪浮于桀、纣也。墨翟、庄周不明此义，竟以乱党之名词，诬孔门师弟，千载以后，遂无人敢道孔子革命之事。微言大义，湮没不彰。愚诚冒昧，敢为阐发，使国人知独夫民贼利用孔子，实大悖孔子之精神。孔子宏愿，诚欲统一学术，统一政治，不料为独夫民贼作百世之傀儡，惜哉！

（第二卷第一号，一九一六年九月一日）

戴雪英国言论自由之权利论

高一涵

英人戴雪氏所著《宪法论》(A. V. Dicey's "The Law of the Constitution"),法学界名著也。此篇乃从其书第六章译出。

译者识

出版自由,浸酿成英伦之特制者,其故何欤? 盖二百年来,英国政府与出版之关系,一听国法之宰制,递嬗递演,孕为特质。(国法宰制者,即非显违法律者,不干惩罚,与人人隶于普通法律,不受特别法之裁制耳,并见戴雪书。)故英国言论自由,冠绝寰宇,而报章印行,全无拘束。其所膺受之自由,尤为大陆诸国至今所未尝梦见者,其原因端在于此。固无庸特颁偏宠,以左袒夫言论自由也。吾人苟一潜心视察近世英伦出版之情状,即可恍然此理,且有以明其与法兰西出版律及十六七期间英伦出版条件之互相差异者矣。

今者英伦出版之事,显然酿成二种特质。其一,如曼斯福(Lord Mansfield)之言曰:"出版自由非他,乃出版无预求特许之必要,必出版后有违法事件发生,始依律处理。"叶伦波(Lord Ellenborough)亦曰:"英吉利法律者,自由之法律也。自由者,特许之宾也。'特许'两字,在英法实无用处,如人欲出版,则出版而已,无他程序也。至出版后如或违法,须受法廷审判,则亦与他种违法事件等耳,非于出版独异也。"（曼叶二氏之言，从秋桐译，见《民立报》及《甲寅》第一号。）

　　观此可知英伦所以号称出版自由者，即在适用此"非显触法纪，不干惩罚"之通则。特许检阅之事，首与此通则之根本，互相捍格而不通。夫辞者所以达意，情之所欣，著之篇章，付诸剞劂，乃吾人天良中自行抉择之事。特许检阅，则最与此事相妨者也。至禁止谤书行世，乃属于法庭之权利，非经法庭判决，而先加以特许检阅之限制，又可谓与此通则，极不相容。且新闻出版规则，或以新闻之业，非富有资力者不举，抑以偶涉诽谤，非薄有资财，莫任赔偿之责，故必于出版之先，豫索保证之费。此种规程，揆诸通则精神，又在在形其抵触焉。夫向新闻社主，索取入质之资，于定期出版之权，或别有所限制，识者原非尽诋其失当。特吾人之所断断不已者，此等逆制豫防之政策，与英律大本，实龃龉而不能相通，何也？以英律大本，凡人民之受拘囚、干惩责者，非因其将来容有违法之事，特因其显触典章明载之条，而判成事实者耳，此英伦所以除沿异制而来之演剧特许外。若付梓之特许，政治新闻出版之检阅，皆所绝口不谈者也。且著作家之财物，为政府所指为诽谤，目为煽乱者，不外书籍、杂志、报章等物。若而物者，本非违法之件，故无论政府及其他具有势力之人，皆无掠夺破坏著作家财物之权。惟法庭遭特别时会，为保护人民损害起见，于已经判决，认为谗谤之为者，乃可禁其一再梓行，限制其广为贩鬻，至于政府，则绝无此权焉。然则名山著作之客，实同安居乐业之齐民。设有不肆，与齐民同受治于普通国法而已，宁知其他？至于报章行世，与朋侪间裁笺修简，书疏往还者，又奚以异？驿传书翰，无间政府法庭，皆无权可以过问。一至报章之发行，何遽独膺大权，可以监察禁制之。且新闻著作者之地位，若泛言之，直可与裁笺修简者同视，而渎天亵神之辞，榜诸门间，与夫著之简编，灾诸梨枣者，同为亵慢。若在英伦，则相提并论，绝无轩轾于其间。此新闻著作之家，在法律上，所以一同待遇，无需特宠为之偏袒也。英伦出版自由之特状，即在将出版之事，纳诸普通国法之中，吾人苟一研钻，殆即有以明其故矣。

其二，由英律以言，出版犯罪，其得以讞科者，仅普通法庭中之判事与陪审官耳。

英自维新以后，报章违法，无间于谗谤煽惑，抑为渎神亵天，从未受特别法庭之审理。此在英人，固属习以为常之事，然推其实益，俾脱去出版之拘束者，殆无以过之。出版之事，既一惟陪审官之命是从，则凡百著述，为此十二人所认为不得处罚者，虽君后阁员，亦莫得施其严酷之督责。其得以偶一行之者，仅国民泰半，反攻政府之时耳，故政府得以抑制论政过激之时，仅在万众感情仇视行政当局之日。过此以往，概无抑制之权，然即丁兹时会，为谳勘出版之违法与否，召集陪审官，陪审官于官僚所认为可罚者，将宣示同意，而于政府失政，反得以公然评题，主乎公道，故鞫勘报罪之日，正授人民以伸论公理之机。此陪审官之判决，所以实为今日自由发舒政见之一大保障，持以与百年以前，治者心思，与被治者情意，互相隔阂之时，相提并论，诚为趣益孔多之谭。今略而不赘，但论英伦出版自由之蒸蒸日上者，首因出版犯罪，与各种谤罪、同审理于陪审官一事，此诚吾人所当识之者也。

然则英伦之出版自由，特国法最高无所不赅之结果。凡"出版自由""出版犯罪""出版检阅"诸名，举为词费，论法之家，置诸不齿，考其所以，盖无非因出版违法，必为谗谤，处理审决，一折衷于普通谤律而已矣。

今者英人于此，视为当然，原无所用其注意，特不佞欲继此而论及法兰西革命前后之现律，及英伦十七期末叶出版之条件，不得不偶一及之。由此以观，可知今日英伦科罚违法新闻，显然为法律精神，贯彻宪法全部之一例焉。

(第一卷第六号，一九一六年二月十五日)

乐利主义与人生

高一涵

人类自含生受性,而有感觉。因感觉而辨苦乐,因苦乐而争趋避。苦虫蛇禽兽之相害,则习兵剑击刺;苦风雨寒暑之相逼,则作宫室衣裳;苦同群之相侵扰,而制法律;苦异姓之相凌辱,而备甲兵。焚顶捐躯,前仆后起者,苦乐问题之所迫也。仲尼之席不暇暖,释迦之舍身度世,墨翟之摩顶放踵,悲天悯人皇皇终日者,苦乐问题之所趋也。故人生第一天职,即在求避苦趋乐之方。犷野之种,仅知求生;文明之伦,则知求所以善其生。求生者,惟避苦之是务;求所以善其生者,惟趋乐之是求。苦乐两境,与有生俱。人治未臻上理,则自受形以讫属纩,常徘徊偃息于此两境之间。宇宙欲得其治平,惟有集伦汇万殊之苦乐,比例平衡,求得脱苦享荣之极度,立为准则,制为法律。俾最大幸福,得与最大多数人类共享之,是即乐利主义之旨归也。

自十八世纪来,神权、契约两说,风靡全欧。修模(Hume)特起,大唱乐利之说以排之。边沁(Jeremy Bentham)承流,毕宣其蕴,其徒堆莽(Dumont)纂辑其言,传播欧陆。逮十九世纪初叶,英美二邦,亦风尚其说,国法改革,悉奉其议为准绳。今日西方立法问题,已成往事,故边氏之流风遗韵,亦稍稍衰矣。其所以然,则边氏之说,在探立法之原理,而注意于巩固民权之基。法制既定,则无须沾沾于此。至法制改革,本源未正之邦,允宜毕阐其微,铸为造法之大本。今者国制抢攘,法本荡然,敢旁征其旨,赘以诠言,俟关心民权者,得以览观焉。边氏之言曰:

公善者,法家之主旨;公益者,推论之本根。立法之学,应识社会真善之所在,建为立法之基,且探寻涂术,由之以实行此善焉……

天之生人也,俾屈处乎苦乐二境之下,思维肇于是,判断因于是,生活定于是。离去苦乐问题,则衷无所感,莫知所云。虽人生有时舍至乐而求至苦,然通经常权变而衡之。其惟一职志,则在避苦趋乐之一途。其情历久而不渝,坚定而不可折,此固论道经邦者所当殚精钻研者也。苦欤!乐欤!其即乐利主义纲维万象之主宰欤?

乐利之名,玄名也。所以明一物,脱恶向善之体用也。凡恶,皆苦也,即不然,亦为召苦之因;凡善,皆乐也,即不然,亦为致乐之兆。凡物利于其人者,必可益其人幸福之总量;利于一群者,必并构此一群之小己,亦各增其幸福之总积焉……正乐、利二字之名,惟在集所有苦乐而计之衡之耳。此外观念绝不使混淆于其中。

崇尚功利主义者,于一切公私行为,必衡其所生之苦乐如何,而后试其褒贬。吾所用公、不公,德、不德,善、不善诸语,举为广涵之名,而包蕴若干苦乐观念于其中者也。吾所用苦、乐二字,虽愚夫愚妇,可以与知,绝无新辟之窔,独擅之奇,谓当排去何苦何乐,而其义始备。亦非有精深之蕴、玄奥之藏,必俟商之柏拉图,质之雅里士多德,而其理始明也,何也?苦乐者,人人所同受,无间于贵贱贤愚，其所感觉者一也。

　　乐利家之所谓善，即由之而肇乐；所谓恶，即由之而肇苦者……如见常人之所谓德所生之乐，不偿所苦，将决然曰：此伪德也，即举世盲从，而彼将不更为此伪德所束缚。鄙夫之政策，每在利用伪德以达其所图，乐利之徒，深鄙之也。又当世号称罪恶者，其中尽有无瑕之乐。如此为乐利之徒所见，将立宣言曰："此伪恶也，此小人儒之所谓恶也，此奚害为合法之行为也。"是故世有罚非其罪者，大为乐利之徒所怜，而故入人罪之科条，彼必尽歼除之而后已。（以上均见 Bntham's Theory of Legislation，自如见常人之所谓德，以下从秋桐译，惟易其原文，用学之徒为乐利之徒耳！）

　　上所征引，乃边氏乐利主义之诠释，褒然成章，冠诸立法论之首。读边氏书所当首先置辩者，即乐利主义，乃立为造法之常经，非著为彝伦之典则，何也？夫集万亿不齐之伦汇，而范之以国家；综万亿不齐之利害情感，而平之以法律。则必于樊然错杂之中，求一各足相安之点，本之以为立国之大经，制法之大本。斯其国乃为适宜之部勒，群情对于其法，始克翕然相恰，各满其怀，各餍其望，遂其相安相得之天。近世立法之权，所以必操之群众者，亦以吾人一群之苦乐，惟吾人本身自感、自觉、自享、自受之耳！以吾人身受之利害，非还叩诸吾人之本身，则忻喜厌恶，必不克适如吾人之所愿。是故望他人体量吾身之苦乐，任其代定标准者，是奴隶牛马之事，非人类之事也。甘受他人代定苦乐之标准，帖然服习，而不辞者是麻木不仁之身，良心上毫无感觉者也。非他人所能感觉之苦乐，而必仰他人鼻息，托其代为判定者，是之谓自寻苦恼，以戕其生者也！近世深爱自由幸福之民族，所以断脰焚身，以争民政而蹛专制,收回立法之大权者,其用心正在此耳。

或曰:"精诚相应,感而遂通。"苟得圣贤,必能设身处地,为吾民谋避苦趋乐之途也。不知人类因罪恶不灭,始建国家;因权利不固,始造法律,方群演之始也。无国与法,逮群演之终也。亦无需国与法,惟当中天之运,群演方将。善恶公私之念,炽然相战,故必赖国法并存,以维系而平理之,始克奠烝民于安乐之域。夫人治未隆,既不免各有所私,而握有重权者,尤莫不欲滥用其权以自恣,乃中世人生之通性。设立法权集于主权者一身,则彼身之乐,必臻其极。立法权落诸贵族一阶,则彼阶之乐,亦必日益而不已。其势,然也。其有一线希望者,惟主权者与贵族因良心之省悟,而自行谦让耳!夫谦者抗之宾让者争之。偶一群苟乏抵抗之力,则谦之德不能独生;一群苟无竞争之能,则让之美不克自见。政治之事,必相衡相荡,始得其平。其平也,乃抗争之极,而得其衡,非谦让之极,而消其隐。欲持政局之平衡,而乃出之以谦让,自撤其抗争之力,是谓自杀之政策,终归于败而已矣。是故弃分所应享之乐而不受,而乞怜他人求其让与者,是奴隶之根性未除也。应得之乐,不竞争以求得之;应避之苦,不竞争以求避之者:是峀窳偷生之懦夫也!然此犹曰:"仰他人以求幸福,其势不可必得也,即万一可得,亦文明伦类所不取。"何也? 人生幸福,首贵自谋,呼蹴而与,乞人不屑,奚况其他。故保重人格之道,第一,即在有自求幸福之能力。喔咿儒儿,突梯滑稽,是丧其人格者也。见真乐所在,则挺身拔剑,奋起而争之;见他人以伪乐欺我,则揭其虚伪,一鼓而破之,决不受其束缚,是之谓尊重人格,是之谓有自立之能,是之谓深知爱护自由幸福之民。

或者曰:"苦乐既为吾人所自感自觉,则自求趋避之方可矣。"

法律于我何择，国家于我奚关，不知国家职务在主乎公道，法律能事在折衷群情，调剂百感，以平其所不平，而定其所不定者也。外国家法律以求幸福，是自放于混沌洪荒之世界。荆天棘地，举足左右，则危害之祸应之。生命且危，何有于乐？求乐脱苦之术，必有所凭借，始克实行，凭借维何，是即权利。权利者求幸福时所必由之途，而国家法律之第一职务，即在保护此物。无国与法，则权利不存；权利不存，则幸福宁能幸致？且人生于国家之下，即无一事或逃国家之范围。恶政府必生恶法律，恶法律必重人民之苦，夺人民之乐。于法律不良之国，而欲自遂其生，自充其欲望，是犹断港绝潢，而求至于海也。是故小己之图谋幸福，必自改良政治始；改良政治，必自夺回立法之权始。

避苦趋乐之道，必于立法原理中求之，既如上所述矣。顾苦乐与人生之究竟，关系奚若，则尤不得不略赘一言。崇尚禁欲主义者，每指赏心快目之事，为万恶之媒，而以安穷处困，为人生惟一之天职。宗教家以苦为性分之所固有，故 Stoics 不以苦为恶，而 Jansenists 则反以苦为善（见边沁《立法论》第二章 The Ascetic Principle.）。吾国墨翟之徒，亦以苦身劳形为职志，皆此物此志也。不知人类之所以为万物灵者，不贵其能生，而贵其能善其生。善生者，脱苦安乐之谓也。以宗教家为安苦避乐者，乃见其涂术，误认为彼之归宿也。佛家度世，在使众生离一切苦，得究竟乐。耶稣救世，则悬一极乐世界之天国，以引人入胜。儒者尊王，王者始于忧勤，终于逸乐。升平之世，谓为王道之隆，大同之福，乃儒家言治之极。墨子之苦身劳形，乃在兼利天下，然则佛耶儒墨，举莫不以去苦享乐为人生之究竟。其所以刻苦自甘，不忍独乐者，则居中天之运。乐未遍及乎群黎，故暂以安苦为求乐之方法，非其归宿之所止于安穷处困也。专制之朝,犷野之族,群演未深,立法之权,莫知运用,制法之责,专在君相,惨刻寡恩,比比皆是。宗教家悯群生之涂炭,乃倡苦身救世之言,以促君相之觉悟,冀少救残刻凶暴之行。其言安穷处困,乃对救世者言,非对待救于人者言也。乃谓治己之道应然,非谓治人之道亦止于此也。以暂时之苦,易永久快乐之方;以一身之苦,辟众生趋乐之径。苦者暂而乐者常,苦者一而乐者万;苦者其方便,乐者其归宿也。专制之朝,得以少敛浮威;犷野之族,得以苟延残喘者,皆此说之所赐也。若认方便为归宿,谓安苦避乐为人生之究竟,则失佛耶儒墨之教旨,与夫人生终极之蕲向矣。

人生归宿,既在于乐。国家者,以人生之归宿为归宿者也。故国家职务,即在调和群类,拥护机宜。俾人各于法律范围之中,谋得其相当之幸福而已。幸福之求,专恃人民之自觉自动;国家之责,惟在鼓舞其发越之机,振兴夫激扬之路。故凡物质上之快乐,体育上之欢娱,务使发扬至尽。俾得与精神焕越之程度,相应相调,以遂其演进文明之愿,此挽近国家奉为职志之惟一大则也。禁欲主义,反真归朴,绝圣弃智,是阻人群进化之机者也。推此说而行之,则人生为多事,国家为妄设。所谓戕贼人性,毁弃万有之论也,于近世国家奚取哉?

(第二卷第一号,一九一六年九月一日)

赫克尔之一元哲学

马君武

赫克尔(Ernst Haeckel)为达尔文后最有名之进化论学者。达尔文发明进化学说,赫克尔为赞助此论最有力之一人。晚年复本进化论创一元哲学(Monistische philosophie),于哲学界放一异彩。德国近顷各处立一元学会(Monisten Bund),欲以此代宗教,其势极盛。吾国至今尚鲜知赫克尔名者,诚吾学界至大之耻也。赫克尔著书凡数十种,至一八九九年,乃综合之作《一元哲学通论》,又名《世界之谜》(*Die Welträtsel, oder Gemeinverständliche Studien über Monistische Philosophie*)。予今摘译此书,以介绍赫克尔之学说于中国。

第一章　人类学

第一节　世界未解决之问题

十九世纪之末,已有许多问题,凡前人所不能解决者,皆经解决。不惟自然科学之理论上进步而已,凡技术工艺交通诸问题皆然,以造成今世界之文明生活。然其他精神方面,及社会关系,则不惟毫无进步,反有退步焉。因有此冲突之故,不惟个人之感想,破碎假伪,且其影响及于政治及社会,危险甚大。故爱人类之学者,当本其良知以解决此问题,而免其因是所生之弊害,是为其正当权利,亦其神圣义务。欲为此事,首当本其所认识之真理,而定一种明白坚固之世界观念。

自然知识之进步 试以十九世纪初期自然知识之状态与末期比较,其进步实可惊诧。凡自然科学之任一支派,在此世纪皆发明光大,其后半期尤甚。有显微镜以查至细之物,有望远镜以查至大之物,皆百年前人类之所不能见者。因显微镜之改良,不惟单独细胞,所谓不可见之生物界,可任人研究。且凡动植物之最小细胞,即所谓生机元素及其所构成之肌体,皆显露无隐。以解剖学之进步,影响至大,又有胚胎学辅之,知凡高等生物,皆至单独细胞发育而成,因是成细胞理论。生命之物理化学心理作用皆可解释,前人所谓灵魂不死之说,不难打消矣。又因细胞病理学之发明,医者乃知疾病之真因。

无机界之发明,亦与有机界相匹,有如物理学之各部分皆然。由热学理论,知其彼此关系如何密切。由光影分析,知地球上之物质,与太阳及他行星多相同者。由天文物理学,知世界上大于地球之物体无限,使人之世界观念益增阔大。由化学之进步,发见新化合物甚多,以供人类之使用,有如碳素一宗,其化合物殆不可胜计。因物理及化学之进步,以得物体定理,如物质不灭、物力不灭,是为世界根本律。全世界皆为此定律之所范围,一元哲学之解释世界大谜,即以此律为先导之明星也。

此下数章皆述吾人所具自然界知识及其十九世纪之进步,姑不具述,但关于进化论之发明,兹不能不略叙之。千年以前,虽有略知进化之事者,至于进化为全世界公例,且此世界亦不过物质进化之一例，则为此世纪之新发明。英国人达尔文于一八五九年始确定进化论之基础。达氏之先导，则为法人拉马尔克（Jean Lamarck）及德人桂特（Wolfgang Goethe）。进化论发明后，所谓疑问中之疑问，如人类在自然界之位置者，乃能明了。至今一八九九年，吾人乃因是以定一元原理，以与物体根本律相合，述明自然界之一切现象。或谓拉马尔克、桂特、达尔文三人为十九世纪第一等之三大明星，诚不诬也！

因理论的自然知识进步，施于各种实用，故人类文明之进步亦与之相当。吾人今处于"交通时代"，国际间贸易旅行非常便利。有电线电话等不受时间及空间之限制，此物理学之赐也。农业工业常有各种进步。医学亦然，有哥罗肪玛琲杀菌药、清血液，各种之应用，人类疾苦大为减少，此化学之赐也。因各种工艺之新发明，十九世纪之进步遂远驾于前数世纪之上，其事为世人所共知，不俟赘述。

社会方面之进步　自然界知识及其实用，在十九世纪之进步，既如是其伟大。而在社会一方面，所谓文明生活者，则几无成绩之可言。英人华雷司（Alfred Wallace）之言曰："试以物质科学及其使用之进步，与社会方面比较，则行政制度、司法制度、国民教育，及一切社会及道德之组织，今尚未脱野蛮之地位。"试以其言与吾人之公共生活及报纸记载实证之，可知其不虚也。

司法事务　今日之司法事务，实未能与今日已进步之人类及世界知识相伴。法庭之判决，每多不可思议者。所谓今世国家，除纸上数条宪法而外，实尚行专制政体。法官之主张，多仰承居高位者之鼻息，其教育已先不充足。欧洲之法律教育，多为形式的而非真实的，尤如人类机体及其重要作用，法律家大概不知为何物。予曾与有名法律家言人类所自发生之蛋胞及数月内之胎体为有生命的,此法官不之信,且一般法律学生不读人类学、心理学及进化史。此教学者,为判决人事之重要条件,其推卸之词,则曰时间不足也。其学生时代所学者,不过数十百条之法律条文而已。

国家行政 今世国家行政之恶劣,人所易知,不俟详述。其重要原因,即一般官吏多为受形式教育之法律家,不知人类学及一元心理学,故不知人类本性;又不知动物学及进化史,故不知社会关系。国家非他即社会体之构造及生活是也。故充行政官者,当先知个人之构造及生活,且须先知细胞学。苟行政立法者能知此数学,何至于谬误百出,如报纸每日所记载者乎？

文明国家最大之谬误即在与文明仇敌之教会相结合。德国政客如中央党(Zentrum)者,全在罗马教皇支配之下,其所主张不本于权利与良知,而本于迷信与盲从。故国家制度,非全与教会脱离关系,而使全体国民得相当之世界及人类知识。通达自然界知识,以进于较高之阶级不可,而国体如何,则可以置之不论。盖今论国体为君主为民主,皆非重要问题,而改良教育,使一般青年国民尊重良知,破除迷信,乃为国家之根本问题也。

学校 现今之青年教育,亦未能与十九世纪科学之进步相伴。自然科学既超过他科学之上,且包有所谓精神科学于其中。而学校内每视为旁助科目,或竟弃却不顾,而古经、古文、古历史等则视为重要科目。所谓道德学者,乃不出耶稣经典之范围。以信仰为先,知识为后,而科学信仰如吾侪所谓一元教义者,大概为学校之所未梦见。虽高等学校,亦不知今世世界学、人类学、生理学、进化学为何事。其所注重之科目,仍不过言语、历史等,于理论无所补,于实用无所济。大学之状况,亦复如是。

教会　反对今世教育，反对自然知识者，厥惟教会。天主教、希腊教之顽固愚谬无论矣。即路德新教，于迷信之外，稍重良知。其所主张之道德，虽有与吾辈之一元道德相合者，然其所主张之神论、世界论、人类论、生活论，皆与真理相反。既学新教育之工学家、化学家、医学家、哲学家，皆厌闻其说，更何足怪。教会派不知以一元进化为根底，确定不可摇之自然知识，与一般言语学者、政治学者、法律学者无以异。

(第二卷第二号，一九一六年十月一日)

赫克尔一元哲学（续前号）

马君武

良知及教条之冲突 吾人今日之教育，既为科学进步之结果，则于公私生活各方面须有相当之权利，即人类当本良知以进于知识之较高级，依更善之路途以得幸福，方足以收自然科学进步之效。而主张宗教者，凡关于精神教育一项，恒欲将人类羁留于中世纪，顽守教条，恪遵默示，以埋没其良知。凡今日之言，宗教学、言语学、社会学、法律学者皆如是。此辈之良知，亦非完全本于自利主义，而在于不知真正事实，拘守古说。故良知及科学之三大仇敌，即恶念、无知识、怠惰三者，而后二者较前者更为危险，虽具大神力，能战胜第一敌，犹难战胜第二及第三敌也。

造人说 教会派世界观念之有力支柱，即造人说（Anthropismus）。以为人类构造，与一切自然界之生物相反，为有机创造物之最后目的，与神相似，是为一切谬说之源。造人说又分为三大教条，即集中造人说、变体造人说、比较造人说三者。

一、集中造人教条（Das anthropozentrische Dogma）谓人类为地球上或全世界一切生命之预设中心点及最后目的。此谬说与人类之自利心能适合，又与摩西、耶稣、谟罕默德三大教有密切关系。故现今文明世界，尚有大部分从之。

二、变体造人教条（Das anthropomorphische Dogma）亦与上述三教有密切关系，以为上帝创造世界，管治世界，可与灵巧之工匠、睿智之君主相比，上帝之思想及行为一如人类。反言之，人类与上帝相似，谓"上帝依己像造人"是为上古一神教之肤近神秘学。上帝既具人相，复是血肉。近世神秘学微变其说，谓神不可见，能有思想，有言语，有行为，造成一种气质脊椎动物之谬说。

三、比较造人教条（Das anthropolatrische Dogma）是以人与神之灵魂作用比较得之。谓人之灵魂不死，人类具二元性，不死之灵魂，暂居宿于必死之肉体中，是即二元教条。

世界之一切宗教，大概以此三教条交互变换，自圆其说。积世以后，迷信已深，谬误百出，成为造人的世界观念。与吾侪所主张之一元自然知识，恰相反对，是当以宇宙真相观察破之。

宇宙之真相观察　今本宇宙真相观察，以建立吾侪所主张之一元说，不惟上所述之造人三大教条。凡一切二元哲学之世界观念，及其他愚人之宗教，皆可不攻自破。今列已实证之宇宙公例如下：

1. 宇宙为永远无尽期无止境者。

2. 体质（Materie）及势力（Energie）合为物质（Substanz），充塞空间，运动不息。

3. 此运动在无尽期内，新旧交换，生死代谢，为单位之进化。

4. 世界体无数，分布于以太（Ether）间，皆依物质公例。在宇宙之一部分，有运行的世界物体退化灭亡，在他一部分进化发达。

5. 太阳为此无数世界体之一，地球为旋绕太阳诸行星之一。

6. 地球经冷却期甚久，乃具水质，为有机生物成立之最先条件。

7. 有水之后，经生理作用，有无数生物徐徐进化改变，其所经年数，至少在十万万年以上。

8. 经生理进化，得各种动物，最后得脊椎动物，为发达最完善者。

9. 脊椎动物变成后，又经若干年，至三叠系纪（Triasperiode），由最下等之爬行类及双栖类变得哺乳类动物。

10. 哺乳动物类发达之至完全者为猿猴类（Primaten），其时约在第三系纪（Tertiarzeit）之初期，距今三百余万年。

11. 猿猴类发达之至完全者为人类，其出现时约在第三系纪之末期，为自数种人猿类之所变成。

12. 人类之文明发达史，不过数千年，以与地球生物史比较，短不可言。地球之生物发达史，与行星成立史比较，亦短不可言。地球为太阳分出之一小体，与无尽境之世界比较，复小不可言。而每一人在有机世界内，不过极微小之一元素。

此上所述自宇宙真相观察所得之十二公例，即解决世界一切疑谜之张本，不惟人类在自然界之位置，依此可以明了，而造人教条之谬说亦不难破除。所谓"依神相造人""永远生命""无界限之意志自由"诸说，皆不能成立，如罗马皇帝加里古纳（Caligula）自尊如天神，不过为此谬说之流毒。今排除此谬说，实地观察宇宙之真相，则一切疑谜不难解释矣。

疑谜之数　未受文明教育之人类，与自然界之人类，在此世界，随处皆遇有疑谜。文明愈进步，科学愈发达，则疑谜之数愈少。一元哲学所认为疑谜者，惟有一项，即物质问题（Substanz Problem），与此问题相关者，尚有疑谜数项。博雷孟（Emil du Bois-Reymond）一八八○年在伯林科学会之著名演说，谓世界不可解之疑谜有七。顺列之如下：

1. 原质（Materie）及强力（Kraft）之本性。

2. 运动之起源。

3. 最初生命。

4. 自然界之合宜配置。

5. 感觉及知识之由来。

6. 思想及语言之由来。

7. 意志自由问题。

博氏谓此七疑谜中，第一、第二、第五三者，为完全超越不可解释；第三、第四、第六三者，为甚困难而仍有解释之望；第七者实用上最重要，虽有解释，然至难决定。

予之一元哲学所解释之疑谜，虽与博氏所主张者不同，然博氏所谓七疑谜，莫不可本一元哲学解释之。有如第一、第二、第五三者，可据本书第十二章之物质论解释；第三、第四、第六三者，可据进化论完全解释；第七章不成科学问题，本为一种欺人之教条，故原不存在。

疑谜之解释 吾侪解释世界大疑谜之方法，不外纯粹的科学知识，由经验以得结论。科学之结验，由吾侪用感觉机关及大脑之感觉府，积多种观察及试验得之。感觉机关，为极微细之司感觉细胞所成，感觉府为脑线细胞聚集之族部所成。自此，精神界之贵重机关，由外界所得经验在脑髓之他部分保存之，以待与他经验相积合。结论造成之方法有二，即最有价值不可缺少之归纳及演绎二法。其他脑髓作用，如联合结论之构造、悬想、悟会，已得之知识，依幻想补充之，以及理想思虑研索诸事，皆大脑之脑筋线所显作用。凡此一切，皆属良知之最高范围。

良知（Vernunft 或译"理性"前后均同）　兴会（Gemut）、彻悟（offenbarung）欲得真实之自然界知识及解释世界疑谜，惟赖良知。是为人类所具最贵之物，与其余动物相异，即在于是。然必须文明及精神教育进步，科学发达，其价值乃见。未受教育之人类及自然界野蛮人类之良知，与其他相近之动物，如猿犬之类，无甚大异。然今人多谓除良知之外，尚有兴会及彻悟，为得知识之他二途，此实大误，不可不辩。兴会与真理认识毫无关系。所谓兴会者，乃脑髓之一种复杂作用，由哀乐感触，好恶悬想及拒求倾向等联合所成。其他各种机关之作用，亦助成之，如五官、筋肉、胃脏、生殖器之需要，等等。而认识真理全不须此。反之，兴会适足以与良知相妨，而受其害。世界疑谜，决无依兴会解释或促进之理。至于彻悟，则全依有识或无识之迷惑所得，与真理无关（详见第十六章）。

哲学及自然科学　解释世界疑谜之二途，即经验与思想。单凭思想，必至陷于理想的世界构造观，不足语于真正知识，如伯拉图（Plato）及赫格儿（Hegel）皆是。若单凭经验以为世界观念之基础，其弊陷于不完全，如倍根及弥尔（Mill）皆是。属于感觉的经验及属于良知的思想为脑筋之不同二作用，前者以感觉机关及中央感觉脑府司之，后者以思想脑府及大脑皮之集中处司之。经验与思想相合，乃有知识。今之哲学家，每尚欲以自己之头脑构造世界，不知世界实为何物，故轻视经验的自然知识。于他一方又有自然界之研究家，以为科学问题，惟在事实证验及单一自然界现象之客观研究，谓哲学之时代已过，代之者为自然科学〔费尔索（Virchow）一八九三年之言〕。此偏重经验一方者，易致陷于最危险之错误，与偏重思想一方者同。今世自然界研究之大成功，如细胞论、热论、进化论及物质公例为哲学的事实，然非纯粹思想之结果，而为完全推广经验之结果也。

二元论及一元论　自今日自然科学之立脚点评判之,凡哲学可分为二类,其一为二元的世界观,他一为一元的世界观。前者与宗教及唯心之教条相关联,后者与物力及真实之原理相关联。二元论分世界为二,即物质世界及非物质上帝,后者为前者之创造者、维持者、管理者。一元论只认此世界为一物质,上帝与自然界同为一物,物体与精神不可分离。

唯物论及唯心论　一元论每易与唯物论的唯物论相混淆,恰如理想唯物论每易与实用唯物论相混淆,因是起许多纷扰错误。今明辨之如下:

1.纯粹的一元论与理想的唯物论迥异,后者不认有所谓精神,而视此世界为原子之聚合物。纯粹的一元论又与理想的唯心论迥异,后者不认有所谓体质,而视此世界为势力或非体质之自然力集列所成。

2.桂特(Goethe)谓"体质无精神或精神无体质,均不能存在及有作用"。斯皮挪萨(Spinoza)谓"体质为物质之扩充至无限者,精神即有感觉或思想之物质,一切神的世界以及上下四方之物质,皆以此二者为大本"。吾侪所主张纯粹无贰义之一元论,即在于是。

(第二卷第三号,一九一六年十一月一日)

赫克尔一元哲学（续前号）

马君武

第二节　人之身体构造

一切生理研究，及一切有机体之形状及生活作用之研究，皆以可见之身体为标准。形态学及生理学之现象，皆具于是。人类及其他自然界之生物体，皆依此定理。徒观察外形，不足以尽研究之功，故必详察其内部，精究其大小各部分。凡关于此种研究之科学，名解剖学。

人类解剖学　最初引起人类身体构造之知识者为医学。古时司此事者在欧洲为教徒，当时为文化最高代表。在耶稣纪元前千余年，已略具解剖知识。但较为详密之经验，则自分解哺乳动物得之，更以是推于人类。耶稣前五六百年，有恩倍斗克累司（Empedokles）对某克里偷司（Demokritos），尤以有名医生喜剖克拉推司（Hippokrates）为最著。至亚里斯多德（Aristoteles），则以哲学家兼科学家，知识尤博，称为生物史学之原祖。其后惟希腊医生卡伦奴司（Claudius Calenus）甚有名。耶稣后二百年，在罗马行医。当时解剖人体，悬为厉禁。故其知识非直接自人体得来，而自与人类最相似之猿类解剖得之。其实可名为比较解剖学者。

耶稣教兴，主张神秘之世界观念。解剖学及其他科学，又复衰绝。罗马教皇常谋闭锢人类之知识，尤不欲世人知人体构造。故在十三世纪百年内，惟卡伦奴司之人体解剖书及亚里斯多德之生物史书，流传于世。直至十六世纪，经路德改新教后，教皇之世界精神统治权，乃被打破。哥白尼（Kopernikus）之新天文学说出，宗教之世界观念，乃失根据。人体构造之知识，即于此新时期重复发达。当时著名之解剖学者，有如韦沙鲁司（Vesalius）、欧司达邱司（Eustachius）、法娄皮乌司（Fallopius）皆依自己之根本研究，以得人体之详确知识。其后学者辈出，人体解剖学之基础大定。是时韦沙鲁司尤富于思想，好学不倦。二十八岁时，著人体构造论"De humani corporis fabrica"，集解剖学之大成。其后移居马德里，为西班牙王查尔第五（今译为菲利浦）第二之御医。而天主教会指为魔徒，宣告死罪，后减为贬徒，至耶路撒冷。归时行至臧特（Zante）岛船破，死于穷病。

比较解剖学 十九世纪对于人类构造之贡献，为二种重要研究之新方向，即比较解剖学及细胞肌体学，后者又名显微镜解剖学。欧洲至十五世纪尚以死刑禁止解剖死人体。此后三世纪内，解剖学者大概只研究人类机体。直至一八〇七年，法国动物学者曲越儿（George Cuvier）始创比较解剖学，著"Leçons d'anatomie comparée"，发明人体与兽体之各定例。但其前一七九〇年，德国桂特（Goethe）已以人骨架与其余哺乳动物之骨架相比较。曲越儿则详及其余诸机体，分为独立之四大类，即脊椎动物、节足动物、软体动物、射线动物，而以人类归于脊椎动物类。又一七三五年，李累（Linne）著生物系 Systema naturae，已以人类归哺乳动物类。于此中又分出主兽级 Primates。此级内又分三部，为半猿部 Lemur、猿部

Simia、人部 Homo，但未以比较解剖学立为独立科学耳。至十九世纪，则此学大发达。著名之学者有梅克耳（Friedrich Meckel）、米勒（Johannes Müller）、欧文（Richard Owen）、赫胥黎（Thomas Huxley）、格根保儿（Carl Gegenbauer）。格根保儿于一八七〇年著《比较解剖学通论》，始以达尔文所发明之人类起源说为生理学原理。此外著书甚多，皆根据实验，材料极富，一以进化论为归。一八九八年，著《脊椎动物比较解剖学》，谓人类具脊椎动物本性。引证详明，根本大定矣。

细胞肌体学 Histologie 及细胞学 Cytologie 显微镜解剖学亦于十九世纪发明，而其方向则与比较解剖学全异。一八〇二年，法国医生比沙（Bichat）始以人体分解之最细部分，用显微镜观察之，以定各肌体 Hista，Tela 之关系。但此时肌部之共同元素为何物，尚未明了。故比沙之研究，不能贯彻。至一八三八年，司奈登（Matthias Schleiden）发明植物界细胞，同时司旺（Theodor Schwann）发明动物界细胞。至十九世纪之第六十年内，寇里克（Albert Kölliker）及威寿（Virchow）始倡细胞理论及肌体说，以解释无病及有病之人类机体。谓"人类如一切动物，其肌体皆自极微小之细胞所成。此等微小细胞聚合以成人体，如公民聚集以成国家。人体之细胞数盖以万亿计。凡细胞皆自母细胞 Cytula 分离生长。细胞先聚，集为肌体。在人类与其余一切哺乳动物同。"发达最新最高之哺乳动物级，有特别晚成之性质，与他级异。有如哺乳动物之毛发、皮腺、乳腺、血胞等之显微镜组织，与其余脊椎动物所具者迥异。以人类就此等生理学关系言之，实为真正之哺乳动物。

寇里克及来底希（Leydig）之显微镜研究，不惟就人体动物体向各方面扩充吾人之知识，且述明细胞及肌体之进化史。又证明齐包德 Carl Theodor Siebold 之重要理论,谓"最下动物如睫虫类 Infusorien 及根足虫类 Rhizopoden 为单独细胞之所成"。

人类之脊椎动物本性 人体之构造,无论巨细,皆具有脊椎动物之特性。一八〇一年拉马尔克(Lamark)最初发现此事。依李累之说,分脊椎动物为四类,即哺乳类、鸟类、双栖类、鱼类,皆为高等动物;又分下等动物为二类,即六足虫类及软体类,又名非脊椎物类。一八一二年,曲越儿皆以比较解剖学证实之。其实一切脊椎动物,自鱼类以至人类,皆有大致相类似之处。如皆具强固骨架,有硬骨及软骨,皆具脊椎及头壳,头部之组织复杂。差异虽多,而皆离原形不甚远。且脊椎动物之背部皆具灵魂机体,即脑筋集中系。分为脑髓及背脊,脑髓为知觉及一切灵魂作用之工作器,藏于头壳之内,其构造及大小虽不同,而集合之特状则莫不同。

再以人身其余机体与其余脊椎动物相比较,亦得同一之现象。机体之大小及构造,在特别部分虽因与生活条件适合之结果,互相差异,而其最初及互有关系之位置不变。有如血液皆自二大管流动,其一居肠上,其一居肠下。其通过心脏之时,部位各别,此皆脊椎动物之特性。又肠部亦最初分为二部:其一以司呼吸,名头肠;其他一以司消化,与肝脏连,名肝肠。又如肉筋系之分部,及排尿机关生殖机关之特殊。就此等解剖关系言之,人类实为真正之脊椎动物。

人类之四足动物本性 亚里斯多德以一切高等热血动物之具四足者,归四足动物类 Tetrapoda。及曲越儿更推广其范围,谓"两足之鸟及人类,亦归此类"。因其内骨架本起源于四足。人类之双手,鸟类及蝙蝠之双翅,本为四足动物之二前足所变成,定其名为 Ouadrepeda。

一切四足动物四肢之骨架，同一起源，此为最重要之事实。试以蝾螈及蛙之骨架与猿类及人类之骨架详细比较，可见肩骨前及腹盘骨后之重要骨节，在四足动物内莫不相同。最初具一中空之强骨，居前者名上臂骨，居后者名腿骨。次之为支持此骨之二他骨，居前者名下臂骨及腕骨，居后者名下腿骨及足骨。再以脚部比较，则见复杂诸小骨之配合，皆大概相似。在前足为手根骨手掌骨及五手指，在后足为足根骨足掌骨及五足趾，此诸小骨之形状至不同。有时与他骨混合，或遂不见，故甚难确定。此难问题直至格根保儿乃解释之。格氏于一八六四年著《脊椎动物比较解剖学》(Untersuchungen zur vergleichenden Anatomie der Wirbeltiere)，谓陆居四足动物之五趾，本自水居鱼类之四线鳍所变来。一八七二年，格氏又著《脊椎动物头壳研究》(Untersuchungen über das Koplskeletten der Wirbeltiere)，谓四足动物最新者之头骨，实自鱼类最老者如鲨鱼之所变出。

石炭纪水陆双栖动物类发现，始具四足。每足五趾，至今遗传不变。人类亦复如是，甚宜注意。且四足之节骨、肉筋、脑筋之构造，在人类实与其余四足动物无大区别。就此等重要关系言之，人类实为真正之四足动物。

人类之哺乳动物本性　哺乳动物为脊椎动物之最新最高级。本自双栖动物类之老级变出，与鸟类及爬行类相似，而与其他四足动物有重要之区别。有如具有毛发及二种皮腺即汗腺及油腺。腹部皮腺更起局部变化，成为特别机体，即乳腺。此乳腺聚集一处，遂突起成为乳房，以为哺饲幼儿之用。具乳房之动物，皆具有肉筋状隔膜 Zwerchfell，使胸腔与腹腔隔断。是惟哺乳动物有之，为其他一切脊椎动物之所不具。哺乳动物之头壳，亦具特状。如上下颚骨及听骨,此外如脑髓、嗅关、心脏、肺脏、内外生殖器、肾脏及他体部。其粗细构造,皆具有特状。是为哺乳动物与其先祖爬行类双栖类动物差异之特征。其变生在三叠系纪,距今至少一千二百万年。据此等重要关系言之,人类实为真正的哺乳动物。

人类之脐带动物本性　近世动物学者分哺乳动物为许多小族。一八一二年,布朗威尔(Blainville)则分之为三分级:即叉骨动物(Gabeltiere, Monotrema)、袋囊动物(Beuteltiere, Marsupialia)及脐带动物(Zottentiere, Placentalia.或译曰"胎盘类动物")。此三分级之区别,不惟在体部构造及发达之重要关系。且其成立之阶级,亦不相同。叉骨类之成立在三叠系纪 Triasperiod,袋囊类在峀跙系纪 Zurazeit,脐带类在白垩系纪 Kreidperiod。人类即属于脐带类,具有脐带类之特性,与叉骨、袋囊二类相别。脐带类之胎体,在母腹留存甚久,由脐带皮以得营养。此脐带与胎衣合生,突入母体子宫之黏膜皮内。其相连之柔皮极薄,营养质即自母体血液传达儿体血液内。因是儿体能久居母体子宫内,以遂其发育。此为叉骨、袋囊二类之所不具。此外尚有解剖特状,如脑髓之发达,袋骨之消灭等。脐带类动物之发达,遂超出于他二类之上。就此等重要关系言之,人类实为真正之脐带动物。

人类之主兽级本性　近时有人将脐带动物分为一〇至一六族。若以近时新发见已绝种者加入,至少可得二〇至二六族。若依其有亲近关系者同列之,则二六族可合为八大族。其初祖为原始脐带动物 Urzottentiere,今于白垩纪化石中发见之。与峀跙纪之袋囊动物最相似。此八大族又可归为四部。今日之代表,即啮齿兽、分蹄兽、肉食猛兽、主兽四者。主兽内分为三族,即半猿族、猿族、人族。此三族有许多之重要特性,与脐带动物类其余之二三族相别。择要言之，即具长足，以与最初攀登高树之生活相适合。手足皆具五趾，有长指以便攀握树枝，具长爪。牙齿完全，分为四种：即门牙、尖牙、隙牙、大牙。其头壳及脑髓之构造，与其他脐带兽迥异。其构造愈完全者，在地球史上出现愈迟。据此等重要解剖关系言之，人类机体与其余主兽机体相合，故人类实为真正之主兽（或译主兽为高等哺乳类动物）。

人类之猿类本性 今以半猿类及猿类之身体构造相比较，有许多关系。可知半猿类较低、较老，猿类较高、较新。半猿类之子宫分为二种，与其余哺乳动物相同。猿类子宫左右合生成梨状，人类之子宫亦然。又在猿及人类之头壳、眼窝及睡骨窝有骨壁全隔离之，在半猿类此骨壁缺乏或发达不完全。且半猿类之大脑平而小，褶痕不显。猿之大脑较大，所具灰膜亦发达较良，其褶痕渐明显，与人类相近。猿与人之手及面部尤相似。据此等重要关系言之，可知人类为真正猿类。

人类之狭鼻猿 本性猿族极多，一八一二年柔阿弗罗亚 Geoffroy 分为二分族，今之动物学分系皆依之，即西部猿 Platyrrhinae 及东部猿 Catarrhinae。前者居地球西半部，后者居地球东半部。亚美利加之西部猿，名阔鼻猿。其鼻低平，鼻孔掀向两边，中壁极阔。旧世界之猿名狭鼻猿，鼻孔向下，中壁甚狭。两种猿族之区别，又在耳鼓膜。阔鼻猿之耳鼓膜居上面，狭鼻猿之耳鼓膜深入耳鼓骨，变为长而狭之骨质耳朵。在西部猿族其耳朵甚阔而短，或全缺乏。又狭鼻猿之牙齿数与人类所具牙齿数同，即乳牙二十，常牙三十二。每边具门牙二、尖牙一、隙牙二、大牙三。阔鼻猿类每边多一隙牙，全数三十六。此解剖差异，在此二猿族皆同。分居东西两半球，已历百万余年，特性不变，是为人类起源最重要之历史。故人类为真正之狭鼻猿类,惟变为人类之狭鼻猿,今在旧世界已绝种耳。

人类之无尾猿本性　狭鼻猿之生存于亚洲非洲者,其形状诸多不同。具尾者名曰有尾猿,又名犬猿 Cynopitheca。不具尾者名无尾猿,又名人猿 Anthropomorpha。人猿比之犬猿距人类愈近,不惟无尾,及身体之形状相似也。其脊椎尾以五段脊椎融和而成,与人类同。犬猿之脊椎尾则以三段间或匹段融和而成。就牙齿论之,犬猿之隙齿较长,而人猿之隙齿较阔。第一大牙在犬猿仅有四峰,在人猿则有五峰。又人猿及人之门牙外阔于内,犬猿反之。非亚二洲之人猿如猩猩等之体部构造,大概与人类极相似。犬猿之构造阶级,则相离甚远。任以何种机体比较可见。一八八三年解剖学家赫特门(Robert Hartmann)著《人猿及人猿机体与人机体比较论》,以人及人猿为一类,其他狭鼻猿及阔鼻猿别为一类。人与人猿关系密切,实无可疑。

自比较解剖学所得各种重要事实,可见人与人猿不惟极相似,且就一切确实关系言之,实即相等。二者同具骨节二百,皆依同样之秩序相配合;同具肉筋三百,以司运动;同具毛发;同具脑筋系;心脏同具四房,血液依同理流动;同具牙齿三十二,秩序亦同;同具口涎腺、肝腺、肠腺以司消化;同具相似之生殖机关,以司续种之事。

更详细比较之,虽见人及人猿各机体之大小形状微有不同,然以高级人类与下级人类之体部构造比较之,亦非无差异可言,且以同种人比较之亦然。虽二人之高矮相同者,其耳目鼻口等,亦非完全相似。试于聚会场中留心观察之,可见各人之形状,实迥不相同。虽同胞之姊妹兄弟,亦复如是。然是于体部构造之根本同等事实,固无妨碍。其单独部分之生长,或有微异,不足为病也。

(第二卷第四号,一九一六年十二月一日)

赫克尔一元哲学(续前号)

马君武

第三节　人之生活

吾人关于人类生活之知识,至十九世纪乃成为独立真实之科学,且发达为科学中之最优美有趣而最重要者。所谓生理学者Physiologie,虽在古昔已为医学中必要之学,与解剖学并重,然其根本研究,每与许多困难相抵触,故其发达较为迟缓。

生与死相对,自古昔以来,已为思想界一大问题。人之生活与动物之生活有一定特别之变化,最显者为运动。如独立行动、心跳、呼吸、言语、等等,皆为死体之所不能。但仅据此等现象,不易以有机体与无机体相别。有如水流、火腾、风吹石坠,皆属运动,故未开化之自然人,以为此等死体亦具有生活者。

人类生理学　关于人类生活作用之研究,始于耶稣纪元前第六第五世纪。关于此类事实搜集最富者,为亚里士多德所著之自然史学。其最多部分,盖采自德谋克里偷司(Demokritos)及喜卜克拉特司(Hippokrates)。后者于生理学已有新解说,以为人类及动物之生活原理,乃因具有一种流质的生活精神 Lebcusgeist, Cueuma。

格拉西司特拉都司（Grasistratus）生耶稣前二八〇年，分生活精神为高低二种。低者 Puenma zoticon 居心，高者 Cuenma psychicon 居脑。

其将此等散漫之知识集合以成生理学一系统者，以希腊医生卡伦奴司为始。卡氏又为解剖学大家，前既述之。当其研究人体机关之时，即同时研究其生活作用，且常以与人类相似之动物如猿者相比较。由猿类所得之结果，直接以推于人类。卡氏又明认生理实验之价值，以猿犬猪用活体解剖法 Vivisektion 为诸种有趣之实验。活动解剖法，不惟无知识之人反对之，即与科学为仇之宗教家及重感情之人，亦反对之。然是为研究生活问题不可缺之方法，重要生理问题，每借所得最贵重之解决，而卡伦奴司于一七〇〇年前已知之。

体部之一切作用，卡伦奴司归为三大部，与生活精神之三种形式相当。第一为灵魂部精神 Puenma psychicon，其位置在脑及脑筋，司思想感觉意思之事；第二为心部精神 Puenma zoticon，司心跳脉动及热量造成之事；第三为肝部精神 Puenma physicon，是为所谓菜食的生活作用，以及营养、物质交换、生长、传衍等之原理。卡氏尤注重于血液花肺部变新之事，以为必有一日发明斯理。血液由呼吸所吸收空气之一部分，所以增其精力者，他日必可分离。及后一千五百年，拉瓦喜儿（Lavoisier）乃发明是为养素。卡伦奴司之生理学，亦如其人体解剖学，湮没不彰者一千三百年，无人过问。此时期内耶稣教之势力极盛，反对文明，为一切自然知识之障碍。自第三世纪至第十六世纪，无一人研究人类生活作用。敢越卡伦奴司所立系统外者，直至十六世纪，乃有著名之医生及解剖学者研究生理学。至一六二八年，英国医生哈维（Harvey）发见血液循环之理，知心脏为抽送器，因其合节之松缩，使血液自血管流通。哈维又发明动物生殖之理，谓一切生物皆由一卵发达 Omne vivam exovo。

由哈维所得生理学研究之激动，十六及十七两世纪遂有许多发明。至十八世纪之中季，哈勒（Albrecht Haller）乃集其大成。其所著《生理学通论》Glementa physiologiae，述明此种科学独立之价值，盖不仅实用医学之关系而已。但哈勒谓脑筋作用有特别感觉力司之，而肉筋之运动有特别感触性司之，因是遂为主张生活力之谬说者所利用。

生活力 Lebenkraft, Vitalismus 自十八世纪之中季至十九世纪之中季，医学界及生理学界，皆墨守一种旧说。谓生活现象之一部分，为物理及化学作用所致，而其他一部分则为一种独立的生活力之所致。关于生活力之本体及其与灵魂之关系，说各不同。然皆谓生活与物理化学力绝无关系，而为力之他一种。是为独立而不具无机本性之原始力，不惟灵魂作用，以及脑筋之感觉、肉筋之激动，皆赖以生活力。凡感触作用以及生殖发达作用，皆为此神妙不可思议之生活力所致，故不能以物理化学之自然作用解释之。生活力之自由作用，既顺理而行，不假思维，遂成为哲学界内明极论 Teleologie 一种问题。康德著批判哲学，亦承认明极决断力。以为人类良知，可以解释一切力学的现象，不受限制，而关于有机生活之现象，即无所用。是当归于自然界以外之原理，盖力学的生活作用。仅以物理化学解释，则与生活力之现象冲突愈甚。有如血液循环及其他运动，定为力学作用，呼吸消化，定为无机性的化学作用。而脑筋及肉筋作用，以及灵魂生活，则皆不能解释。因是发达完全为二元哲学，无机本性及有机本性，力学作用及生活力作用，物质力及生活力，身体及灵魂，皆显然有区别。至十九世纪之初，法国鲁意仲马（Lonis Dumas）尤为主张生活力最有力之人。一七九五年，汉保德（Alexander Humboldt）至作诗以咏之。

生活机械主义即一元生理学　十七世纪之上半期，已有狄卡儿（Descartes）依哈维血液循环之发明，谓人体与其他动物体同为一复杂之机器，其运动一依力学定理，与其他人造机器同。但狄卡儿犹认人类有完全独立非物质之灵魂，而灵魂之主观感觉即思想者，为全世界唯一所以得真确知识之具。此虽为二元说，然无害于狄卡儿之力学的生活作用说。及一六六〇年，佛雷李（Vorelli）谓动物体之运动一依物理学定例，又西尔浮司（Silvius）同时证明消化与呼吸完全为化学作用。二人之学说，当时皆未经世人公认。至十八世纪，生活力之说大昌。佛西二氏之学说，乃全湮没。直至十九世纪之第四旬，比较生理学发明后，其学说乃复昌明。

比较生理学　人类生活作用之知识，亦如人类身体构造之知识，非直接自人类机体研究得之。乃自其近似之高等脊椎动物如哺乳动物研究得之，故人类解剖学及人类生理学发达之初期，实皆为比较的。而真正之比较生理学，自最下等动物以至人类，以其生活现象相比较，则在十九世纪。此学之始创者为米勒约翰（Johannes Müller），父为鞋工。自一八三三年至一八五八年，讲学于伯林大学，其在生理学界贡献极大。最后六十年，德国之言生理学者，皆直接或间接为米勒弟子。其研究之主旨，为人类解剖学及人类生理学。而以各种高等及下等动物比较之，以改灭种之动物与方生存之动物之构造比较，以人类之健康机体与受病机体相比较。凡有机生活之现象，以哲学明其关系。生理学之知识，至米勒遂达最高度矣。

米勒之研究结果，具载于所著《人类生理学全书》（*Handbuch*

赫克尔一元哲学(续前号) 89

der Physiologie des Menschen)。一八三三年出版,书之内容,实比较生理学。今日之言生理学者,未能过之。书中所述研究试验之法,与哲学界之演绎归纳二法价值相等。米勒初为主张生活力之一人,与同时之生理学者相似。然其解释不同,未几即立于反对之地位。凡生活之一切现象,米勒皆务以力学解之。米勒之所谓生活力,不超出其余自然界之物理及化学定律以外,而与此密切相关。故米勒之所谓生活力者,即生活,即生活机体一切现象之和。凡感觉及灵魂生活,以及肉筋之运动,血液之循环,呼吸消化,以至生殖及发达之现象,等等,米勒皆务以力学理解释之。凡述一切生活现象,必自最下等动物始移步而进,至高等动物以至人类。于生理学及解剖学,皆用批判的比较法。凡一问题,先自各方面平均研究,而集合其结果,在自然科学家独树一帜。米勒死后,其学说今分为数家,即人类及比较解剖学、病理解剖学、生理学、进化史四者。有如亚历山大既建造世界帝国,死后乃分为数国也。

细胞生理学 米勒之多数弟子,当米勒在时,或其死后,皆于生理学有所建树,其中最有名者为司旺(Thcodor Schwann)。一八三八年,耶拿 Yana 植物学者司耐登(Schleiden)已知细胞为植物之共同元本机体,植物体之一切肌体,皆为细胞聚合所成。米勒推广其学说于动物体之各种肌体,司旺则更推阐师说,证之于一切动物体。一八三九年,著《动植物构造生长相符之显微镜研究》(*Mikroskopischen Untersuchungen über die übereinstiusmung in der Strukfur und dem Wachsthum der Thiere und Pflanzen*)是书为细胞论之基础。自是生理学及解剖学,皆依此逐年发达。知一切机体生活作用之原,在其肌体之元素即细胞。此说为白吕克(Grust Brücke)及叩里克(Albert Külliker)之所倡,二人皆米勒弟子也。白吕克谓细胞为元本机体,在人体及他动物体为生活之独立有为因子。白吕克更进证动物卵及自此所得之皱缩球体,皆细胞之所成。

细胞说与生理学关系之重要,既为世所知。而细胞生理学 Zellularphysiologie 之独立成为科学,则属近世之事。创此者为费尔阿文(Max Verworn)。赫克尔一八六六年所著《细胞灵魂论》(*Theorieder Zellseele*),以单细胞之原始动物为试验基础,以无机物之化学作用,与最高动物之灵魂生活相比较。一八八九年,著《单独细胞动物之心理的生理研究》(*Phychophysiologischen Protistenstudien*)记载其中,又著《生理学通论》(*Allgemeinen Physiologie*)以近世发明之进化论为根据。米勒谓生活现象皆可以物理学及化学的试验证之,费尔阿文则更以细胞生理学助之。于是人类之生活作用,及一切动物之生活作用与物理学化学定例之关系,乃益确定矣。

细胞病理学　　细胞说既为生理学之根本条件,在十九世纪之后半期,不惟形态学及生理学因是大获进步,即生理学之与医学实用有关系如病理学者,亦因是成立。盖人类疾病亦为一种自然现象,故须与其他生活作用同。当以自然科学方法研究之,古昔医学家已有此种观念。十七世纪有多种医生,即欲将疾病原因以物理学及化学之变化解释之,惟当时自然科学尚极幼稚,故无成功。故古说不能消灭,谓疾病之原因属于神秘。及至十九世纪之中纪,其学说乃能成立焉。

是时有米勒弟子威尔寿(Rudolb Virchow)者,以细胞说推广于健康机体及有病机体,研究有病细胞及自此所成之肌体之变化,以是为疾病所起之原因。生活机体之危险及死亡,皆由于是。当其在宇持堡 Würzburg 为教授之七年(一八四九年至一八五六年),即全注力于是。一八五八年,著《细胞病理学》(*Zellularpathologie*),

于病理学及实验医学界，开一新面目。以纯粹一元科学解释病理。无论健康之人或有病之人，皆与其他有机界同为此物理学化学永久不灭之定律之所支配。

哺乳类动物生理学　　于各种动物中，惟哺乳动物因形态及生理关系，独占一种特别位置。因人类据身体构造言，属于此类，故其生活作用之性质，亦必与其余哺乳动物相符。事实上果如是。血液循环及呼吸，人类与其他哺乳动物恰依同例。心肺二脏之构造，惟在此类动物，益加完全。凡哺乳动物红血液由左心房通过左血道，分布全身。在鸟类则经过右血道，在爬行类则经过左右二血道，以分布之。又哺乳动物之血液与其他脊椎动物相异之处，为其红血细胞不具中核。呼吸运动，在哺乳动物因有横隔膜，使胸腔与腹腔完全分离而益加良。其最重要者，尤在此类动物产生乳液，以哺养其小儿。因是母子之爱愈增，故此类动物以是得名也。

猿类生理学　　就哺乳动物言之，以猿类之身体构造与人类最相近，故其生活作用亦然。而猿类生活习惯、运动、感觉作用、哺乳抚育等事，与人类极相似，此尽人所知者。据科学研究之结果，则在心脏作用、液腺构造、男女生活，尤为与人符合。有如已达生殖期之牝猿，按期自子宫有经血排出，与女人相似。且其乳腺之发育及育儿之周挚，复与女人无异。

最有趣味之事，为猿类发声，已为人类言语之先导。印度产之人猿，今日尚存在者，能谙音乐。苏门答腊所产人猿之一种 Hylobates Syndactylus，能唱歌，具七音阶。故今日之言语学者，谓人类言语，实自猿类啼声发达之所成。

（第二卷第五号，一九一七年一月一日）

孔子之道与现代生活

陈独秀

甲午之役,兵破国削。朝野惟外国之坚甲利兵是羡。独康门诸贤,洞察积弱之原,为贵古贱今之政制学风所致。以时务知新主义,号召国中。尊古守旧者,觉不与其旧式思想、旧式生活状态相容,遂群起哗然非之。詈为离经叛道,名教罪人。湖南叶德辉所著《翼教丛篇》,当时反康派言论之代派也。吾辈后生小子,愤不能平,恒于广座为康先生辩护。乡里瞀儒,以此指吾辈为康党,为孔教罪人,侧目而远之。戊戌庚子之际,社会之视康党为异端,为匪徒也(其时张勋等心目中之康有为,必较今日之唐绍仪尤为仇恶也。与辛亥前之视革命党相等),张之洞之《劝学篇》,即为康党而发也。张氏亦只知歆羡坚甲利兵之一人,而于西洋文明大原之自由、平等、民权诸说,反复申驳,谓持此说者为"自堕污泥"(《劝学篇》中语),意在指斥康梁,而以息邪说正人心之韩愈、孟轲自命也。未开化时代之人物之思想,今日思之,抑何可笑,一至于斯!不图当日所谓离经叛道之名教罪人康有为,今亦变而与夫未开化时代之人物之思想同一臭味。其或自以为韩愈、孟轲,他人读其文章,竟可杂诸《翼教丛篇》《劝学篇》中,而莫辨真伪。康先生欲为韩愈、孟轲乎?然此荣誉当让诸当代卫道功臣叶德辉先生。叶先生见道甚早,今犹日夜太息痛恨邪说之兴,兴于康有为,而莫可息;人心之坏,坏于康有为,而莫可正;居恒欲手刃其人,以为叛道离经者戒。康先生闻之,能勿汗流浃背沾衣耶?或谓"叶、康皆圣人之徒,能予人以自新;康既悔过自首,叶必嘉其今是而赦其昨非"。此说然否,吾无所容心焉。盖康先生今日应否悔过尊从孔教问题,乃其个人信仰之自由,吾人可置之不论不议之列。吾人所欲议论者,乃律以现代生活状态,孔子之道,是否尚有遵从之价值是也。自古圣哲之立说,宗教属出世法,其根本教义不易随世间差别相而变迁,故其支配人心也较久。其他世法诸宗,则不得不以社会组织生活状态之变迁为兴废。一种学说,可产生一种社会;一种社会,亦产生一种学说。影响复杂,随时变迁。其变迁愈复杂而期间愈速者,其进化之程度乃愈高其欲独尊一说,以为空间上人人必由之道,时间上万代不易之宗。此于理论上决为必不可能之妄想,而事实上惟于较长期间不进化之社会见之耳。若夫文明进化之社会,其学说之兴废,恒时时视其社会之生活状态为变迁。故欧美今日之人心,不但不为其古代圣人亚里斯多德所拘囚,且并不为其近代圣人康德所支配。以其生活状态有异于前也。即以不进化之社会言之,其间亦不无微变。例如吾辈不满于康先生,而康先生曾亦不满于张之洞与李鸿章,而张之洞、李鸿章亦曾不满于清廷反对铁路与海军之诸顽固也。宇宙间精神物质,无时不在变迁即进化之途,道德彝伦,又焉能外?"顺之者昌,逆之者亡",史例具在,不可谓诬。此亦可以阿斯特·瓦尔特之说证之:一种学说,一种生活状态,用之既久,其精力低行至于水平。非举其机械改善而更新之,未有不失其效力也。此"道与世更"之原理,非稽之古今中外而莫能破者乎?试更以演绎之法,推论孔子之道。实证其适用于现代与否,其断论可得而知之矣。康先生前致总统总理书，以孔教与婆、佛、耶、回并论，且主张以"孔子为大教，编入宪法"。是明明以孔教为宗教之教，而欲尊为国教矣。今观其与教育范总长书（见《国是报》），乃曰："孔子之经，与佛、耶之经有异。佛经皆出世清净之谈，耶经只尊天养魂之说。其于人道举动云为、人伦日用、家国天下多不涉及，故学校之不读经无损也。若孔子之经，则于人身之举动云为、人伦日用、家国天下，无不纤悉周匝。故读其经者，则于人伦日用、举动云为、家国天下皆有德有礼，可持可循。故孔子之教，乃为人之道。故曰：'道不远人。人之为道而远人，不可以为道。'若不读经，则于人之一身举动云为，人伦日用，家国天下，皆不知所持循。"是又明明不以孔教为出世养魂之宗教，而谓为人伦日用之世法矣。余以康先生此说诚得儒教之真，不似前之宗教说厚诬孔子也。惟是依道与世更之原理，世法道德必随社会之变迁为兴废。反不若出世远人之宗教，不随人事变迁之较垂久远（康先生与范书，极称西洋尊教诵经之盛。不知正以其为出世远人之宗教则尔也，今亦已稍稍杀矣）。康先生意在尊孔以为日用人伦之道，必较宗教之迂远，足以动国人之信心，而不知效果将适得其反。盖孔教不适现代日用生活之缺点，因此完全暴露，较以孔教为宗教者尤为失败也。现代生活，以经济为之命脉。而个人独立主义，乃为经济学生产之大则，其影响遂及于伦理学。故现代伦理学上之个人人格独立，与经济学上之个人财产独立，互相证明，其说遂至不可摇动。而社会风纪、物质文明，因此大进。中土儒者，以纲常立教。为人子为人妻者，既失个人独立之人格，复无个人独立之财产。父兄畜其子弟（父兄养成年之子弟，伤为父兄者之财产也小，伤为子弟者之独立人格及经济能力也大。儒教慈、孝、悌并称，当然终身相养而不以为怪异），子弟养其父兄（人类有相爱互助之谊，何独忍情于父兄？况养亲报恩，乃情理之常。惟以伦理见解，不论父兄之善恶，子弟之贫富，一概强以孝养之义务不可也）。《坊记》曰："父母在，不敢有其身，不敢私其财。"此甚非个人独立之道也。康先生与范书，引"鳏寡孤独有所养""我不欲人之加诸我也，吾亦欲无加诸人"等语，谓为个人独立之义，孔子早已有之。此言真如梦呓！夫不欲人我相加，虽为群己间平等自由之精义，然有孝悌之说以相消。则自由平等只用之社会，而不能行之于家庭。人格之个人独立既不完全，财产之个人独立更不相涉。"鳏寡孤独有所养"之说，适与个人独立之义相违。西洋个人独立主义，乃兼伦理、经济二者而言，尤以经济上个人独立主义为之根本也。现代立宪国家，无论君主、共和，皆有政党。其投身政党生活者，莫不发挥个人独立信仰之精神，各行其是。子不必同于父，妻不必同于夫。律以儒家教孝、教从之义，父死三年，尚不改其道。妇人从父与夫，并从其子。岂能自择其党，以为左右袒耶？妇人参政运动，亦现代文明妇人生活之一端。律以孔教，"妇人者，伏于人者也""内言不出于阃""女不言外"之义。妇人参政，岂非奇谈？西人孀居生活，或以笃念旧好，或尚独身清洁之生涯，无所谓守节也。妇人再醮，决不为社会所轻（美国今大总统威尔逊之夫人，即再醮者。夫妇学行，皆为国人所称）。中国礼教，有"夫死不嫁"（见"郊特牲"）之义。男子之事二主，女子之事二夫，遂共目为失节，为奇辱。礼又于寡妇夜哭有戒（见《坊记》），友寡妇之子有戒（见《坊记》及《曲礼》）。国人遂以家庭名誉之故，强制其子媳孀居。不自由之名节，至凄惨之生涯，年年岁岁，使许多年富有为之妇女，身体精神俱呈异态者，乃孔子礼教之赐也。今日文明社会，男女交际，率以为常。论者犹以为女性温和，有以制男性粗暴，而为公私宴聚所必需。即素不相知之男女，一经主人介绍，接席并舞，不以为非。孔子之道则曰"男女不杂坐"，曰"嫂叔不通问"，曰"已嫁而反，兄弟弗与同席而坐，弗与同器而食"；曰"男女非有行媒，不相知名；非受币，不交不亲"（均见《曲礼》）；曰"女子出门，必拥蔽其面"，曰"七年（即七岁）男女不同席，不共食"（均见《内则》）；曰"男女无媒不交，无币不相见"，曰"礼非祭，男女不交爵"（均见《坊记》）。是等礼法，非独与西洋社会生活状态绝殊，又焉能行于今日之中国？西洋妇女独立自营之生活自律师、医生以至店员、女工，无不有之。而孔子之道则曰，"男女授受不亲"（见《坊记》），"男不言内，女不言外，非祭，非丧，不相授器"（见《内则》），"妇人，从人者也"。是盖以夫为妇纲，为妇者当然被养于夫，不必有独立生活也。妇于夫之父母，素不相知，只有情而无义。西洋亲之与子，多不同居。其媳更无孝养翁姑之义务。而孔子之道则曰："戒之敬之，夙夜毋违命。"（见《士昏礼》）"妇顺者，顺于舅姑。"（见《昏义》）"妇事舅姑，如事父母。""父母舅姑之命，勿逆勿怠。""子甚宜其妻，父母不悦，出。"（古人夫妻情好甚笃，以不悦于其亲而出之，致遗终身之憾者甚多，例如陆游即是也。）"凡妇，不命适私室，不敢退。妇将有事，大小必请于舅姑。"（均见《内则》）此恶姑虐媳之悲剧所以不绝于中国之社会也。西俗于成年之子，不甚责善，一任诸国法与社会之制裁。而孔子之道则曰："父母怒不悦，而挞之流血，不敢疾怨，起敬起孝。"此中国所以有"父要子死，不得不死；君要臣亡，不得不亡"之谚也。西洋丧葬之仪甚简，略类中国墨子之道。儒家主张厚葬，丧礼之繁，尤害时废业，不可为训。例如"寝苫枕块，非丧事不言"之礼。试问今之尊孔诸公居丧时，除以"苫块昏迷"妄语欺人外，曾有一实行者乎？以上所举孔子之道,吾愿尊孔,诸公叩之良心,自身能否遵行?征之事实能否行之社会?即能行之,是否增进社会福利、国家实力,而免于野蛮黑暗之讥评耶?吾人为现代尚推求理性之文明人类,非古代盲从传说之野蛮人类。乌可以耳代脑,徒以儿时震惊孔夫子之大名,遂真以为万世师表,而莫可议其非也!孔子生长封建时代,所提倡之道德,封建时代之道德也;所垂示之礼教,即生活状态,封建时代之礼教,封建时代之生活状态也;所主张之政治,封建时代之政治也。封建时代之道德、礼教、生活、政治,所心营目注,其范围不越少数君主贵族之权利与名誉,于多数国民之幸福无与焉。何以明之?儒家之言社会道德与生活,莫大于礼;古代政治,莫重于刑。而《曲礼》曰:"礼不下庶人,刑不上大夫。"此非孔子之道及封建时代精神之铁证也耶?康先生所谓孔子之经,于人身之举动云为,人伦日用,家国天下,无不纤悉周匝。吾知其纤悉周匝者,即在数千年前宗法时代、封建时代,亦只行于公卿、大夫、士之人伦日用,而不行之于庶人,更何能行于数千年后之今日共和时代、国家时代乎?立国于今日民政、民权发张之世界,而惟注意于少数贵族之举动云为,人伦日用,可乎不可?稍有知识之尊孔诸公,其下一良心之判断!康先生与范书曰:"中国人,上者或博极群书,下者或手执一业。要其所以心造自得,以为持身涉世修己治人之道,盖无不从少年读《论》《孟》来也。"斯言也,吾大承认之。惟正以社会上下之人,均自少至老,莫不受孔教之陶镕,乃所以有今日之现象。今欲一仍其旧乎?抑或欲改进以求适现代之争存乎?稍有知识之尊孔诸公,其下一良心之判断!康先生与范书曰:"夫同此中国人,昔年风俗人心,何以不坏?今者风俗人心,何以大坏?盖由尊孔与不尊孔故也。"是直瞽说而已!吾国民德之不隆,乃以比较欧美而言。若以古代风俗人心，善于今日，则妄言也。风俗人心之坏，莫大于淫杀。此二者古今皆不免，而古甚于今。黄巢、张献忠之惨杀，今未闻也。有稍与近似者，亦惟反对新党赞成帝制孔教之汤芗铭、龙济光、张勋、倪嗣冲而已。古之宫庭秽乱，史不绝书，防范之策，至用腐刑。此等惨无人道之事，今日尚有之乎？古之防范妇人，乃至出必蔽面，入不共食。今之朝夕晤对者，未必即乱。古之显人，往往声妓自随。清季公卿，尚公然蓄媵男宠，今皆无之。溺女蛮风，今亦渐息。此非人心风俗较厚于古乎？共和思想流入以来，民德尤为大进。黄花冈七十二士，同日为国就义，扶老助弱，举止从容。至今思之，令人垂泪！中国前史，有此美谈乎？袁氏称帝，冯、段诸公，竟不以私交废公义；唐、蔡、岑、陆，均功成不居。此事在欧、美、日本为寻常，而为中国古代军人所罕有。国民党人，苦战余生，以尊重约法之故，首先主张癸丑年与为政敌之黎元洪继任，为天下倡。此非共和范为民德之效耶？浅人所目为今日风俗人心之最坏者，莫过于臣不忠，子不孝，男不尊经，女不守节。然是等谓之不尊孔则可，谓之为风俗人心之大坏，盖未知道德之为物，与真理殊。其必以社会组织、生活状态为变迁，非所谓一成而万世不易者也。吾愿世之尊孔者，勿盲目耳食，随声附和。试揩尔目，用尔脑，细察孔子之道果为何物，现代生活果作何态，诉诸良心，下一是非、善恶、进化或退化之明白判断。勿依违，勿调和。依违调和为真理发见之最大障碍！

(第二卷第四号，一九一六年十二月一日)

再论孔教问题

陈独秀

吾国人学术思想不进步之重大原因,乃在持论笼统与辨理之不明。近来孔教问题之纷呶不决,亦职此故。余故于发论之先,敢为读者郑重申明之。

第一,余之信仰。人类将来真实之信解行证,必以科学为正轨,一切宗教皆在废弃之列。其理由颇繁,姑略言之。盖宇宙间之法则有二:一曰自然法,一曰人为法。自然法者,普遍的永久的必然的也,科学属之;人为法者,部分的一时的当然的也,宗教道德法律皆属之。无食则饥,衰老则死,此全部生物永久必然之事,决非一部分一时期当然遵循者。若夫礼拜耶和华,臣殉君,妻殉夫,早婚有罚。此等人为之法,皆只行之一国土一时期,决非普遍永久必然者。人类将来之进化,应随今日方始萌芽之科学,日渐发达,改正一切人为法则,使与自然法则有同等之效力。然后宇宙人生,真正契合,此非吾人最大最终之目的乎?或谓宇宙人生之秘密,非科学所可解;决疑释忧,厥惟宗教。余则以为科学之进步,前途尚远。吾人未可以今日之科学自画,谓为终难决疑。反之,宗教之能使人解脱者,余则以为必先自欺,始克自解,非真解也。真能决疑,厥惟科学。故余主张以科学代宗教,开拓吾人真实之信仰,虽缓终达,若迷信宗教以求解脱,直欲速不达而已。

复次,则论孔教。夫孔教二字,殊不成一名词。中国旧说中,惟阴阳家言属于宗教,墨家明鬼,亦尚近之。儒以道得民,以六艺为教,孔子儒者也。孔子以前之儒,孔子以后之儒,均以孔子为中心。其为教也,文行忠信。不论生死,不语鬼神。其称儒行于鲁君也,皆立身行己之事,无一言近于今世之所谓宗教者。孔教名词,起源于南北朝三教之争。其实道家之老子与儒家之孔子,均非教主。其立说之实质,绝无宗教家言也。夫孔教之名词既不能成立,强欲定孔教为国教者,讵非妄人。相传有二近视者,因争辨匾额字画之是非,至于互斗,明眼人自旁窃笑。盖并匾额而无之也。今之主张孔教者,亦无异于是。

假令从社会之习惯,承认孔教或儒教为一名词,亦不可牵入政治,垂之宪章。盖政教分途已成公例,宪法乃系法律性质,全国从同,万不能涉及宗教道德,使人得有出入依违之余地。此蔡孑民先生所以谓"孔子是孔子,宗教是宗教,国家是国家,义理各别,勿能强作一谈"也。蔡先生不反对孔子,更不绝对反对宗教。此余之所不同也。其论孔子、宗教、国家三者性质绝异,界限分明,不能强合。此余之所同也。孔教而可定为国教,加入宪法,倘发生效力,将何以处佛、道、耶、回诸教徒之平等权利?倘不发生效力,国法岂非儿戏?政教混合,将以启国家无穷之纷争。孔子之道,可为修身之大本,定入宪法,则先于孔子之尧、舜、禹、汤、文武、周公之道,后于孔子之杨、墨、孟、荀、程、朱、陆、王之道,何一不可为修身之大本。乌可一言而决者,其纷争又岂让于教祸?

或谓国教诚不可有。孔子亦非宗教家,惟孔门修身之道,为吾国德教之源。数千年人心所系,一旦摈弃,重为风俗人心之患,故

应定入宪法以为教育之大方针。余对此说,有三疑问,以求解答:

（1）孔门修身伦理学说,是否可与共和立宪政体相容？儒家礼教是否可以施行于今世国民之日用生活？

（2）宪法是否可以涉及教育问题及道德问题？

（3）万国宪法条文中,有无人之姓名发现？

倘不能解答此三种疑问,则宪法中加入孔道修身之说,较之定孔教为国教,尤为荒谬。因国教虽非良制,而尚有先例可言。至于教育应以何人之说为修身大本,且规定于宪法条文中,可谓为万国所无之大笑话。国会议员中,竟有多数人作此毫无知识之主张者,无惑乎解散国会之声盈天下也。余辈对于科学之信仰,以为将来人类达于觉悟获享幸福,必由之正轨尤为吾国目前所急需。其应提倡尊重之也,当然在孔教孔道及其他宗教哲学之上。然提倡之尊重之可也,规定于宪法使人提倡之尊重之则大不可。宪法纯然属于法律范围,不能涉及教育问题,犹之不能涉及实业问题,非以教育实业为不重也。不能以法律规定尊重孔子之道,犹之不能以法律规定尊重何种科学,非以孔道科学为不重也。至于孔子之道,不能为共和国民修身之大本,尚属别一问题。宪法中不能规定以何人之道为修身大本,固不择孔子与卢梭也。岂独反对民权共和之孔道,不能定入宪法以为修身之大本,即提倡民权共和之学派,亦不能定入宪法以为修身之大本,盖法律与宗教教育,义各有畔,不可相乱也。

今之反对国教者,无不持约法中信教自由之条文以为戈矛。都中近且有人发起信教自由会,以鼓吹舆论。余固以为合理,而于事实则犹有未尽者。何以言之？中国文庙遍于郡县。春秋二祀,官厅学校,奉行日久。盖俨然国教也。而信仰他教者,政府亦未尝加以迫害或禁止。即今以孔教为国教，定入宪法，余料各科并行，仍未必有所阻害。故余以为各教信徒，对于政府所应力争者，非人民信教自由之权利，乃国家待遇各教平等之权利也。国家收入，乃全国人民公共之担负，非孔教徒独力之担负。以国费立庙祀孔，亦当以国费建寺院祀佛道，建教堂祀耶、回，否则一律不立庙，不致祭。国家待遇各教，方无畸重畸轻之罪戾。各教教徒对于国家担负平等，所享权利，亦应平等，必如是而后教祸始不酝酿于国中。由斯以谈，非独不能以孔教为国教，定入未来之宪法，且应毁全国已有之孔庙而罢其祀。

（第二卷第五号，一九一七年一月一日）

读《荀子》书后

吴　虞

孔学之流传于后世,荀卿之力居多;孔教之遗祸于后世,亦荀卿之罪为大。汪中《荀子通论》曰:《毛诗》《鲁诗》,皆荀卿所传。《韩诗外传》引《荀子》以说诗者四十有四,则《韩诗》亦荀卿之别子。《左氏春秋》《谷梁春秋》,皆荀卿所传。而荀子之学,本长于礼,曲台之礼,又皆荀卿之支与裔也。自七十之徒既没,汉诸儒未兴,中更战国暴秦之乱,六艺之传赖以不绝者,荀卿也。据《荀子·大略》篇,"《春秋》贤穆公,善胥命",则为《公羊》《春秋》之学。刘向又称荀卿善为《易》,此皆荀学出于孔氏之证。周公作之,孔子述之,荀卿传之,其揆一也(以上皆汪氏说)。夫人之生活,在其精神;学之成立,在其宗旨。精神既失,则形体如尸;宗旨既差,则枝叶无取矣。余就汪氏之说,以读荀卿之书,则其尊君、卑臣、愚民之宗旨,盖莫不与孔氏合。其《礼论》篇曰:礼有三本,天地者,生之本也;先祖者,类之本也;君师者,治之本也。无天地,恶生?无先祖,恶出?无君师,恶治?三者偏亡,焉无安人。故上事天,下事地,尊先祖而隆君师,是礼之三本也。又曰:父能生之,不能养之;母能食之,不能教诲之;君者,已能食之,又善教诲之,丧三年毕矣哉。得之则治,失之则乱,文之至也;得之则安,失之则危,情之至也。两至者俱积焉，以三年事之犹未足也，直无由进之耳。杨倞注云：君兼父母之恩（孔孟均以君父并尊），以三年之丧报，犹未足也（刘止唐先生亦主此说者）。此实吾国"天地君亲师"五字牌之所由立。而君主既握政教之权，复兼家长之责，作之君，作之师，且作民父母，于是家族制度与君主政体遂相依附而不可离。儒教徒之推崇君主，直驾父母而上之，故儒教最为君主所凭借而利用。此余所以谓政治改革而儒教家族制度不改革，则尚余此二大部专制，安能得真共和也？夫知政治当改革者，容纯父诸人也；知政治儒教当改革者，章太炎诸人也；知家族制度当改革者，秦瑞玠诸人也；知政治、儒教、家族制度三者之联结为一，而皆不可不改革者，严几道诸人也。而荀卿则"三本"并称，尊王尤甚，其不合于共和一也。《仲尼篇》曰：人臣处位可终身行之之术，曰"持宠处位，终身不厌之术"云云，引《诗》"媚兹一人，应侯顺德；永言孝思，昭哉嗣服"以证之。又言："擅宠于万乘之国，必无后患之术，莫若好同之。"又云："能而不耐任，且恐失宠，则莫若早同之。"夏曾佑论之曰：李斯本孔子专制之法，行荀卿性恶之旨，卒至具五刑。黄犬东门，父子相哭，千古为之增悲，皆荀卿以持宠固位终身不厌之术，为臣事君之宝之教害之也。夫尊君卑臣，患得患失，至于教之持宠固位，以顺为正，同于妾妇，终不免于祸国亡身，去公仆之义绝远，其不合于共和二也。孔氏言"民可使由之，不可使知之"，为秦始皇愚黔首政策之所本，而实李斯承荀卿之说以启之。《正名篇》曰："民易一以道，而不可与共故。"郝懿行解云："故谓所以然也。夫民愚而难晓，故但可偕之大道，而不可与共明其所以然。所谓'民可使由之，不可使知之'。"夫立宪之国，务智其民；教育普及，富强之要。欧美恒言："欲民行之，必先智之。"《管子》曰："智者知之，愚者不知，不可以教民。"

(宋于庭曰：老子之学，出于管子。管子为黄帝之后，传其学。故《汉志》列管子于道家，而当时并称"黄老"。)荀卿之说，适得其反，此不合于共和三也。然则吾国专制之局，始皇成之，李斯助之，荀卿启之，孔子教之也。大本即拨，二千年来拘墟囿教，不能旧舍谋新，全国厌厌，困于宗法，甘为奴隶，老泚之讥，卑劣之诮，播于全球。廖季平曰："秦始皇尊孔行经。"日本人曰："支那人盲目以崇儒教，真枯死之国民。"合而观之，皆有味乎其言也！韩退之曰："荀子大醇小疵。要其归，与孔子异者鲜。"苏子瞻曰："荀卿喜为异说而不让，敢为高论而不顾，然后知李斯之所以事秦者，皆出于荀卿。"故自韩、苏之言观之，知荀学之归合于孔，与秦制之本出于荀，则于吾国政教、学术、法典、礼俗之演成，皆可以推明其得失。若陆桴亭之徒，仅以性恶、礼伪之言，讥其纯粹不及孟子，力量不及杨、墨，则犹属道学家皮相之论也。

(第三卷第一号，一九一七年三月一日)

物质实在论（哲学问题之研究一）

恽代英

哲学家之问题，每有出于吾人意料外者。如物质实在 The Reality of Material World 之研究，是其例也。在吾人未闻哲学家之绪论以前，对于此问题，当无不以为不假思索而可决其实在。何者？吾目实见形色，以为形色不实在不可也；吾耳实闻声音，以为声音不实在不可也。吾见巍巍者，吾以为是有山在。如有人以为未尝有山，则吾何为跋涉而劳顿也？吾见滚滚者，吾以为是有水在。如有人以为未尝有水，则吾何为堕陷而沉溺也？夫跋涉而劳顿，以证山之实在；堕陷而沉溺，以证水之实在。虽有辩者，岂能有所疑乎？且无论吾人目亲见，耳亲闻，身亲历，决然信其为实在矣。即盲者目未尝有所见，固不妨深信形色之实在。聋者耳未尝有所闻，固不妨深信声音之实在。如语盲者以形色之不实在，语聋者以声音之不实在，彼必立斥其妄，而不肯信，更无论有目有耳者也。今试语人曰，凡尔所见之形色，非真形色也。凡尔所闻之声音，非真声音也。乃至凡尔所嗅非真臭，凡尔所尝非真味，凡尔所触非真物，凡尔所历非真境。盖天地本无天地也，山河本无山河也，形、声、臭、味、物、境本无形、声、臭、味、物、境也。若此而有人信之乎？更进一步，于对谈之间，明明有尔有我也，乃谓尔本无尔，我本无我。若此而有人信之乎？吾等如未尝探究哲学家之历史，必谓此等荒唐之语。不独无人信之，亦且无人言之。盖虽无论如何癫狂之辈，亦决不至癫狂至于此极也。然固有人言之矣，固有人信之矣，其人决非癫狂也。岂徒非癫狂而已，且为世界文化中最有名誉之人，即吾等所视为学艺之花之哲学家，此不甚可异乎？哲学家对于此问题，意见初不止一种。然自最少之一部分外，鲜有与吾人表完全之同意者。或虽谓物质为实在，然其所以决物质为实在者，仍自与吾人异。然则此问题岂非极为有可研究价值之问题乎？吾今请述诸大哲之说，分别之为四种。读者或于此而知此问题之重要，不可凭吾人直觉而遽论断之，谓为不足讨论也。

一、绝对实在说 Absolute Realism。绝对实在说者，与吾人上述之意见，表绝对的同情者是也。在哲学家，唯常识派 Common Sense 主张之。然其说又各不同，今举两家之说，以见其一斑焉。一、黎德 Thomas Reid（一七一〇至一七九六）。黎德之意，谓吾人之观察外物，实直接窥见其真相。故吾人目之所见、手之所触，即为物质实在之惟一证据。自狄卡儿 Descartes（一五九六至一六五〇）以下，谓吾人只能观察物之映象，不能观察物之实质者，非也。黎德著《人心之考察》An Inguiry into the Human Mind 有曰："当人以手抚案时，则感案之硬性。所谓硬性者何耶？必以其有所感触，而生知觉。由此知觉径推论而知有实在之外物存在。此实在之外物颇重大，故不能不用颇大之力以移动之也。吾人于此，可知有所谓知觉，有所谓由知觉推论而得之结论。案之硬性，结论也。硬性之感，推得此结论之知觉也。前者为物之性，存于物以存于物。故吾人未感之前，或即感之之后，其硬性无异。后者为心之觉，存于心以存于心。故吾人感之则觉其硬，未感之前，或即感之之后，均不觉其硬也。"吾人读此言，可知黎德之意。虽力与狄卡儿等相反，然其不承认物质与知觉为同一事物，其言吾人所以能知物质之实在，必假知觉以为之媒介，皆与狄卡儿等无异。其所可以为异者，狄卡儿等以为由知觉可推论而知有实在之外物存在。黎德则谓由知觉径推论而决实在之有外物存在，如是而已。夫既与狄卡儿等相较不能执稍强固之理由，则亦安容独得一稍强固之结论？今舍前人郑重之态度，而故为武断以自异。此无以见其特优，但相形而见绌耳。一、哈密尔顿 Sir William Hamilton（一七八八至一八五六）。哈氏之说，与黎德异。谓吾人观物而有知觉，此知觉乃一种复杂之组织也。其组织之成分，观物之心居其三之一；使吾人得有此物知觉之媒介物，居其三之一；实在之物质，居其三之一。故吾人所能直接观察者，盖仅实在物质三分之一也。哈氏不谓吾人得直接观察实在物质之全部，而特创此奇说。初聆之似觉可喜，虽然吾人初不能离感觉而直接有所谓知识，此在习心理学者，无不犹言之。彼以为吾人得直接观察实在物质之全部者，固非矣。既谓吾人得直接观察实在物质三分之一者，又何能遽以为可信乎？且哈氏又言吾人之能直接观察外物之实在者，限于此物直接呈示于吾人感官之时而止。与其前所主张，显然矛盾。可见彼亦初不能自满其主张，而又游移为此说矣。

二、假定实在说 Hypothetical Realism。假定实在说者，即狄卡儿、陆克 John Locke（一六三二至一七〇四）所倡导之学说也。狄卡儿根据心理家言，谓吾人之观察外物，必经神经之传导，然后达于脑。故人之见物，非能见身外之真物也，但见吾人脑中所现物之现象而已。由是可知吾人之谓外物为存在者，非有何等直接证据，初不过就吾等脑中所现之现象而推论之，假定之，以为存在耳。由狄氏之言，吾人之知识限于吾人脑中所现之现象而止。初无一人，初无一事，能于此现象外，更有丝毫之知识。然则何由而能断定自此现象外，又有实在之外物，可以假定为存在乎？狄氏又曰，吾人对于物之观念，与实在之物，必不尽一致。夫吾人自始未见实在之物，安能持之以与物之观念比，安能断其一致乎？狄氏此言，殊为惑矣。陆克之说，大抵师承狄氏。其解释吾人对于物之观念，谓观念非外物，可知其与绝对实在说者之主张相异，旗帜较狄氏尤为鲜明。虽然，其矛盾处亦极可笑也。尝曰："吾思天下之人，无论怀疑至何等地位，断未有并其目所亲见，手所亲触之物质，而并疑其不实在者。"陆氏以为此至明显，无可论议矣。虽然陆氏他日不言目所亲见，手所亲触者，为观念非物质乎。如果为观念而非物质，则吾目并未见物质，手并未触物质，何为不可以疑物质之不实在乎？陆氏欲以此决物质之实在，恐不足据矣。

三、批评派实在说 Critical Realism。批评派实在说，康德 Immanuel Kant（一七二四至一八〇四）之说是也。康德之说，先别物质 Noumena 于物象 Phenomena。物质者，实在之外物也。物象者，吾人脑中所现物之现象也。此等区别，古哲多有言者，初非自康德始，惟康德始能确见此义。故其学说，谓吾人知识，限于物象一方面而止。吾人之研究，亦宜限于物象一方面而止，过此必徒劳而无功也。古之学者，或谓物质为一种有形有质之物。然所谓形也质也，均吾人以形容物象之名。今以形容物质，则不当。或以为物质为物象之原因，所以有物象者，以有物质故。然原因结果，亦物象界之名词，今用之以说物质，亦非也。总之物质之与物象，其关系盖难言。吾人初无物质界之知识，必强欲研究物质界，或物质与物象之关系，无异夸父追日，徒自烦苦而已。吾人于此或将生一疑问,究竟康德承认物质之实在否乎？按上述之论调,即令康德承认物质为实在,此物对于吾人,亦为了无意义之物,以吾人毫不知其关系与性质也。然康德终不欲承认物质之非实在。康德本为富于保守性之人,且彼以为吾人既对于物质无知识可言,则其究竟实在与否,均非吾人所得武断,故康德对于物质实在问题取旁观的态度与诸哲异其趣也。

四、物质非实在说 Idalism。物质非实在说,即所谓观念论是也。此说承认物质非实在之物,亦非存在于外界,初不过吾人心灵之所构成而已。其说分为二派。一、主观派 Subjective Idealism。如柏克尼 George Berkeley（一六八四至一七五三）谓凡吾人之知识,皆对于观念之知识,初非对于外物之知识。以此观念,为与其品性迥殊之物质之代表,实为无理由之举动也。柏氏又于其所著《人智之纲要》The Principles of Haman knowledge 悍然为物质非实在之宣言。虽然物质果非实在,则天下万事万物,皆为心灵之作用矣。柏氏乃谓存在于世界者有四物：1. 感觉之观念。2. 幻想之观念。3. 心之动作。4. 独立之我。所谓独立之我者,为实在之物质乎？抑为心灵之作用乎？在柏氏之意,固以其为物质,而与一切之心灵作用异,如此是与其例自相抵牾矣。谦谟 David Hume（一七一一至一七七六）谓独立之我,亦为一切观念之组合物。此等观念变动不居,互相继续,吾人则以为是我也。谦氏之说,世之满意者至鲜。今即舍此不论。柏氏既谓一切唯心造,所谓感觉之观念,与幻想之观念,又作如何之区分乎？吾人于一切观念之发生,固皆以为系心灵之作用,然感觉之观念,则非独心灵之作用而止,必有实在之外物,接触于五官者,以为之原因。此其所以异于幻想之观念之处也。若一切唯心造,无所谓实在之外物,则感觉之观念与幻想之观念毫无分别。如谓目见耳闻，则为感觉之观念，然目见空华，耳闻幻响，明明为幻得之观念，反不得不谓为感觉之观念，其为说岂不窘乎？此柏氏之说之未可信也。二、客观派 Objective Realism。其为说较主观派更进一步，谓一切外物内心，均为神之现象。此所谓神者，初不与宗教之所谓神者相混。其意盖谓一种普遍之心灵，贯彻于宇宙间，而为外物内心生灭变化之原因也。黑格尔 Hegel（一七七〇至一八三一）谓之神理 Divine Reason，柏克尼谓之神意 Divinemind，白勒尼 Bradley 谓之至上 Absolute。其为说虽不一，究其终止皆此物此志而已。吾人对于此说，实有不能赞一辞者。印度佛家言，似亦为此说之一种也。

就上四说，而问之吾人自身之裁判力，究以何者为较恰当乎？绝对实在说，与心理学原理悖谬。吾人始终未尝见所谓物质，则吾人自不能知物质之形状。彼以为吾人能知物质之全部或一部分者，其为非理甚明也。谓物质为非实在者，与前说绝对相反。然主观派既混真境与幻境为一物，客观派又有所谓普遍之心之奇幻学说，为吾人所不愿承认。康德之说，弥近理矣。然谓物质非为吾人所知则可，并其究竟实在与否？亦不下一有力之断语，则似非也。假定实在说，以吾意言之，似为最近确实之一说。惟其说者，每不能举充分之理由，且其主张常不免陷于矛盾，令人有所指摘，此则所不能满意者也。

吾以为物质必为实在。何以知物质为实在也？曰：吾人之知觉，必待感官受外物之刺激而后发生。虽吾人不能直接以见外物，因感官之既受刺激而发生知觉，遂决为外界必有实在之物质，此亦宜可信也。吾人对于真幻之分，鲜不以为若天渊之悬绝。试思此悬绝之点何在乎？一有对象，一无对象而已。此等区别，虽无论何等唯心学者,均深信之。如上述柏克尼分观念为感觉的、幻想的二种即是此义。谦谟为有名怀疑学者,然彼虽谓不能确知有实在外物,以为感官之刺激与否,固区别由刺激所得之知识,与纯粹之观念为二物。且谓凡学问皆根本于经验。所谓经验,亦言由感官所得之知识而已。

或谓吾人既始终未见所谓实在之物质,安知当吾人知觉发生时,必有外物以为之刺激乎？曰：吾于上文既述真幻之分矣,所以知真有对象者。吾人苟非有精神病者对于一真物或一真境,每起同一之认识或感想,如有方丈之塘于此,甲见之以为方丈,乙见之亦以为方丈,昼见之以为方丈,暮见之亦以为方丈,如非确有物焉存立于吾人感官之外,以刺激吾人之感官,吾人何以不约而有此同一之认识与感想乎？若幻境则不然矣。甲幻一境,为方丈之塘,乙幻一境,断不能与甲一致。千万人各逞其幻想之能,亦断不能互相一致,此何也？以幻境本无对象,故无拘束。即就甲一人言之,其幻境似能一致矣。然时时不同,日日不同,亦绝不能互相一致,此何也？亦惟以幻境本无对象,故无拘束。由此观之,真幻之分明,真境之必有对象了然矣。且真境明显,幻境暗昧,真境可分拆可集合,有原因有结果,而幻境一切反是。凡此各种区别,皆足知真境之有客观实在物质之关系,非如幻境完全为主观一方面之活动也。盲者不见形色,聋者不闻声音,然形色、声音不以不见不闻而遂不存在。盖客观之物,虽待主观健全,始足以认识感觉之。即令主观不健全,不能认识感觉,其客观之物之存在如故,不可以为离主观而遂无客观也。然则于此不足以证物质之实在耶！（上述形色声音,以便于行文,故浅言之。实则此皆吾人形容物象界之名词,为主观的,而非客观的。客观者,即为此形色声音之本原,吾人无可思议者也。）

吾既以为物质为实在矣,至物质究竟之形状,物质与物象究竟之关系,则以为不可知,是何也？吾人既始终未见所谓物质,则其形状及其与物象之关系,从何而得知此至明显之事也？世之论物质形状者,有三说：（一）物质各种形状,与物象所表现者为一致。（二）物质之形状,为物象所表现者之本原,故形状较简单。（三）物质无形状可说。如斯宾塞 Herbert Spencer（一八二〇至一九〇三）不可知之说 Unknowable 是也。此三说者,立说各异,然言吾人之所不能言,而好为武断,则皆受同一之弊端。明明知物质非吾人之所得知,而强欲论之,不亦惑乎？论物质与物象之关系者,有二说：（一）物质与物象为因果之关系。（二）物质与物象不得为因果关系。此二说者,立说适为相反。然其犯武断之弊,亦正相同。吾人既初未见物质,则此等关系,乃超越常识之问题,非吾人所得讨论。今遽以为属因果关系,或非因果关系,果何所据以立论乎？吾人今日之所得言者,物质必为存在而已,物质与物象必有关系而已,至其如何而存在或有如何之关系,非吾人之所得论。

或疑吾既不知物质如何而存在,何以知物质之必存在？吾既不知物质与物质有如何关系,何以知其必有关系？然吾固言之矣,凡吾人以为真物真境者,吾人必推想而假定为有一种与此物境相关系之对象。无对象,吾人不应对于同一物境,生同一认识与感想。此对象即物质也。吾人于此既不能不假定有实在之物质,既不能不假定物质与物象有如何之关系,然则虽不知物质如何存在,何为不能知物质必存在？虽不知物质与物象有如何之关系,何为不能知其必有关系乎？

或又将有疑吾说者,以吾此言物质之实在,初不过由一种理论而假定之耳。夫果实在，即不得为假定。既假定，尚安得为实在？故必有一尤确之证据，始足信此为定案。为此言者，亦近是矣。虽然不妨以佛勒顿教授 Prof Fullerton 之论他心存在问题 The Existence of Other Mind 之语答之。夫我有心，他人亦有心，此无可疑议者也。然试有人卒然问曰："汝何以知他人亦有心乎？汝岂得直接视察之而证实其有心乎？"唯心之学者，并他人之存在亦且不肯承认，更何论于他心。如此则他心之存在与否，果成为问题矣。唯心派学者之言，不免过于情实。然吾人所以知他心之存在，实无何等证据，此亦无可讳饰者也。吾人之知他心之存在，惟以他人与我有同一感受同一动作，由我有心，以为此等感动之主张，以知他人亦必有心，以为此同一感动之主张。舍是以外，更无论据也。夫如此则他心之存在，亦不过假定而已，岂可以为不可信乎？佛勒顿教授曰："吾人之论他心实无求证据之理，盖初无证据可求也。惟直接得以感官观察者，然后有证据。他心固不可直接观察，而于此求证据，不亦惑乎？颜色之存在，吾人不容以鼻不能嗅而否认之。以颜色本非鼻所能嗅，苟能嗅且不为颜色矣。吾人之求证据，亦必求于其可求之处然后可。"佛氏此言，可谓透彻矣。他心如此，物质亦如此。吾人既谓物质不可观察，而必欲于前之理论外，求一种尤确之证据，是何异必欲以鼻辨颜色之存在，而不顾颜色之不可以鼻辨乎？

（第三卷第一号，一九一七年三月一日）

我之孔道观

常乃德

今当述此论之前，当先陈仆对于现今尊孔之意。仆不只反对定孔教为国教之说，并反第十九条第二项对宪法草案"国民教育，以孔子之道为修身大本"。国教之无理由，可不待论。若宪法草案之不当，亦有种种之理由。其一，教育不过行政之一部；国民教育，又不过教育之一部；修身一科，又不过国民教育之一部。以宪法而越俎于行政之最小部分，可乎不可？其二，假令国民教育可以孔子之道为修身大本，则军事教育，亦何不可以关、岳之道为大本？推之实业、交通等项，亦皆求以谁某之说为大本，可乎不可？其三，修身大本是否仅可限于孔子之道，与孔子之道是否仅可限于修身大本？倘使两皆不能互限，则为此两不尽物之文，于实际有何用处？其四，前乎孔子者，有尧、舜、禹、汤、文、武，皆孔子所祖述宪章；后乎孔子者，有马、郑、程、朱、陆、王，皆孔子之宗子嫡派。究竟以何者为孔子之道？则必如谑者所云："孔子之道，别以法律定之。"试问，如此尚复成何说法？不如此则更有何法？凡此种种，皆对于孔道定入宪法之疑问，尚不必问孔道之实质，果宜于国民教育否也。故以个人之见，与其愿定孔道为教育大本，宁愿定孔教为国教，何则？孔子之学，虽非宗教，国教二字，虽不成意义（宗教为超世间的,国家则世间之一物耳。以世间之物而范围超世之教,其说实不可通),究竟尚有前例可援。若某人之道云云,定入宪法,则全球无此笑闻。其二,定为国教,不过稍侵信仰之自由,其他尚无显著之弊害。若以孔道定教育大本,则必悉以孔道之精神,纳入教育。其可行者固无妨,其不合于现世者,亦必强而行之。蹂躏思想自由,何可胜言!且国民教育而求尊孔,则必以小学读经为入手第一步(今之主张孔道者,其目的即在此事,所谓项庄舞剑意在沛公者也)。夫小学读经之利害,在今日实已无讨论之余地。总之此事一行,势必使多数天真活泼之儿童,陷入悲惨之境遇,而中国前途一线之生机亦绝,可断言也。定为国教,不过一部分人受其损害;糅入教育,则蒙其害者将在全国。此吾所以宁取彼而舍此也。又有以孔道问题,与信教自由相提并论,倡为存则俱存、废则俱废之说者,此尤可笑。信教自由,为人民之权利,为消极之制限;孔道问题,为人民之义务,为积极之行为。信教自由云者,乃许其自由,并非不许其不自由也。宪法虽有信教自由之文,假令其人信仰一教,即不得再信他教,不能援宪法之条文,谓宪法许汝自由,汝胡为不自由也?是则宪法虽有规定,而从舍仍在人民。孔道之于教育,能如是乎?假令宪法条文为国民教育,许其以孔子之道为修身大本,则无论其他点衷理与否,尚可与信教自由相提并论。然而,今之宪法草案所规定者,固明明为强制而非任意也。且信教自由,为近世文化之根源,与定于一尊之旧思想,根本不能相容。两存固不可,俱废亦岂能乎?

由此观之,则尊孔之说,无论由何点观之,实无一是处。是故,欲明孔道之真相,必先祛其尊孔与诋孔之一念,而后始得有公平之观察。此下所言,乃仆个人对于孔道之意见,不敢谓他人亦同此观念。然见仁见智,各如其分。故曰我之孔道观,而非他人之孔道观也。

欲观孔道之若何,必先明孔子在学术史上所处之地位。善夫!马君武先生之言曰:"孔子不过古代学术家之一,其功罪是非,当与其他学术家比较而观,不当特异视于他人。"(原文字句稍有异同,见二月十二《民主报》)此言可谓持平之论矣。虽极尊孔子者,不能谓其非古代之一学术家;虽善诋孔子者,亦不能谓其非古代之一学术家。然则就学术史上之地位而观察孔道,其殆无偏无党之论也乎?

吾人本此见解以观察孔道,其第一之特彩,迥非他派学说所可及者,即其学说系统之完密与持论之一贯。中国学者,不讲逻辑、因果之学,故其持论往往首尾不能相应,易蹈顾此失彼之讥。然孔子之学说独不然,其政治学说、伦理学说、道德学说,皆以一贯之学理通之。深至鬼神哲学,浅如日用纤悉,无不以此一理贯彻始终。其理为何,即所谓"絜矩"之道而已。吾人试一翻《论语》《学》《庸》之书,则见累累者言,无非发明此一理。所谓"君使臣以礼,臣事君以忠"也,所谓"父父、子子、君君、臣臣"也,所谓"与父言慈,与子言孝"也,所谓"己所不欲,勿施于人"也。若此者,举之不可胜举。而《春秋》一书,即专为阐明此理而作,故曰:"参乎吾道一以贯之。""一"者何?"絜矩"之道而已。曾子以"忠恕"二字释之:"忠"者为己所当为;"恕"者不为己所不当为。为己所当为者,《孝经》所以寓孔子之行;不为己所不当为者,《春秋》所以见孔子之志,其实皆由"絜矩"之道出也。

孔子之道,最为今人所訾议者,莫如纲常之说。因之,尊孔者乃有倡纲常非孔子原始教义,以护其说者。其实,此语殊不尽然。

纲常之说，确为孔子之教义，且亦由此一贯之"絜矩"学理而出。其递演之情状，请为图表以明之：

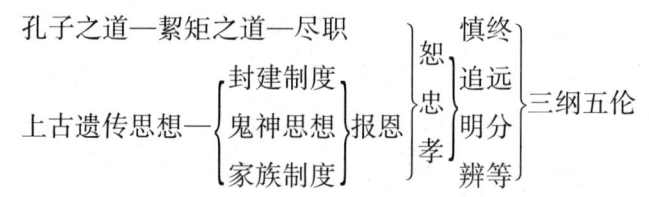

孔子之道—絜矩之道—尽职

上古遗传思想—{封建制度／鬼神思想／家族制度}报恩{恕／忠／孝}{慎终／追远／明分／辨等}三纲五伦

由上图观之，孔子之道，实以"絜矩"为起点，由"絜矩"之理，而得有"尽职"之观念。盖唯人人尽其职，而后"絜矩"之道始可言也。孔子书中如"君子思不出位"之类，皆明此理。由"尽职"而再进一步，乃得有"忠恕"之观念。"忠"为积极，"恕"为消极，皆所以求"尽职"之道，前文已言之。盖当为者为，固"尽职"；不当为者不为，亦"尽职"也。孔子既以"忠恕"为实践之教义，于此时，而适有古代传来之思想，若"忠孝"二字者，适足为其教义之一大声援。乃即取以与向有之教义相糅合，而别等"明分"之学说出焉。"忠孝"二字，本古代遗传之思想，非孔子所自创。其观念之构成，由于"报恩"一义，与孔子所主张"尽职"之说，迥不相同。"报恩"之义者，实吾国古代（春秋以前）思想之根源。其来源由于鬼神、封建、家族三思想结合而成。其被于古代政治学术诸界之影响，至伟且巨（其详见《庸言报》梁任公所论）。由"报恩"一义，而得有"忠孝"之观念；亦犹由"尽职"一义，而得有"忠恕"之观念。乃自然之趋势，不足深论。所当知者，"忠孝"之"忠"与"忠恕"之"忠"，二者名虽同而实则大异。前者由于封建之遗制，所谓食毛践土，具有天良者也；后者由于尽职之教义，所谓人人修其身而天下平者也。可知"忠孝"之"忠"，与"忠恕"之"忠"，实为二事。至其所以混为一谈而别构成一新教义者，则孔子为之也。孔子所以必引"忠孝"以入己说者，殆由当时"报恩"之观念，已广布于学者思想界中，不可遽灭。因即其说而扩充之，以树自己之新义。且"报恩"之义，与"尽职"之义，亦最相近。"报恩"者，对于一人之偿负行为；"尽职"则移其对于一人者而对于众人、对于职务。此即孔子所以利用古代之思想，而导之使同化于自己之教义之故也。因此，二义之结合，乃产出所谓"明等差别贵贱"之学理，而纲伦之说兴。是故，可知纲伦之说，实孔子之教义，并非后人所伪托。不过，孔子之"纲伦"说出于"絜矩"之道，乃相对的义务，非如后儒所说，一方面绝对有权利而无义务，一方面绝对有义务而无权利。此则证之经书，所可晓然者也。（如"小杖则受，大杖则走"之义，使后人言之，得毋曰"子罪当诛，父固圣明"耶？）

孔子之论男女，多尊男抑女之辞。此则与其一贯之"絜矩"学理，不能相应，此甚可怪。若求其故，当是囿于当时习俗，不克远见。试观当时诸子百家，异论芬起，而未闻有提倡女权之说。可知习俗入人之深。盖古代男女之际，本带有主奴之性质。《左传》所载诸侯大夫取一正妻，则其诸姑姊妹，悉为媵妾，则固夷然奴视之矣。传言孔子亦有妾，而孔子之弟子屡有出妻之事，则孔子之不主张男女平权可知。且孔子之教义，以宗祀为极重，以无后为不孝，此亦其重男轻女之一因也。昔苏格拉底，希腊大哲，而独主张蓄奴之制，习俗囿人，贤者不免，士论至今惜之。孔子之重男轻女，殆亦类于此者欤？仆以为，居今日而言改革孔道，其最先宜注意者，即在恢复女子之自由一事。与此事相连而起者，则孔子之家族主义是也。家族主义、嗣续主义不破，中国人终不能出水火而登衽席。与其以专制罪孔，而孔不任受，何如以家族主义罪孔，尚得其实乎？虽然家族主义虽成于孔，而非出于孔也。自二帝三皇以来，家族之基础,已不可破矣。孔子特承之而益光大之而已。

　　孔学之精华,著于六经。故论者每即经以求孔子之说,此固莫得有非之者。然窃以为,此中亦自当分别观之。如《诗》如《书》,乃古代典章,孔子不过为删节而已,此外更无所增益。故不得借此以论孔学。可借以觇孔学者,莫如《易》与《春秋》。《春秋》孔子所自作,《易》则曾《系辞》焉,皆足以传其学。此外若《论语》之类,虽为弟子所杂志,不足以明一贯之理,要亦可窥其细微之节。独《礼记》一书,虽多载孔子之言,然泰半皆周之典籍,汉儒又杂引汉制以淆之,孔子虽有言,仅解释经义而已,似不当即此以论孔学也。

　　仆所见于孔道者止此,意既匪颖,言词又不足以达之,宜卑卑不足道。顾所以为此者,将以求正于先达也,非以自炫奇也。倘有为点其是而斥其非者乎？私日望之矣。

（第三卷第一号,一九一七年三月一日）

消极革命之老庄

吴 虞

日本人有言曰："法兰西人为积极革命派。中国人为消极革命派,老庄其代表也。"吾推究其说,盖法兰西人见政府腐败,则亟起革命,断脰流血,迫不及待,以求涤瑕荡秽,保其自由,弗可以须臾忍。老庄派则不然,彼常诵法老子"圣人不仁,以百姓为刍狗。大道废有仁义,国家昏乱有忠臣。绝圣弃智,民利百倍。礼者忠信之薄乱之首"之言,深知家天下者遗弃公天下之道德,而专以家天下之仁义智,愚弄人民,阴遂其私。又研求《庄子·胠箧·盗跖篇》,所谓窃国盗法以守其盗贼之身。斗斛权衡符玺仁义皆民贼窃之。独夫盗之,假圣智之名,享君王之实。圣明之天王,乃胠箧之巨盗耳。故孔子言："君不君,臣不臣,虽有粟不得而食。"又曰："君臣之伦,如之何其废之?"《春秋》主尊王攘夷,君亲无将,将而必诛。《孝经》明资于事父以事君。儒教徒如孟子,虽略有"民贵君轻"之语,然其辟杨墨则以无君者比之禽兽。荀子贵礼"三本",以天、地、君、亲、师并重,而谓君恩在父母之上。班固《白虎通》以君臣、父子、夫妇列为三纲。于是君臣大义,炳如星月矣。自后民贼必崇儒教,儒教必辟异端。叔孙通、董仲舒之徒,虽或斥为"希世",或诋为"大愚",而固已拥"圣人""大贤"之徽号,以笼罩天下后世。相推相演，以迄于今。儒术之弊与专制之祸俱达于极点。禅让之迹，后世窃之；征诛之局，大盗袭之。封建非也，郡县亦失。乱臣贼子，元恶巨猾，夷狄杂种，更起迭进，不绝于世。二十四史，脓血充塞，束以礼教。唐太宗、明成祖之于伦纪，莫如何也，范以律例；王巨君、曹孟德之于逆篡，莫能止也，唯是雍容揖让，敷衍搪塞，委国家于吏例利，而为空泛道德之谈。倘恍性命之理，沾沾于汉、宋，切切于陆、王，自以为命世大贤，孔门正脉，而生无补于时，死无损于世，亦可嗤矣。周濂溪曰："《春秋》正王道，明大法，孔子为后世王者修也。乱臣贼子诛死于前，所以惧生者于后也。宜乎万世无穷，王祀夫子，报德报功之无尽焉。"呜呼！濂溪之言，真足以证明孔教与民贼及中国之关系矣。而老庄一派则不然。晋宋六朝之人，多深于老庄之学，其视霸主直民贼耳、盗魁耳。故稽康非汤、武而薄周、孔，钟会以为非毁典谟，王者所不宜容。引太公戮华士，孔子诛少正卯为例。阮籍斥汉高、项羽为竖子，礼法之士疾之如仇。即蔡搏、王僧达辈，皆有以自高而不为贵戚权倖屈，其君臣之观念极浅。其朝秦暮楚，身仕数朝，绝不以为怪。其托身仕宦，类因私计。如陶渊明谓人曰："聊欲弦歌以为三径之资。"执事者闻之以为彭泽令。王秀之为晋平太守，期年谓人曰："吾山资已足，岂可久留以妨贤路？"皆可证也。其他因婚嫁之费，门户之累，而弹冠入仕者，见于史册，不胜枚举。彼既视霸主为大盗，世岂有忠于盗贼而尽节者哉？特不能如法兰西人之起而驱逐，置民贼于断头台上，以发挥其人权之宣言，斯所以为消极也。善乎萧子显之论褚渊曰："世之非责渊者众矣。夫汤、武之迹异乎尧、舜；伊、吕之心，亦非稷、契；降此风规，未足证也。自魏氏君临，年祚短促，服褐前代，宜成后朝。晋氏登庸，与之后事，名虽魏臣，实为晋有。故主位虽改，臣任如初。自是世禄之盛,习为旧准。君臣之节,徒致虚名。贵仕素资,皆由门庆。平流进取,坐致公卿。殉国之感无因,保家之念宜切。中行智伯,未有异遇,既以民望而见引,亦随民望而去之。恩非已独,责人以死,斯固人主之所同谬,世情之过差也。"观子显之言,足以考"老庄派"对于君臣一伦之心理矣。夫专制之世,污君之朝,高尚其志,遁世无门,故二十四史无"隐逸传"者,不过数史。盖君臣之伦,儒者既谓无所逃于天地之间,而置身盗跖之廷,与负匮担囊者为侣,又节侠之士所鄙夷而不屑,此独行隐逸之士所以史不绝书,而老庄之学,其影响为至巨也!夫汉武罢黜百家,表章"六艺",孔学一尊,而西汉乃无名节之可言;光武异严子陵之高节,而东汉气节之盛以开。此老庄之学所以见忌于霸主与官僚,而儒教所以又独能与霸者官僚极相吻合也。

(第三卷第二号,一九一七年四月一日)

儒家大同之义本于老子说

吴　虞

或问：子谓儒教义主专制不合共和，然《礼运》不有"大同"之说乎？应之曰：孔氏问礼于老聃，《礼运》"大同"之说，乃窃道家之绪余，不足翘以自异，何以言之？按《礼运》云：大道之行，天下为公，选贤与能，讲信修睦，故人不独亲其亲，不独子其子，是故谋闭而不兴，盗窃乱贼而不作，故外户而不闭，是谓大同。孔颖达疏云："自'大道之行'至'是谓大同'，论五帝之善。"又《礼记》原目疏云："先师准纬候之文，以为三皇行道，五帝行德，三王行仁，五霸行义。"而老子言："失道而后德，失德而后仁，失仁而后义，失义而后礼。"即皇降而帝，帝降而王，王降而霸也。又言：太上，不[下]知有之，其次亲之誉之，其次畏之，其次侮之。信不足，有不信，犹兮其贵言。功成事遂，百姓皆谓我自然。老子所谓"太上"，即指三皇、五帝以大道为公，无为无迹，故民不知有之，所谓"帝力于我何有"也。道德既衰，下及三王，以仁为治，则民亲之誉之。迨五伯以后，仁义不足以治其心，则以刑罚为政（《汉书·刑罚志》曰："圣人因天秩而制五礼，因天讨而作五刑。"《艺文志》曰："法家者流，出于理官。信赏必罚，以辅礼制。"儒家礼制，首重等差，以礼定分，以分为理。凡犯分即为犯律，故出乎礼则入于刑。盖儒家所谓法典者，不外礼制之文而已),故下畏之。刑罚不足以制其意,则以权谲虚矫为事,故众庶侮之,而不信其言。圣人则不然,功成而不执,事遂而无为,使百姓咸遂其性,所谓"大同"之治也。老子又言:"大道废,有仁义。智慧出,有大伪。六亲不和,有孝慈。国家昏乱,有忠臣。"则讥"小康"之世。故王安石解云:道隐于无形,名生于不足。道隐于无形,则无大小之分。名生于不足,则有仁、义、智、慧差等之别。仁者,有所爱也。义者,有所别也。以其有爱有别,此大道所以废也。智者,知也。慧者,察也。以其有知有察,此大伪所以生也。孝者,各亲其亲。慈者,各子其子,此六亲所以不和也。忠者,忠于己之君谓之忠,忠于他人谓之叛。盖道家重道德,以公天下为贵,传贤不传子。故曰:"不独亲其亲,不独子其子。"即三皇五帝之世,所谓"大同"之治也。儒家重仁义,以家天下为主,传子不传贤。故曰:"各亲其亲,各子其子。"即三王五霸之世,所谓"小康"之治也。孔氏盖闻老聃"大同""小康"之绪论,故虽亦揭"大同"之旨,而仍注重于"小康"。《礼运》所举禹、汤、文、武、成王、周公六君子,皆家天下之君臣。其所标举为仁义礼乐,而谓礼为君之大柄。盖孔氏虽慕古之志切,终不敌其用世之情深,故略举"大同",而详述"小康",以迎合时君,期于得位乘时。故三月无君,则栖栖惶惶如丧家之狗。遂为吾国二千年来儒者治国事君之大法。至谓"治国不以礼,犹无耜而耕;为礼不本于义,犹耕而弗种;为义而不讲之以学,犹种而弗耨;讲之以学而不合之以仁,犹耨而弗获;合之以仁而不安之以乐,犹获而弗食;安之以乐而不达于顺,犹食而弗肥。"其所谓顺,即指前陈礼耕以至乐安是也。盖儒家之教,极之礼、乐、仁、义而止,不上溯于道德矣。呜呼!此老子所以痛斥"礼为忠信之薄乱之首"。主张绝圣弃智,民利百倍。绝仁弃义,民复孝慈。绝巧弃利,盗贼无有。绝学无忧,以深非之。盖学不本于道德,而规规于仁义礼乐,以粉饰家天下之政,不如绝之。斯诚有慨于"大同"之义泯没于儒家,不可再见于吾国,故不觉心长而语重也。《艺文志》称道家为"人君南面之术",而于儒家则仅称为"助人君、顺阴阳、明教化"而已。其意固俨然有所轩轾,而道家与儒家之优劣,益可见矣。若夫后世小智小慧之徒,窃仁义而行之,仁者煦煦,义者孑孑,则伪日滋而乱日甚。方且标老子所绝弃之仁义孝慈为道德,以号于众,若击鼓以求其亡子。是则岂唯不足以企"大同",并不足以言"小康",与袁了凡之"功过格"近,而与孔仲尼之仁义说远。又乌得冒道德之名,而妄附于儒家者流乎?且《礼记》辑自汉儒,某增某减,具有主名,亦毋庸聚讼。汉儒工于阿世,左氏言刘累之后,《公羊》称"母以子贵",附会层出。当日帝后多好黄老之学,其窃道家之言以冀贵宠亲媚,初无背其皇皇干禄之旨也。抑学说贵有系统秩序,不得摭拾相合数语,即认为鸿宝。须知德意志之伏甫氏亦有大宇宙国之说。东西洋学者,此类思想颇多,勿以"辽东之豕"见哂于人也。康长素《礼运》序曰:吾中国二千年来,凡汉、唐、宋、明不别其治乱兴衰,总总皆"小康"之世也。凡中国二千年儒先所言,自荀卿、刘歆、朱子之说所言,不别真伪、精粗、美恶,总总皆"小康"之道也。其故则以群经诸传所发明,皆三代之道,亦不离乎"小康"故也。或又曰,儒教专制,而孟氏独明"民贵君轻"之义,亦正有可取。应之曰:孟氏攻杨朱无君,则其学说亦不合于今日。惟孟子性刚,竟以"草芥寇仇"之语,被朱元璋逐出文庙,而孔氏仍安享太牢无恙。章太炎目为"国愿",于此可以思其故矣。

(第三卷第五号,一九一七年七月一日)

柏格森之哲学

刘叔雅

　　柏格森,名安利路易(Henri Louis Bergson)。其先本犹太人。犹太文明旧族,近世哲人,先有斯宾那莎,后有柏格森。柏氏一千八百五十九年生于巴黎。幼学于利塞康多尔塞(Lycée Condorcet),研精数学,试辄冠其曹。年十八,以解数学难题受上赏,为麦马韩将军所称叹。转入高等师范学校,修哲学。既卒业,掌教于利塞丹采(Lycée d'Angers)、利塞克莱蒙(Lycee Clermont)者凡七年。其后撰一文曰《意识之直接资料论》(*Essai sur les données immédiates de la conscience*),得充博士,然名声犹未显也。一千九百年,充教授于法兰西大学校(Collège de France)。十稔以还,声誉日隆,宇内治哲学者仰之如斗星。讲学英、美诸大学,士之归之,如水就下。德意志无倭铿(R. Eucken),此君当独步也。其著作甚富,而《创造进化论》一书,尤为学者所宝,盖不朽之作矣(原名 *L'Evolution Drèatrice*。美国 Mifchell 氏译作 *Creative Evolution*。德国耶那 Jena 之 Eugen Diederichs 氏译作 Schöpferische Entwicklung)。其他著述,每一篇出,诸国竞相传译。而吾国学子鲜有知其名者,良可哀也。此篇为其杰作,原名《形而上学发凡》(*Introduction à la Métaphysique*),载一千九百三十年一月之《形而上学伦理学评论》(*Revuede*

Métaphysique et de Morale)（杂志名）。英德意大利匈牙利波兰瑞典日俄八国皆有译本，为研究其学说之津梁。爰取其英文本译为华言。虽然，吾家子骏有言："空自苦，吾恐后人用覆酱瓿也。"

叔雅识

　　诸哲学家于形而上学之界说与绝对（Absolute）之概念，学说虽至纷纭，然试一比较之，即可见其百致一虑。于认识对象，分相僢之二法焉：其一，为由外观之；其他，则由内观之也。前者有赖于吾人之观察点与自表现之符号，后者则二者皆置不用。前者得相对之知识而止，后者则常能跻绝对之境也。例如有一物体运动于空间，因吾观察点有运动静止之不同而知觉亦异，随其动轴与吾人关系之不同而所以道之之法亦殊，盖即随表此运动之符号而异也。以此二因，吾故谓此等运动为相对也。盖吾人于此，实置身此物体之外也。绝对运动则不然。吾人视此运动之物体宛然若有精神心思，与之有同感，且借想象之力，置吾身于其中。如是，则吾人之所感觉，将随其运动静止与其运动之方而不同。且吾所感觉，绝不有赖于观察点，以吾方处此物体之中也。绝不有赖于符号，以吾已得其原文，无取翻译也。一言以蔽之，吾将跻绝对之境，不复外察，但由内观矣。

　　更举一例以明之：今有传奇小说于此，道英雄冒险之事业，在彼作者诚能于书中人物描写入微，随其心之所至以状其言动。然作者之千万言，终不若吾于一刹那间置身其境，与书中人物合而为一时所得单纯之感觉也。由此单纯之感觉，将见此书中人物之言语、风采、举动自然流露，有如泉涌。凡此诸事，非复徒增加于吾人所构成书中人物之观念而终不得完成之者矣。盖一旦吾人置身其境，与彼书中人物合而为一，则其为人将一举尽为吾所会得。而表示此书中人物之千万事件，不特无所益于此观念，反将尽脱离之。且虽脱离，亦无伤于其本质也。彼作者名状此人物之辞愈繁，徒使吾人观此人物之观察点愈多。其所以描写此人物者，必以吾所既知之人物事件比较观之，始得了解耳，是表其象之记号而已。符号也，观察点也，皆置吾于此人物之外而皮相之者也。所可得而知者，其与众所同处耳，彼所独有处不可得而知也。至其特质，纯属于内，故非由外所能窥也。一切外物不可方比，故非符号所能表现也。叙述也，历史也，分析也，皆但能示我以相对而已。欲得绝对，唯有与此书中人物合而为一耳。

　　由是观之，绝对之义，与完全（Perfection）相同。譬有一城于此，从各方面摄其影，更一一凑合之使成其全景，然终不能比吾人所游行之真城也。有诗一首于此，译以各国方言，更取诸译文互相参照，加以修正，惨淡经营，使其意渐近于原作，然合诸译文所得之意味，仍不能传原作之真意也。故由某观察点所得之表象，用某符号之所表示，比之原物，终为不完。而绝对者全系原物，非其表象，即为原作，非其译文，故得完全也。

　　世往往认绝对与无限（Infini）为同物，亦以此故也。譬吾欲以读何玛（Homeros）诗所得之单纯印象传诸不通希腊文之人，则吾必先译其辞句，更加以注释，注释复注释，讲解复讲解，渐近于吾所欲表示之意味，然终不能臻吾心所望之境也。譬之汝一举汝之腕，此在汝之自觉，一至简单之事耳。然在吾由外观之，则见汝腕通过一点，更通过他点，二点之间，复有无数点，欲悉数之，将无尽期。故由内观之，绝对者，一至单简之物耳。然由外观之，易辞以言，即就其与他物之关系观之，则绝对之非符号所得尽表，犹以金币易散钱,必难尽得其原值也。能同时兼备"完全之了解"与"无尽之枚举"者,即无限其物也。

由是观之,余者皆可以分析而明。绝对则必求之直觉(Intuition)(直觉二字,不甚妥当,按其欧文本义,与程正叔所谓"德性之知"无殊。程子云:"见闻之知,非德性之知。物交物,则知之非内也,今之所谓博物多能者是也。德性之知,不假见闻。"此与柏格森之直觉哲学吻合)。直觉者,一种智灵之同感(Sympathie intellectuelle)之谓也。吾人借此得置身物体之中,而达一种不可方比不可名状之境焉。分析则反是,不过使物体还于既知诸要素之方而已,使复归于物所共有之要素而已。故分析者,非能表示一物也,借他物以表示之耳。是分析者,翻译也,借符号以敷衍也。详言之,即于吾人所方研究之新对象,与已知之他对象间,从相关联之观察点所取得之表象也。分析法希冀包举对象之全体,回环于其四周,而此希望求不得达。增加观察点至于无限,以求此表象之全,而表象永不得全。变更符号不已,以求此翻译之完,而翻译永不得完。以若所行,求若所欲,将不知其终极。而直觉苟可得行,实一单简之业也。

由是以观,可知实证科学之本职在于分析。其第一事,即在借符号以说明一切也。虽在最具体之自然科学如生物学诸科,其所论者,亦限于生物之外形、器官与其解剖学之要素而已。惟比较其外形,归复杂于简单而已。一言以蔽之,今日生物学于生命之机能,仅研求其有形之符号耳。求其得绝对之实在而非相对之知,置身其内而非由外察,直觉而非分析,超脱一切言辞翻译符号,则独有形而上学耳。形而上学者,无取于符号之学问也。

译者按：柏格森之学，世所称为"直觉哲学"者也。而斯篇于"直觉"之义，说之最详。英儒赫美（Hulme）称之："Its importance, however, is greater than that of a simple introduction, for in it M. Bergson explains at greater length and in greater detail than in his other books, exactly what he means to convey by the word intuition."学者读此节，当于柏氏之方法论（Methodologie）思过半矣。

（第四卷第二号，一九一八年二月十五日）

读弥尔的《自由论》

高一涵

弥尔的一生著作,其中有极力发挥他自己的特别见解,句句话皆自他心中呕出。推倒舆论,打破习惯,跳出宗教党派的范围者,即是这《自由论》一书。此书作于一八五四年,据他自己说,深得其妻泰勒尔(Mrs. Taylor)之力。几次修改,到一八五九年,方才印行于世。林德色(Lindsay)说:"《自由论》一篇,在弥尔著述中,为最有名之作。凡他自己的特别的道理,皆包蕴于其中。"此论很可谓确当。故读过此书,一则可以窥见弥尔个人的特识,一则可借以考证尔时英国政治社会的情况。

凡一代学问家思想的潮流,多为当时社会实在情形所鼓荡。我们尚论古人,必定要明白古人所处的境遇,所呼吸的四围之空气和那些时代的政治社会学术思想之状态,然后再平情论断,方为得当。我看白克尔(E. Barker)所著《英国政治思想史》是很推重弥尔的。不过中有几句话,说:"弥尔的《自由论》《代议政体论》二书,皆出于一八四八年而后。虽能将旧说解释精详,然终不脱旧说之范围,故与其称弥尔为一八四八年后新派之先知先觉,不如称彼为乐利派之'殿军'。"又有人说弥尔晚年虽欲避开习惯礼教的势力,极力主张思想言论之自由,但他的言论思想,仍为乐利主义所拘束。他所梦想的自由,假设的幸福,皆是凭空悬揣,毫无具体的主张。且《自由论》中,往往以异材癖性,混同为一。他以为人类美德,专在发挥奇异的癖性,至于幸福之实质为何,取得自由之途径为何,皆未尝详为指出。故论者多以为彼所论的,乃空空洞洞的自由和那捉摸不定的个人。这些批评,固也有是的,但自我个人意见观之,未免忽略时代的实情,而以后人的眼光和现代的理想,尚论古人了。

我看弥尔一个人,真如那过渡的舟楫,通达两岸的桥梁。在十八世纪的时代,抱乐天主义者,不信大造的神工,即信上帝的万能。弥尔亦是抱乐天主义之一人,但他既不信自然,又不信上帝,而所信仰者惟人。尔时英国的革新派所要求者在制度,弥尔所信托者乃在人民。尔时英国的政治家所谓平民政治,在以少数服从多数,弥尔则以多数专制,与一人专制,同时并诋,大倡比例选举制,以为少数党谋利益。再以弥尔自幼所受的教育论,我以为世界上的人,自小至大,全由一个先生教授,其为时之久,用力之专,从无第二人如弥尔者。彼自三岁以后,即受教于老弥尔(James mill)一人。老弥尔与边沁(Bentham)皆终身以传播乐利主义为事,故弥尔自幼,其四周空气,即为乐利主义所弥漫。彼自言当十五岁时,尝信仰边沁主义为宗教。"少成若天性",此在他人,将终身莫逃乐利主义之范围矣。然弥尔则兼容并包,打破边沁、老弥尔所传道的狭隘乐利主义,而收纳异派,炼于一炉,而成一折衷主义(Eclecticism)。边沁与弥尔同是急进派,但边沁的急进主义,是哲学的,立其基础于理想之上;弥尔的急进主义,则建其基础于常存不灭之社会上。弥尔以前之乐利主义,多为个人的性质。一入弥尔之手,则由个人的性质,而变成社会的性质。先代的乐利派,在攻击少数人的特权,一部分人的私利，到弥尔则平民政治的根基，已日益巩固，故彼乃力排多数党之专制，为少数人争心思言议之自由。弥尔一生心力，不尽是用在个人主义上，而是将个人主义引入社会，使得以递嬗递变，循序渐进。然则弥尔一生，不啻为过渡时代之关键。谓彼为旧说所拘，终身跳不出乐利主义之范围者，似乎有点近于苛论了。

弥尔一篇《自由论》，其唯一无二的宗旨，即在反对好同恶异。他说："倘若人类除了一个人，抱反对意见而外，其余的人，皆是一样的意见，则以全体意见，禁止一人，和那以一人意见，阻止全体者，同为不公不平的事。"他如礼俗宗教，和世界的通义云云，凡可以拘束个人的心灵者，皆为弥尔所反对。他所以不说幸福的种类者，即是尚异恶同，不愿以我的心思，拟度他人的好恶。弥尔的主旨，彻头彻尾归根于个人之自择。倘若代他人定下幸福的种类，说些幸福的性质，不问他人好恶如何，必使他随我所指定的标准而行，岂不是以一人意见，拘束他人么？岂不是好同恶异么？

司台芬（Sir Leslie Stephen）说："奇癖的人，犹如'曲拳臃肿之材'，然不能建成国家的。"马硱（Mac Cunn）说"癖性乃个人的伪性"。此话诚然。但是幸福乐利云云，全是个人心安意得，认为可幸可乐的，不是奔到极端，以不同于人者，为幸福为乐利。此中有一最为重要之点，即在任人人之自择，人人各寻得其心之所安耳。弥尔盖深痛宗教习惯等势力，根深蒂结，牢不可破。信教媚俗之徒，心疑之而不敢言，倡为异论，斯为大逆。此犹我国所谓"纲常名教"者然，拘束我国人心，垂数千年，不知湮灭了许多特性，不知埋没了许多奇材异能。严复译弥尔书，有曰："……人尽模棱，而长丧其刚方勇直之心德。虽有明智之士，见微知远之人，大抵以浊世之不可与言，各藏其所独得之抱负。即有告语，不为惊俗忤时之论也。故虽心知其理之不如是,亦必仪情饰貌,以与俗相入。其有宅心高亢,而不屑为媚俗之可羞,则亦择事发言,而慎无及于要道。所及者大抵皆社会琐节。即有其弊,将及时而自袪者。独至最高甚重之义,必有自繇不讳之谈,而后有以启沃民心,使日趋于刚直方大者,则宁闭口无言焉……"阅者试掩卷想想,我国数千年来思想的历史,不是这样吗?

我们自读书以后,久已晓得英国是个自由的国家。弥尔生在世界上第一个自由的国家,还痛骂英国习俗专制。舆论专制,倘若生在中国,不知又怎样痛骂了?中国古代思想,不用说是定于一尊的了,就是到民国成立以后,此风犹相沿未改。我见湖南有一位老先生,去年在北京著一篇议论,见中国"言论庞杂",他就忧虑了不得,要把所有的报馆,一齐封禁,叫政府专请几个人,来办一个报馆。他还夸口说这是统一思想的第一个善法子,现在无第二人能想出的。列位想想,比较汉武帝"尊儒术,罢黜百家",不还厉害么?"联邦论"在外国,既不是宗教的问题,又不是"纲常名教",似可听人自由发挥了。然中国人一谈及联邦,即视为破坏国家的罪人。故论联邦者,不曰"我非赞成联邦",即曰"至个人之赞成与否,须待它篇"。听之者不必待其议论终了,即悍然曰中国绝不得行联邦制,必终古用这无办法的和那不统一的统一制。这也不独论政为然,即是北京之评戏亦然。说某人唱的不好,问其何故,则曰"不学老谭"。又说某人某句唱的不好,问其何故,则曰"老谭不是这样唱"。刘鸿升的坏处,即在与谭派立异。王又宸的坏处,又在轻于学谭不免看轻老谭了。他如论政治,则梦想"哲人政治";论德育,则想"以孔道为修身大本";论兵力,则想"以北洋派统一中国"。逐类旁推,无一处不从专制思想和那好同恶异的念头,演绎变化而来。生在今日,想老天生出一个弥尔,为我们打开种种的障碍,还是妄想的。要在我们自己是弥尔,我们自己亲去打开,才是真的。我们要打破习惯专制,舆论专制、必先从我们自己心中打起。因习惯舆论,即是我们自己心意造成的。所以中国今日思想,不要统一,只要分歧。所有的学说不必先去信他,只要先去疑他。这就是弥尔的自由论中尚异恶同的宗旨了。

(第四卷第三号,一九一八年三月十五日)

德意志哲学家尼采的宗教

凌 霜

德意志学者,群以此次大战,为"生存竞争"不免之结果,且借 Darwin 之说,以文其非。Kropotkin 反对之,以生物及社会之进化,由互助而不由残杀,由诚正而不由谲诈。英国学者多然其说,于是将其所著之《互助为进化之一要素论》(Mutual aid: A Factor of Evolution)重印而广播之。李石曾先生以此次战争,为帝国与民国之争,实含有革命性质。德胜,则帝国主义必横行于世界;德败,则世界之帝国主义,虽尚未绝,而大势已去(说见《旅欧杂志》第二期《欧战论》)。其言可谓深中肯綮。顷见本年一月二十三日美国 The Outlook 周刊,有《尼采的宗教》(Nietzche's Religion)一篇,执其说而驳其谬。爰为之述译。一方面既可以增进国内青年反对帝国主义之热潮,一方面又可以见人道主义之不容已,吾人所当合全世界人类而经营之也。

译者志

William Mackintire Satler 近刊一书曰:《思想家尼采之研究》(Nietzche the thinker: A Study),今略撮其言,以成此篇,易其名曰《尼采的宗教》。

人生的目的,乃创造"理想中之伟大人物"(Superman)。进化产出之人类，以尼采之理想言之，不外如是。历史上之大英雄大豪杰，如 Alcibiades, Caesar, Jrederick, Leonardo Da vinci, Caesar Borgia, Napoleon, Goethe Bismark，庶几近之。惟此不过个人之伟大而已。若民族之能发展，如上所云之个人者，则有史以来所鲜见焉，反之所谓纯良的，社会的，弱病的人种，则见存于世界，而犹日进而未已。此吾人之所以引为不平，而主张伟大人物或强盛民族，速须驾驭世界也。若夫弱者病者，吾人无须保存之。吾人之责任，惟有助其死亡而已。就彼等自身计，亦当以速自灭绝，免占人生之权利，为较胜于偷生耳。个人固当如是，民族亦何独不然。吾人以战争危险灾祸种种猛烈手段，施诸不能开化及毫无进步之民族，以速其灭亡。且由是以廓清之，使劣种不复能遗留于世界，此乃最适当之办法。彼等有起而抵抗者乎，吾人方欢迎之不暇，何所犹豫而不与之交接耶？由是而大战之期近矣。大战之目的，乃为主义而战，为改造及驾驭地球上之组织而战。设吾人战而胜，吾人理想上之伟大民族，于是成立。以道德言之，道德自身，且非吾人之所认为义务所应尽之事，是道德亦何从而反对吾人之所为。道德之威权，惟有普通的或社会的，观之人群之风俗习惯，各因其群之状况，而各有所异，斯可见矣。故真正之标准，可以放诸四海而不易者，世界上无之。尼采所以毅然决然，称其徒曰"非道德家"（Immoralists）。彼又曰：所谓道德能产生善而有利于一群者，实非善也。群惟有自身，与它事无所关联。所谓善恶者，亦徒见其自创自造已耳。一群中之份子，虽时有伤害，与它群毫无关系，且它群亦必不因是而自责也。尼采于其名著中（吾知谓其当覆瓿者，大有人在），述一最高尚之民族，其份子之交际，皆能各自自治，互相帮助，感情诚笃。若对于异族，则杀之戮之，焚劫之，且视为游戏，曾无足惜。彼又曰：

吾人理想中之伟大人物，即所以代上帝之位置。而是强大民族之责任，亦所以创造无数之主宰若上帝。如尔不能创造上帝乎？Zarathustra 有言曰：请勿言上帝。

吾人于尼采之主张，有二法以反驳之曰：科学的与实际的。

科学的。进化之道，乃由竞争。夫与人竞争，何异与己竞争？如弱者全数灭亡，则强者将奚由而发展？强者与弱者竞，则强者必须扩张其武力。以欧争言之，德意志之直接以破坏法兰西。即间接以破坏 Kant, Hegel, Goethe, Schiller, Luther, 与 Frobel 之德意志。英伦出其死力以救比利时，乃所以救 Cromwell, Hampden, Wordsworth, Browning, Martineau 与 Arnolds 之英伦。推而言之，设尼采之父若母，依彼之哲理而行，则其子必不能生存。盖人类之至弱者，莫婴孩若设为之父若母者，于其初生时，而不提携之，抚育之，其能长成者，抑亦几希矣。虽以 Romulus 之强，亦须借助于豺狼为之哺乳，且不吞噬之，然后能生存，余可知矣。

实际的。哲学之试验其果能推行而无碍乎？尼采公然于诚信智慧仁慈之平民之前，倡导其"惟我之哲学"（Philosophy of Egotism），以为人类无道德性之遗传，人生之公例，惟有强者之自利及弱者之灭绝。其试验之结果如何，此次战争，已显扬于世界矣。（Atlantic monthly 正月号记尼采对其徒言，若彼国之民，肯采行其主义，则其对于一群之效验，必能目见，可以参考。）比利时首先反抗之，乘势而起者，且接迹于道。于是德意志之行径，世人不目之为"野蛮"，则名之曰"中风狂走"矣。积数世纪历史之所未有，而为纪元以来所仅见之惨祸，发于顷刻，其悲苦之声，继之以无人道之事，震荡耳鼓，皆此等学说为之厉阶。它方面又使好和恶战之民，亦滚入血战旋涡中。吾诚不知以何种心理学，而后能解析作俑者之意见。Salter引美国某大学教授之言,谓德人抵抗文明之战为"尼采的宗教之试验"(Nietzche's religion in action),且鄙夷之,其言诚当矣。

(第四卷第五号,一九一八年五月十五日)

诸子无鬼论

易白沙

鬼神有无，古今学者每多聚讼。吾国周秦以来，亦起争执，佛家则谓大地河山，乃由心造，人且非真，鬼将焉附？惟小乘说法，颇有神鬼之谈。管仲、老聃、庄周、韩非、刘安、王充诸子，亦谓鬼神起于人心。孔子态度不甚明了，然多重人事，少说鬼话。只有墨家祀天佑鬼，施于浅化之民，因风俗以立教义。中国宗教不能成立，诸子无鬼论之功也。

吾国鬼神，盛于帝王。古代文化，亦借鬼神以促其演进。黄帝仓颉制造文字，而曰天雨粟、鬼夜哭。神农发明耕稼，能兴风雨，而称之曰神。神尧知人善任，而称之曰神。神禹平水土，而称之曰神。此种人物，皆神所造，而非人所生，于是谓之天子。《说文》云："古之神圣母感天而生子，故曰天子。"吾辈视此，即私生子之代名。而古人尊为神圣之美号、一切礼学文物，皆出其手。《管子》言："有虞之王，封土为社，始民知礼。"(《管子·轻重戊篇》)宰我言："周人以栗，使民战栗。"(见《论语》)是以君主教主操之成权，其用意乃在知礼与战栗耳。

原人不知法律，天子最难辨者，莫如血斗之是非，不假神权，无从解决。试举黄帝所制文字证之。

"廌"下云:"解廌,兽也。似牛,一角。古者决狱,令触不直者。象形。"

"荐"下云:"兽之所食草。从廌从草。古者神人以廌遗黄帝曰,何食何处？曰,食荐。夏处水泽,冬处松柏。"

"法"下云:"刑也。平之如水,从水。廌。所触不直者去之,从廌去。法,今文省。"(三字皆见《说文》)

黄帝既借此似牛之物裁判诉讼,后世天子,奉为宪法。《论衡·应是篇》:"觟䚦者,一角之羊也。性知有罪。皋陶治狱,其罪疑者,羊起触之。有罪则触,无罪则不触。"然则皋陶虽善治狱,不过为牛之傀儡,裁判实权,不操之自身也。《夏书·甘誓》曰:"用命赏于祖,不用命戮于社。"是军事裁判刑罚之柄,亦牛操之也。(社不能言,即由廌解所触而定。)《周礼·媒氏》:"男女之阴讼,听于胜国之社。"是牛亦干涉男女之阴私也。《墨子·明鬼篇》言:"齐庄君之臣,有王里国、中里徼者,二子讼,三年而狱不断。齐君使二人共一羊盟齐之神社。刺羊洒血,读王里国之辞既已终矣,读中里徼之辞未半也,羊起而触之,折其脚而殪。"是三年不断之狱,非牛不能决也。惟许慎以为牛,墨翟、王充以为羊。牛耶？羊耶？吾人未见此种怪物,亦无从裁判其是非。(西方古时,亦神权决狱。谚曰:"古之讼狱乃密结,华犹言冒险也。"见严译《社会通诠》。)

古之帝王,神道设教,运天下于掌,遂以不祀鬼神之国为野蛮,必灭其地而虏其君。孟子言汤之灭葛,由于葛伯放而不祀。(《滕文公》下)武王灭纣《泰誓》三篇,宣布罪状:一则曰弗事上帝神祇,遗厥先宗庙,弗祀牺牲粢盛;再则曰谓祭无益;三则曰郊社不修,宗庙不享。春秋之时,楚人灭夔,由于夔子不祀祝融与鬻熊之神。(《左传·僖公二十六年》)晋景公灭潞国而虏其君,数其五大罪,以不祀鬼神为第一罪状。(《宣公五年》)葛伯商讨夔子、潞子既以不祀鬼神,至于亡国,故是时诸侯虽国小兵弱,亦欲借鬼神之佑,以捍强邦。楚武王侵随,随侯所恃以拒楚者,在祀神之牲牷肥腯、粢盛丰备。(《左传·桓公六年》)齐师伐鲁庄公所恃以敌齐者,在以信祀神。(《庄公十年》)晋侯假道于虞以代虢宫之奇谏虞公曰:"吾享祀丰洁,神必据我。"(《僖公五年》)汉时受匈奴之祸,而使范氏诅胡于神。(《汉书·匈奴传》)匈奴亦常埋牛羊于水上以诅汉军。(《汉书·西域传》)王莽将死,犹坐斗柄曰:"天生德于予,汉兵其于予何?"(《汉书·王莽传》)自三代以至清人之义和团一部廿五史,捍御强敌,几乎无代不以鬼神为武器。

君权、神权,关系密切。若就君主论国人之知能,谥以野蛮,实非过当。然国人三千年以前,有首出之英,欲脱此神道以入于人道,举凡鬼神奇谈,摧陷而廓清之。故国人至今无统一之宗教。此种学说潜滋暗长,虽君主亦无如彼何。诸子之无鬼论,皆欲解脱神道者也。首先发难以卜神权者,为道家。其后法家、儒家,相继以起。墨家天志明鬼,亦力求改良,去君主之纲罗,为宗教之仪式。薄葬明鬼道相乖违,汉人犹谓其难从。帝王之神道设教,诸子早唾弃无余矣。

《论衡·卜筮篇》曰:

周武王伐纣卜筮之。逆占曰:"大凶。"太公推蓍蹈龟而曰:"枯骨死草,何知吉凶?"

《管子·修权篇》曰:

上恃龟筮,好用筮医,则鬼神骤祟。故功之不立,名之不章。(《形势解》亦云:"牺牲圭璧,不足以享鬼神。")

《韩非·饰邪篇》曰:

龟筮鬼神,不足举胜。左右向背,不足以专战。

太公为道家之宗,管仲、韩非其学亦自道家出,而皆力诋龟筮鬼神,韩非更谓其祸必至亡国。《亡征》篇言:"用时日事鬼神、信卜筮而好祭祀者,可亡也。"此与汤武灭纣之宣言,完全反对。盖有鉴于神权之流毒政治,如随侯、庄公、虞公诸学说,可以亡国而有余。太公、管子直视鬼神为对外秘诀,玩弄诸侯于股掌之上。或以为灭国新法,或假为外交手段,该分举于下。

一(是)太公之神道。武王发纣太公阴谋,食小儿以丹,令身纯赤,长大教言殷亡。殷民见儿身赤,以为天神。及言殷亡,皆谓商灭。兵至牧野,晨举脂烛,奸谋惑民,权掩不备,周之所讳也。(《论衡·恢国篇》)

一(是)管子之神道。龙斗于马渭之阳,牛山之阴。管子入复于桓公曰:"天使使者临君之郊,请使大夫初饰,左右玄服,天之使者乎?"(按:"天上"当脱"祀"字,闻盛服饰以祀天使。)天下闻之曰:"神哉,齐桓公。天使使者临其郊。"不待举兵而朝者八诸侯,此乘天威而动天下之道也。故智役使鬼神,而愚者信之。(《管子·轻重丁篇》)

太公之说,可与武王《泰誓》三篇不祀鬼神互相印证。管子之言龙乃天使,则黄帝鼎湖之龙,大禹舟中之龙,更可推知。太公、管仲之属道宗,同屈鬼神而又利用之,以为霸王之资。所谓奸谋惑民,所谓役使鬼神,旗帜鲜明,毫不隐讳。然不仅施之外交,且行于内政。《管子·牧民篇》曰:

顺民之经,在明鬼神。祇山川、敬宗庙、恭祖旧……不明鬼神,则陋民不悟。不祇山川,则威令不闻;不敬宗庙,则民乃上校;不恭祖旧,则孝悌不备。

(管子又尝说种种鬼怪为桓公治病。桓公辴然而笑。不终日而不知病之去也。见《庄子·达生篇》)

管子斥神道防害政治,若对于国外之"愚者"与国内之"陋民",亦常利用。然其无鬼论,纯属政治,无关学理。若老子之言,则更进矣。老子曰:"以道莅天下,其鬼不神。非其鬼不神,其神不伤人。非其神不伤人,圣人亦不伤人。夫两不相伤,故德交归焉。"(《老子》第六十章)韩非见其言隐约,更申其义曰:"人处疾则贵医,有祸则畏鬼。圣人在上则民少欲,民少欲则血气治而举动理,血气治而举动理则少祸害。夫内无痤疽瘅痔之害,而外无刑罚法诛之祸者,其轻恬鬼神也甚。故曰以道莅天下,其鬼不神。治世之民,不与鬼神相害也。故曰非其鬼不神也,其神不伤人也。"(《解老篇》)《列子》亦曰:"列姑射山土无札伤,人无夭恶,物无疵厉,鬼无灵响。"(《黄帝篇》)与《韩非·解老》其义正同。其后,儒家荀卿、杂家王充尤发挥此义。

《荀子·解蔽篇》曰:

凡观物有疑,中心不定,则外物不清,吾虑不清,则未可定然否也。冥冥而行者,见寝石以为伏虎也,见植林以为后人也;冥冥蔽其明也。醉者越百步之沟,以为跬步之浍也;俯而出城门,以为小人之闺也;酒乱其神也。厌目而视者,视一以为两;掩耳而听者,听漠漠以为咰咰;势乱其官也。(按:"厌"为"压"古文。目压故视一物有两形。)故从山上望牛者若羊,而求羊者不下牵也,远蔽其大也;从山下望木也,十仞之木若箸,而求箸者不上折也,高蔽其长也。水动而景摇,人不以定美恶,水势玄也(按:"玄"为"眩"古文);瞽者仰视而不见星,人不以定有无,用精惑也。……夏首之南,有人焉,曰涓、蜀、梁。其为人也,愚而善畏。明月而宵行,俯见其影,以为伏鬼也。仰视其发,以为立魅也。背而走,比至其家,失气而死。岂不哀哉! 凡人之有鬼也,必其感忽之间,疑玄之时正之。此人之所以无有而有无之时也。

《论衡·订鬼篇》曰:

凡天地之间有鬼,非人死精神为之也,皆人思念存想之所致也。致之何由? 由于疾病。人病则忧惧,忧惧则见鬼出。……夫病者所见非鬼也。病者困剧,身体痛则谓鬼持棰杖殴击之,若见鬼把椎锁绳立守其旁,病痛恐惧,妄见之也。初疾畏惊,见鬼之来;疾困恐死,见鬼之怒;身自疾痛,见鬼之击,皆存想虚致,未必有其实也。夫精念存想,或泄于目,或泄于口,或泄于耳。泄于目,目见其形;泄于耳,耳闻其声;泄于口,口言其事。(按:愚自童时即执无鬼说。前岁大病,则口言鬼、目见鬼、耳闻鬼。吾兄培基亦梦鬼降,言愚必死,亦王充思念存想之说也。)

荀子、王充言鬼由心造,较韩非、列子解释更详。荀子为儒家正宗，不仅排斥鬼神，凡古代相传之上帝及祯祥妖孽诸说，均以为无关人事。其详见于《天论篇》。兹分举之：

一、人力可以胜天。

天有常行，不为尧存，不为桀亡。应之以治则吉，应之以乱则亡。强本而节用，则天不能贫。养备而动时，则天不能病。修道而不贰，则天不能祸。故水旱不能使之饥渴，寒暑不能使之疾，妖怪不能使之凶。本荒而用侈，则天不能使之富。养略而动罕，则天不能使之全。背道而妄行，则天不能使之吉。故水旱未至而饥，寒暑未薄而疾，妖怪未至而凶。

一、妖异不足惧。

星坠木鸣，国人皆恐。曰："是何也？"曰："无何也。是天地之变，阴阳之化，物之罕至者也。怪之可也，而畏之非也。夫日月之有蚀，风雨之不时、怪星之党见（按：'党'即'傥'。古文'傥见'，犹言或见。群出治要引此正作'傥'），是无世而不常有之。上明而政平，则是虽并世起无伤也。上暗而政俭，则是虽无一至者无益也。"

一、祭祀祈祷非言享鬼，实以饰礼。

云而雨，何也？曰："无何也，犹不云而雨也。日月食而救之，天旱而云，卜筮而后决大事，非以为得求也。"

以文之也，故君子以为文，百姓以为神。以为文则吉，以为神则凶。

儒家不信鬼神，是以怪力乱神，孔子不语。子路问事鬼神，子曰："未能事人，焉能事鬼。"樊迟问智，子曰："敬鬼神而远之，可谓智矣。"此虽不谈鬼神，惜用意涵混，不若《荀子·解蔽天论》所言章明较著矣。儒家子思、孟轲颇言五行，故荀子于《非十二子篇》力诋其谬。盖孟子常言天，《中庸》则曰："国家将兴，必有祯祥。国家将亡，必有妖孽。见乎蓍龟，动乎四体。"与荀子《天论》水火不相容也。荀子、王充而外，能详解其原委者，更有淮南王刘安《淮南书·氾论训篇》，言鬼神起源乃因三事。

夫醉者俯入城门，以为七尺之闺也，超江淮以为寻常之沟也。酒浊其神也。怯者夜见立表，以为鬼也；见寝石，以为虎也。惧掩其气也。又况无天地之怪物乎。夫雌雄相接，阴阳相薄，羽者为雏鷇，毛者为驹犊，柔者为皮肉，坚者为齿角，人弗怪也。水生蠪蜄，山生金玉，人弗怪也。老槐生火，久血为磷，人弗怪也。山出枭阳，水生罔象，木生毕方，井生坟羊，人怪之。见闻鲜而识物浅也。（以上言鬼神由于心造。）天下之怪物，圣人之所独见。利害之反复，知者之所独明达也。同异疑嫌者，世俗之所眩惑也。夫见不可布于海内，闻不可明于百姓，是故因鬼神机祥而为立禁，总形类推而为变象，何以知其然也，世俗言曰："飨大高者，而彘为上牲。葬死人者，裘不可以藏。相戏以刃者，太祖轵其肘。枕户橉而卧者，鬼神蹠其首。"此皆不著于法令，而圣人之所不口传也。夫飨大高而彘为上牲者，非彘贤于野兽麋鹿也，而神明独享之。何也？以为彘者家人所常畜，而易得之物也，故因其便以尊之。裘不可藏者，非能具绨绵曼帛温暖于身也。世以为裘者难得贵贾之物也，而不可传于后世，无益死者而足以养生，故因其资而誉之。相戏以刃太祖轵其肘者，夫以刃相戏，必为过失。过失相伤，其患必大。无涉血之仇争忿斗，而以小事自内于刑戮，愚者所不忌也，故因太祖累以其心。枕户橉而卧鬼神履其首者，使鬼神而玄化，则不待户牖之行。若乘虚而出入，则无能履也。夫户牖者，风气之所往来也。风气也，阴阳相挎者也，离者必病。故托鬼神以伸诫之也。凡此之俗，皆不可胜著于书策竹帛而藏于府官者也。故以机祥明之，为愚者之不知，其害乃借鬼神之威，以声其教，所由来者远矣，而愚者以为机祥，而狠者以为非，唯有道者，能通其志。（以上言鬼神由于设教。）今世之祭井灶、门户、箕帚、臼杵者，非以其神为能飨之也，恃赖其德烦苦之无已也，是故时见其德不功其功也。触石而出，肤寸而合，不崇朝而雨天下者，唯太山。赤地三年而不绝，流泽及百里而润草木者，惟江河也。是以天子秩而祭之。故马免人于难者，其死也葬之。牛其死也，葬以大车为荐。牛马有功，犹不可忘，又况人乎？此圣人之所以重仁袭恩，故炎帝于火而死为灶，禹劳天下而死为社，后稷作稼穑而死为稷，羿除天下之害而死为宗布。此鬼神之所以立。（以上言鬼神由于报功。）

其第一事，与《荀子·解蔽篇》、王充《订鬼篇》旨意相同；第二事，即经传中所谓神道设教；第三事，则崇德报功之说。皆非有真鬼真神于幽暗之中，宰制人事。刘安之无鬼论，诚根本解决矣。诸子既倡无鬼，故于人之死后无所论说，惟列御寇、庄周、王充略言死后之情状。

一、列御寇说。列子行食于道，从见百岁髑髅，攓蓬而指之曰："唯予与汝知而未常死未尝生也。若果养乎？予果欢乎？"种有几，得水则为𦭜，得水土之际则为蛙蠙之衣，生于陵屯则为陵舃，陵舃得郁栖则为乌足，乌足之根为蛴螬，其叶为蝴蝶，蝴蝶胥也化而为虫。生于灶下，其状若脱，其名为鸲掇。鸲掇千日为鸟，其名为乾余骨。乾余骨之沫为斯弥，斯弥为食醯。颐辂生于食醯，黄軦生于九猷，瞀芮生于腐蠸，羊奚比乎不箰，久竹生青宁，青宁生程。（《尸子·广泽篇》程中国谓之豹，越人谓之貘。）程生马，马生人。（《庄子·至乐篇》）

一、庄周说。子祀、子舆、子犁、子来四人相与语曰："孰能以无为首,以生为脊,以死为尻。孰知生死存亡之一体者,吾与之友矣。"……而俄子舆有病。……子祀曰:"汝恶之乎?"曰:"亡。予何恶?浸假而化予之左臂以为鸡,予因以求时夜。浸假而化予之右臂以为弹,予因以求鸮炙。浸假而化予之尻以为轮,以神为马。予因以乘之,岂更驾哉。"(《庄子·大宗师篇》)

一、王充说。人之所以生者,精气也,死而精气灭。能为精气者,血脉也。人死血脉竭,竭而精气灭,灭而形体朽,朽而成灰土,何用为鬼?人无耳目,则无所知,故聋盲之人,比于草木。夫精气去人,岂徒与无耳目同哉。朽则消亡,荒忽不见,故谓之鬼神。(《论衡·论死篇》)

列子之说,今言鬼者多以轮回附会。实则列子论生前之人,非谈死后之鬼。古人言语,虽难尽解,观其全文,大意谓由水生植物变成陆地植物,再变昆虫,再变飞鸟,再变走兽,由豹子演成马,由马演成人。盖详述动物进化。(《天瑞篇》引列子语中有"人血为野火,马血为转磷",专言物质变化者也。)至《吕氏春秋》,更言犬似玃,玃似母猴,母猴似人。(《察传篇》)已明人猴玃犬,相递进化,较列子马生人之说,尚觉确凿。欧洲动物学者,亦有马变人一说,因古代之马其蹄亦五指,足之骨节颇有类人之处。自达尔文以后,此说乃废。不审何以与《列子》《吕览》符合如此。

至于王充则从物理上辩明无鬼,谓世俗言鬼神状态,皆不足信。今举《论死篇》所言分列之。

一、死者不已,将有鬼满之患。

天地开辟,人皇以来,随寿而死,若中年夭亡,以亿万数计。今人之数,不若死者多。如人死辄为鬼,则道路之上,一步一鬼也。人且死见鬼,宜见数百千万满堂盈庭填塞巷路,不宜徒见一两人也。

二、鬼火乃人血之变,非真鬼磷。

世言其血为磷血者,生时之精气也。人夜行见磷,不像人形,混沌积聚,若火光之状。磷,死人之血也,其形不类生人之形也。

三、鬼不得有衣服。

鬼者,死人之精神,则人见之,宜徒见裸袒之形,无为见衣带被服也。何则?衣服无精神,人死与形体俱朽,何以得贯穿之乎?精神本以血气为主,血气常附形体,体虽朽精神尚在,能为鬼可也。今衣服丝絮布帛也,生时血气不附着,而亦自无血气,败朽遂已,与形体等,安能自若为衣服之形?

四、鬼不得有饮食与言语。

人之所以能言语者,以有气力也。气力之盛,以能饮食也。饮食损减则气力衰,衰则声音嘶困,不能食则口不能复言。夫死困之甚,何能复言?或曰:死人歆肴食气,故能言。夫死人之精,生人之精也,使生人不饮食,而徒以口歆肴食之气,不过三日,则饿死矣。或曰:死人之精,神于生人之精,故能歆气为音。夫生人之精在于身中,死则在于身外,死之与生何以殊?身中身外何以异?

五、鬼不能害人。

凡人与物所以能害人者,手臂把刃、爪牙坚利之故也。今人死手臂朽败,不能复持刃,爪牙瘵落,不能复啮噬,安能害人?……病困之时,仇在其旁,不能咄叱,人盗其物,不能禁夺,羸弱困劣之故也。夫死,羸弱困劣之甚者也,何能害人?……凡能害人者,五行之物。金伤人,木殴人,土压人,水溺人,火烧人,使人死精神为五行之物乎?

六、巫人夸诞不足信。

世间死者，今生人殄而用之。言及巫叩元弦下死人魂，因巫口谈皆夸诞之言也（按：此即近世扶乩所谓下死人魂也。今人为《灵学丛志》，其文皆江湖派口吻，无关学理。玉鼎真人释回教不食猪狗义，全不明回教之说。陆氏、江氏《音韵篇》，答吴稚晖先生之问，囫囵吞枣，毫无究竟）。

诸子中唯王充反复讨论，不厌详晰，又有《龙虚篇》证龙神之诞，《雷虚篇》驳雷神之妄。今世科学大明，其言益信。王充以后，晋有阮瞻、阮修执无鬼论，物莫能难。二阮皆道家，其言鬼无衣服，亦同王充。南济范缜著《神灭论》，神形心藏之分，彭生伯有之事，意在拒绝佛教宋儒亦多言无鬼。王安石以灾异不足畏，朱熹谓轮回为生气未尽，偶尔凑泊，其论皆不出周汉人士之书，兹不备述。

愚意鬼神之说，关于国家盛衰。管仲谓功之不正，名之不章。韩非谓可亡国，不足举胜。荀卿谓以为神则凶。吴稚晖谓鬼神之势大张，国家之运告终。证以历史，自三代以至清季，一部廿五史，莫不如是。盖大可惧之事也。墨者言有鬼外可弭诸侯之争，内可禁暴人盗贼，然则古之神道社会，何以杀人盈野？今之耶教徒何为日日从事战场？自古诸族但有以笃信鬼神亡国者，未闻可以救亡者也。

（第五卷第一号，一九一八年七月十五日）

欧战与哲学

蔡元培

现在欧洲的大战争,是法国革命后世界上最大的事。考法国革命,很受卢梭、伏尔泰、孟德斯鸠诸氏学说的影响。但这等学说,都是主张自由平等,替平民争气的。在贵族一方面,全仗向来占据的地盘,并没有何等学理可替他辩护了。现今欧战,是国与国的战争,每一国有他特别的政策,便有他特别相关的学说。我今举三种学说作代表,并且用三方面的政策来证明他。

第一是尼采(Nietsche)的强权主义,用德国的政策证明他;第二是托尔斯泰(Tolstoy)的无抵抗主义,用俄国过激派政策证明他;第三是克罗巴金(Kropotkin)的互助主义,用协商国政策证明他。考尼氏、托氏、克氏的学说,都是无政府主义,现在却为各国政府所利用,这是过渡时代的现象啊!

古今学者,没有不把克己爱人当美德的。希腊时代的诡辩派,虽对于普通人的道德有怀疑的论调,但也是消极的批评罢了。到一千八百四十五年,有一德国人约翰·加派·斯密德(John Kaspar Schmidt)发行一书,叫做《个人与他的产业》(*Der Einzige und sein Eigentum*),专说"利己论"。他说:"我的就是善的,'我'就是我的善物。善呵,恶呵,与我有什么相干? 神的是神的,人类的是人类的。要是我的,就不是神的,也不是人类的。也没有什么真的,苦的,正义的,自由的。就是我的,那就不是普通的,是单独的。"他又说:"于我是正的,就是正。我以外没有什么正的,就是于别人觉得有点不很正的,那是别人应注意的事,于我何干?没有一事,于全世界算是不正的,但于我是正的,因是我所欲的,那就我也不必去问那全世界了。"这真是大胆的判断呵!到十九世纪的后半世纪,尼采始渐渐发布他个性的强权论,有《察拉都斯遗语》(Also sprach Zarathustra)、《善恶的那一面》(Jenseits von Gut und Bose)、《意志向着威权》(Der wille zur Macht)等著作。他把人类行为,分作两类。凡阴柔的,如谦逊、怜爱等,都叫做奴隶的道德;凡阳刚的,如勇敢、矜贵、活泼等,都叫做主人的道德。他所最反对的,是怜爱小弱。所以说,"怜爱是大愚","上帝死了,因为他怜爱人,所以死了"。他的理论,以为进化的例,在乎汰弱留强。强的中间有更强的,也被淘汰。逐层淘汰,便能进步。若强的要保护弱的,弱的就分了强的生活力,强的便变了弱的。弱的愈多,强的愈少,便渐渐地退化了。所以他提出"超人"的名目。又举出模范的人物,如雅典的亚尔西巴德(Alcibiades)、罗马的该撒(Caesar),意大利的该撒·波尔惹亚(Cesare Borgia),德国的鞠台(Goethe)、与毕斯麦克(Bismarck)。他又说此等超人,必在主人的民族中发生,这是属于亚利安人种的。他所说的超人,既然是强中的强,所以主张奋斗。他说:"没有工作,只有战斗;没有和平,只有胜利。"他的世界观,所以完全是个意志,又完全是个向着威权的意志。所以他说:"没有法律,没有秩序。"他的主义是贵族的,不是平民的,所以为德国贵族的政府所利用,实做军国主义。又大倡"德意志超越一切"(Deutsche uber alles),就是超人的主义。侵略比利时,勒索巨款,杀戮妇女,防她生育；断男儿的左手，防他执军器；于退兵时，拔尽地力，焚毁村落，叫他不易恢复，就是不怜爱的主义。条约就是废纸，便是没有法律的主义。统观战争时代的德国政策，几没有不与尼氏学说相应的。不过尼氏不信上帝，德皇乃常常说"上帝在我们"，又说"上帝应罚英国"，小小的不同罢了。

与尼氏极端相反的学说，便是托氏。托氏是笃信基督教的，但是基督教的仪式，完全不要，单提倡那精神不灭的主义。他编有《福音简说》十二章，把基督所说五戒反复说明。第一是绝对的不许杀人，第四是受人侮时不许效尤报复，第五是博爱人类，没有国界与种界。他的意思，以为有人侮我，不过辱及我的肉体，并没有辱及我的精神。但他的精神，是受了侮人的污点，我很怜惜他罢了。若是我用着用眼报眼、用手报手的手段去对付他，是我不但不能洗刷他的精神，反把我自己的精神也污蔑了。所以有一条说："有人侮你，你就自己劝他；劝了不听，你就请两三个人同劝他；劝了又不听，就再请公众劝他；劝了又不听，你只好恕他了。"这是何等宽容呵！《新约·福音书》中曾说道："有人掌你右颊，你就把左颊向着他；有人夺你外衣，你就把里衣给他。"这几句话，有"成人之恶"的嫌疑，所以托氏没有采入《简说》中。托氏抱定这个主义，所以绝对地反对战争。不但反对侵略的战争，并且反对防御的战争。所以他绝对地劝人不要当兵。他曾与中国一个保守派学者通信，大意说，中国人忍耐得许久了，忽然要学欧洲人的暴行，实在可惜，云云。所以照托氏的眼光看来，此次大战争，不但德国人不是，便是比、法、俄、英等国人也都没有是处。托氏的主义，在欧洲流行颇广，俄境尤甚。过激派首领列宁（Lenin）等，本来是抱共产主义，与托氏相同，自然也抱无抵抗主义，所以与德人单独讲和，不愿与协商国共同作战了。在协商国方面的人恨他背约，在俄国他党的人恨他不爱国，所以诋他为德探。但列宁意中本没有国界，本不能责他爱国。至于他受德国人的利用，他也知道。他曾说："军事上虽为德人所胜，主义上终胜德人。"就是说，他的主义，既在俄国实演，德国人必不能不受影响。这是他的真心话。但我想，托氏的主义，专为个人自由行动而设。若一国的人，信仰不同，有权的人把国家当作个人去试他的主义，这与托氏本意冲突。过激派实是误用托氏主义，后来又用兵力来压制异党，乃更犯了托氏所反复说明之第一、第四两戒了。

现在误用托氏主义的俄人失败了，专用尼氏主义的德人不久也要失败了，最后的胜利，就在协商国。协商国所用的，就是克氏的互助主义。互助主义，是进化论的一条公例。在达尔文的进化论中，本兼有竞存与互助两条假定义。但他所列的证据，是竞存一方面较多。继达氏的学者，遂多说互竞的必要，如前举尼氏的学说，就是专以互竞为进化条件的。一千八百八十年顷，俄国圣彼得堡著名动物学教授开勒氏（Kesster）于俄国自然科学讨论会提出"互助法"，以为自然法中，久存与进步并不在互竞而实在互助。从此以后，爱斯彼奈（Espinas）、赖耐桑（L. L. Lanessan）、布斯耐（Louis Buchner）、沙克尔（Huxley）、德普蒙（Henry Drummond）、苏退隆（Sutherland）诸氏都有著作，可以证明互助的公例。克氏集众说的大成，又加以自己历史的研究，于一千八百九十年公布动物的互助，于九十一年公布野蛮人的互助，九十二年公布未开化人的互助，九十四年公布中古时代自治都市之互助，九十六年公布新时代之互助，于一千九百〇二年成书。于动物中列举昆虫鸟兽等互助的证据。此后各章，从野蛮人到文明人，列举各种互助的证据。于最后一章列举同盟罢工、公社、慈善事业种种实例。较之其他进化学家所举"互竞"的实例，更为繁密了。在克氏本是无政府党，于国家主义，本非绝对赞同，但互助的公例，并非不可应用于国际。欧战开始，法比等国平日抱反对军备主义的，都愿服兵役以御德人。克氏亦常宣言，主张以群力打破德国的军国主义。后来德国运动俄法等国单独讲和，克氏又与他的同志，叫做"开明的无政府党"的联合宣言主张非打破德国的军国主义，不可讲和。可见克氏的互助主义，主张联合众弱，抵抗强权，叫强的永不能凌弱的，不但人与人如是，即国与国亦如是了。现今欧战的结果，就给互助主义增了最重大的证据。德国四十年中，扩张军备，广布间谍，他的侵略政策，本人人皆知的了。且英、法等国均自知单独与德国开战必难幸胜，所以早有英、法协商，俄、法协商等预备，就是互助的基本。到开战时，德国首先破坏比国的中立，那时比国要是用托氏的无抵抗主义，竟让德兵过去，攻击法国，英、法等国难免措手不及了。幸而比国竟敢与德国抵抗，使英、法等国有从容预备的时期。俄国从奥国与东普鲁士方面竭力进攻，给德国不能用全力攻法，这就是互助的起点。后来俄国与德国单独讲和，更有美国加入，输军队，输粮食。东亚方面，有日本舰队巡弋海面，有中国工人到法国助制军火。靠这些互助的事实，才能把德人的军国主义逐渐打破。现在德人已经承认美总统所提议的十四条，又允撤退比、法境内的军队。互助主义的成效，已经彰明较著了。此次平和以后，各国必能灭杀军备，自由贸易，把一切互竞的准备撤销，将合全世界实行互助的主义。克氏当尚能目睹的。照此看来，欧战的结果，就使我们对于尼氏、托氏、克氏三种哲学，很容易辨别了。我国旧哲学中，与尼氏相类的，只有列子的《杨朱篇》，但并非杨氏"为我"的本意。

（拙作《中国伦理学史》中曾办过的）托氏主义，道家、儒家均有道及的。如曾子说的"犯而不校"，孟子说的三"自反"，老子说的"三宝"，是很相近的。人人都说我们民族的积弱，都是中了这种学说毒，也是"持之有故"。我们尚不到全体信仰精神世界的程度，只"可用各尊所闻"之例罢了。至于互助的条件，如孟子说的"多助之至，天下顺之；寡助之至，亲戚畔之""不通功易事，则农有余粟，女有余布"，普通人常说的"家不和，被邻欺""群策群力""众擎易举"都是很对的。此后就望大家照这主义进行，自不愁不进化了。

（第五卷第五号，一九一八年十月十五日）

斯宾塞尔的政治哲学

高一涵

一 斯宾塞尔时代的政治思潮

古今学问家的思想，没有一个不受时代影响的。所以要想知道斯宾塞尔（以下或单称斯氏）的政治思想，必先要知道他那个时代的政治思潮。斯宾塞尔的时代，是生物学、经济学等发达的时代。这个时代的政治哲学，多受这些科学的影响。所以要想明白这个时代的政治哲学，有必要先明白这个时代生物学、经济学的原理原则。原来政治和经济是关系最密切的，所以经济学的原理，常常影响到政治学上去了。这种先例，英国是最多的。如放任主义，本是旧派经济学家斯密亚丹和李佳德等所倡导的，后来竟成了政治上的信条。干涉主义，是从德国李斯特（List）的保护主义和马克斯（Marx）的国际社会主义，输到英国来的，后来也变成了政治上的信条。生物学的原理，影响英国政治学家的思想，更是彰明较著的。如"生存竞争""适者生存"的公例，和那"物竞天择"的道理，也适用到政治学上去了。更有许多人拿自然有机体的生长进化，去说明社会的组织演进。所以斯宾塞尔的时代，可算得拿生物学、经济学的原理原则，来说明社会进化的时代。

当十九世纪的中世，英国思想家因为"保护贸易制度""徒弟法""米谷条例"……把工商各界的自由，差不多剥夺完了。此外又有什么国教，又有什么救贫法，不是拘束思想自由，就是斫丧个人的品格，这皆是不能不反对的。所以当时的学者，一个个都大唱放任主义。打一八四八年到一八八〇年，前后三十二年间，是趋向个人主义的时代。主张个人主义的，必定拿天然权利作根据，拿放任政策作方法。所以这个时代，不问是政治学家是经济学家，总脱不了天然权利和放任主义两种学说的色彩。这种学说的实际应用，对于内政，总说人民有天赋的权利，因此便想把政府的权限，缩到不能再缩的地步；对于国际贸易，总想把自由贸易的政策，行到各国里边去才好。简单讲起来，这个时代的一般思想，是从侵略主义（Militarism）趋到实业主义（Industrialism）的。所以斯宾塞尔的时代，又可说是个人主义和放任主义极盛的时代。一八七〇年后，英国政府因为应时势的要求，竟拿国家的权力，去施行教育。再过十年，到了一八八〇年的时候，格林（Green）在牛津大声疾呼的，主张伸张国家权力；社会主义，也渐渐的雷厉风行。当时 Hyndman 激烈社会主义和 Fabians 改革社会主义，主张虽不大相同，然却没有一个不是想把经济的生活，放在社会管理之下的。这就是那个时代的反响和个人主义放任主义过盛的证据。

斯氏生在这个科学发达的时代，本可拿科学的训验来阐发政治原理。但他的政治学，并不是纯从科学中得来的，是拿各种不同的观念凑成的。当他研究科学的时候，他就先有了政治上的成见，又把不能相合的人权因果观念和那国家有机体及进化的观念合在一块。所以斯氏的哲学，从头至尾是拿一个自然权利和生理的比譬凑合起来的。他本想把各不相调的原理,融成一个原理,可惜他不能成功。照这样看来,斯氏仅是一位"牛溲马勃""俱收并蓄"的概括家,不能成一位"条分缕析""融会贯通"的哲学家;仅成了一个杂乱无章时代的产儿,不能成一个汇合万派的先觉。这也是因为他思想的来源太杂了,所以才成就了一个驳杂不纯的斯宾塞尔。

二 斯宾塞尔思想的来源

斯氏生平有一种癖性,就是说凡事由我创始,不肯"拾人牙慧"。所以他的学说,就是和前人一样,也再说不是学人家的。他当一八九九年,写信给司泰芬(Leslie Stephen)说他作《静止的社会观》(*Social Statics*)的时候,并不曾预备过。所论的事,皆是拿自己眼光观察的,不是从人家观察得来的。照他自己说,他的学问是没有来源的。照事实上说,却没有一处不是从人家思想发源下来的。就是他信为"独得之奇"的自由界说,"人人自由,以不侵犯他人自由为限"一句话,也是从法国《人权宣言》书中抄来的。所以我们要想明白斯氏的思想,不可不先去找出他思想的来源。

斯氏思想的来源有三:(一)激进主义(Radicalism),(二)自然科学(Natural Science),(三)唯心主义(Idealism)。

(一)激进主义的发源。斯氏早年,即在英国激进的空气中生活。他生在不信国教的家庭中,自小就受了许多反对国教的教育。他的叔父名叫斯宾塞尔泰门司(Rev Thomas Spencer),是一位很文明的神学家,他说教会是适应外界的情形生长起来的,他又常常同斯达支(Joseph Sturge)合在一块,办 Nonconformist 周刊,并加入普通选举的运动。斯氏的政治活动就是从一八四二年任普通选举联合会的职员起。这个时候,英国人多反对金钱选举成了一种社会的运动,斯氏也曾出了许多气力,又常常做些文章,反对国教和米谷条例。他当一八四八年,曾充任 Economist 的副主笔,因此才同浩思金(Thomas Hodgskin)合在一块儿。可是自打同他在一堆做事,感受他的影响是很不少的。浩思金说:社会是自然的现象,当受自然法支配。政府的职务只是消极的,将来的乌托邦,就是无政府;到了无政府的时候,人类全体的感情,自然能够一致。斯氏早年既受这种激进主义的影响,且把浩思金的思想奉作政治上的信条,所以他后来的思想,总脱不尽激进主义的色彩。

（二）自然科学的影响。斯氏哲学的思想,是一半从生物学得来的,一半从物理学得来的。斯氏当少年时代,最欢喜抽气机和电机,又亲自做几年机器师,所以他得物理学的益处很多。他常常拿物力机械的名词,说明宇宙的进化,却不用生物有机的名词。他用的第一个原则,就是"物力永存"。又从这个原则中,看出万物的终极,必走到极端的平均。因为如此,所以必须顺着进化的次序,向平均的地方走去。斯氏社会的进化观,也是这个道理。他说社会必有达到极端平均的那一天,因为未达到极端平均的地步,所以才有进化,进化就是向极端平均的地方走的。这种观念,在达尔文前,已经有了,斯氏不过承这派的"绪余"罢了。

但是斯氏受生物学的影响,也是很大的。他自幼就好喂养昆虫,所以也很得生物学的益处。后来他常常适用一八〇〇年拉马克(Lamarck)所说的生物学原则。他说外部的境遇能够感动内部的精神。内部精神的构造和机能,又常适应外界的环境。这种适应,是打多少时代上经验得来的。

斯氏的生物进化观和 Coleridge 的生物进化观念不同: Coleridge

说生物进化，是从内部发动的；斯氏说是从外部发动的。所以斯氏自始至终，都主张生物内部的精神常随外界的环境变化，这就是他跳不出拉马克主义外的铁证。他又承认"自然律"非常的庄严，好像老庄看"天道"一样。因为"自然律"如此，所以才能够淘汰不适宜的，遗留下那种最适宜的。这就是斯氏受生物学影响的所在。

（三）唯心主义的影响。斯氏常从 Coleridge 书中，求得德国 Schelling 和 Schlegel 的唯心主义。他静止的社会观中所说的"生命观念"，Idea of Life 就是从唯心主义中得来的。他说"生命"是宇宙进化的原因，实在就可算是宇宙进化。照这样看来，斯氏的进化观念，并不是从生物学上起首的，也不是拿生物学上的进化观扩张起来，适用到宇宙进化上去的。他是从宇宙进化的观念起首，然后把生物的进化包括到宇宙进化之中的。他书中所说的"进化的假设"也是 Schelling 讲求过的。所以斯氏哲学的基础，简直可以说是合冶 Hodgskin 和 Schelling 两个人的理想而成的。这就是他受唯心主义影响的所在。

斯氏思想的来源虽不止这三种，但这三种思想，是斯氏政治思想中最重要的。斯氏的脑筋，是一个"博采兼收"的杂货店子，所以才成了一个驳杂不纯的概括家。他是打唯心的生命观念起头，到唯物的物力永存观念收尾；一方面深信激进主义，一方面又深信自然主义。他虽想用种种的解说，把各种观念调和一致，但他始终不曾做得到。这就是斯氏学说所以驳杂的原因。

三　斯宾塞尔的乌托邦主义

斯氏的政治思想，很有许多地方和我国老子一样：（一）老子主张放任主义，斯氏也主张放任主义。不过老子的放任，是放任于天，对于个人，则主张"无为"，教他不要去"代司杀者杀"。斯氏的放任，却是放任于个人，不教国家去干涉个人的行动。（二）老子把"自然法"看得非常的森严，所以教人听天，不要有为。斯氏也把"自然法"看得非常的重要，所以说天演造就人，比国家造就的好得多。（三）老子的政治学说，推到极端，只有无知无识、老死不相往来的个人，并没有国家社会。斯氏的政治理想，推到终点，也是一个人人均等的无政府的社会。（四）老子心目中的世界是一个想像的古代的世界。斯氏心目中的社会，是一个想像的将来的社会。这就是他们两个人大同小异的地方。

我们研究斯氏的政治哲学，第一件紧要的事就是要晓得他所论的社会，是将来的空想的社会，不是现在的实际的社会。

斯氏是一位崇拜"乌托邦"主义的人，他确信进化的终点，必达到完全均等的境界。这完全均等的境界，就是进化最终的目的，也就是终极的社会观念。到了这个境界，进步就止住了，运动也停歇了。生存这个境界中的人，要怎么样便怎么样，应该怎么样做便怎么样做，所以用不着政府。他在《静止的社会观》里面有几句话说到政府存废的问题。他说：

"政府不是不道德的吗？……政府所以存在，不是因为世间有犯罪的事吗？若是世间没有犯罪事体，政府的职务，已经没有了，还可以存而不废吗？"

他又说：

"说政府可以永远存在，这句话是很不对的，……政府不是必定需要的，而是偶然需要的。我们看见布虚民族是先有国家后有政府，所以相信这两个东西，将来必有一个是可以废止的。"

他所以想废止政府的意思,就是痴心妄想那种无政府的"乌托邦"。因为拿那无政府的"乌托邦"来作社会的标准,所以把现在的社会看作万恶的来源。他所以这样主张,也有几层道理:(一)他看这不完全的政府,实在不配干预人民的行动;(二)他是崇拜个人主义的,所以主张凡事总要从个人的智识得来,不要从国家和政府官史的智识得来;(三)他是最信人数自然权利的,所以他的反面,不得不反对政府;(四)他是信服"自然法"胜于人为法的,所以他相信人为的淘汰,不如天然淘汰的公平。这也是十九世纪中最普通的政治思想。

斯氏的意思,以为不均等是进化的原因,极端均等是进化的归宿。当未达到极端均等的时候,政府也不能够就废。惟一的方法,只有限制政府的权力。斯氏很反对国家立法去管理贸易,反对立法去干涉卫生,反对国设的教育和国立的教会,反对营求属地,反对救贫的制度,并且连国家管理邮政和发行货币也一齐反对的。他理想中的国家,只是一个合股保险公司,只有保护自然权利的一种职务。在这外边,如再多给一点保护,就是人民多受一点损失。所以他说的国家职务,全属于消极的一方面,只说某事某事都是国家不当做的,不说某事某事是国家应该做的。他所以有这种主张,就是因为他确信有自然权利和天演淘汰两件事。

四 斯宾塞尔的自然权利观

斯氏所以反对国家,就因为想保全自然权利。他以为人数第一件重要的事,就是自由运用个人的才能。把个人的才能,发展到了极点,就能够得最大的幸福。发展个人才能的要件,就是自由。

他《静止的社会观》中第一原则,就是平等的自由律。平等的自由,就是人人自由,以不侵犯他人的自由为限。甲尽力发展甲的才能,乙尽力发展乙的才能;甲也不妨害乙的活动,乙也不妨害甲的活动。这就是斯氏的平等的自由观念。

斯氏哲学的基础,全筑在个人身上。他的个人,是无关系的个人,是虚拟的个人。国家的特性,就是集合个人的本性所成的,所以说国家的根本就在个人。国家全靠着个人。个人全靠着自由。能够自由才能得权利。斯氏所说的权利,是自然的权利,是从天赋得来,在未有社会以前,已经有了的。

这也不是斯氏一个人说的,卢梭也是这样说。但这种观念,是很不对的。因为不由社会承认,不待法律承认,不能算是权利。斯氏不承认人民的私有土地权,因为这私有权,妨害一切自由的法则。他主张把土地归公家所有。不过一经分给个人,则土地上产生的东西,必为个人私有的。这是什么缘故呢?这不单是因为他花费了人工,只因为他向社会租借土地,当得社会承认的时候,已经得到所有权了。照这句话推论起来,私有权要社会承认,难道自然权利就不要社会承认吗?斯氏这一句话,几乎把自己的自然权利根本推翻。他后来竟把所有权认作社会的权利,就是因为这句话改变的。

但是斯氏说家族制度,仍然本着自然权利的观念。他极力反对妇人服从,并且连儿童的服从也反对的。他不但说妇人应该有选举权,并且说家庭内的生活组织和训育儿童的职任,也是应该废止。自由的权利,就是小孩子也是应该享受的,也应该和大人一样,不当让父母去压制他。这种主张也是从自然权利观念发出来的。

五　斯宾塞尔的天演观

斯氏注重自然权利，本想为个人寻出自由的根据，让他去发展自然的才能。他尊重天演，发挥"物竞天择""适者生存"的道理，也是教人发展他适宜于环境的才能。他因为那时代的国家说不起造就人物的话，所以相信天演有造就人物的功能。所以他说：

"人者生物之一科，而最为善变者也。自其善变，而其变常受成于所遭于外境。"（见严译《群学肄言》）这是说环境影响人生的功效，且看他举出天演中适者生存的证据：

"……是故目莫疾于鸷鸟，此非泰始而然也；其不疾者以艰食而渐亡，其疾者以天择而蕃滋焉；故鸷鸟以目疾特传。足莫迅于食荐，其不迅者为豺虎之食尽矣；而豺虎以求食之愈难也，亦存而衍其迅足而善伺者。故天演之事，其能杀与所杀，二者形体之完利，有交相进者焉。不独形体有交进也，其官知亦然。

"警者遇险而早觉，蠢者当机而晚悟；早觉者传而衍，晚悟者渐以亡也。黠者以善伺而得食，钝者以惊物而常饥；如是黠者有其子孙，而钝者绝其种嗣。故自有生物以还，自然者用其相攻，以范进乎庶类；圆颅方趾之伦，其受范于自然亦如此耳，岂能违哉？"（见严译《群学肄言》

这是斯氏所以重视天演的原因。他因为天演是存留最适宜的，淘汰那不适宜的，所以他反对救贫制度和公共卫生。因这两件事，都是妨碍生存竞争、适者生存的事，是干涉天演的事；就是同老子说的"代司杀者杀""代大匠斫"，是一个道理。

六　斯宾塞尔有机体的社会观

斯氏因为 Schelling 所说的生物学原理,有趋于个体的倾向。所以他由生物学得来的进化观念,就是"由一之万,由纯之杂"。因为他深信个体的原理,所以极力主张个人主义。他以为人有人的个体,社会有社会的个体。因为人的个体是有机体,所以社会的个体,也可说是有机体。原来有机体含有三层意思:(一)由不一样的部分合组起来的生活体;(二)因为各部有各部的用处,才能够互相补助、互相倚靠;(三)全部的发达,全仗各部能够各做各的事。这种生活体,是天然生长的,不是人力制造的;是由内外部一齐发达长起来的,不是由一部一部单独长起来的。斯氏拿这个原则来说明社会,却有两层用意:一是想让它自由生长,不教国家去干涉它;二是想叫各部分同时发达,各尽各的职务,不可单从一部分着手。不过社会有机体到底是个什么,恐怕连斯氏自己也不大明白。人是天然的躯体,可以称为有机体。社会不过是由人类精神结合的组织,并没有天然生成的躯体,若叫他为物质的社会有机体(Physical Social organism),试问这个名词,怎么能通呢?

原来国家和社会,有些地方是同有机体相同的,有些地方是同有机体两样的。什么地方是相同呢?(一)国家和社会的构成分子,结成一块,各有各的机能。照这样看来,国家和社会绝不像无生命的机械体,倒很像有生命的有机体。(二)国家和社会想达到公共目的,全仗各部各自做事。有机体也是这个样子。(三)国家和社会的变迁,也是由内部发动,用全体进步的法子。这个地方也很像有机体。说到不同的地方,可就很多了:(一)有机体的构成分子,离了全体,就没有独立的生命。国家和社会的构成分子,就是离了全体,也可以独立生活的。(二)有机体的构成分子,不能自由运动迁移。国家和社会的构成分子,不但可以自由运动迁移,并且可以增减个数。(三)有机体的分子发展活动,都是没有意识的;国家和社会的分子发展活动,都是有意志的。因为有这些不同的地方,所以只能说国家社会像有机体,不能说国家社会就是有机体。国家和社会单是精神的心理的结合,不是物质的生理的结合!斯氏不把他分析清楚,所以弄出许多费解的议论。

七　结论

斯氏的政治思想,到后来很有许多变更,土地和妇人两个问题,变易的痕迹是很明白的。他那种直觉的道德观已抛弃了,外界的环境观念,后来也变成内界的精神观念。但他的虚荣心很重,所以始终打不破自我作始的念头,去不掉固执己见的癖性。伯尔克(Barker)说:"斯氏生平,不大坦白,若是改变观念,总要遮掩他改变的痕迹。他又有一个习惯,凡遇有矛盾,他就模模糊糊地掩饰过去。他同密尔泰勒尔争论妇人选举问题,同乔其亨利辩论土地国有问题。后来因为后一问题,竟同赫胥黎、乔其亨利等吵闹。他对于这些问题,虽分明改变了旧日的主张,却不肯明明白白地说出来。他一八九二年所印的《静止的社会观》把第一次出版书中关系这个问题的部分删了,却不加一个字的说明,这真是一桩可笑的事!"照这几句话看来,就可以明白斯氏学问受自我作始和固执己见两桩事的影响。所以把他引来,作我这篇政治哲学的结尾。

本篇的议论，多从白尔克的《英国政治思想史》(Barker's *Political Thought in England* from Spencer to today)上得来的，读者可以参看原书。

（第六卷第三号，一九一九年三月十五日）

实验主义

胡 适

一 引论

现今欧美很有势力的一派哲学,英文叫做 Pragmatism,日本人译为"实际主义"。这个名称本来也还可用,但这一派哲学里面,还有许多大同小异的区别,"实际主义"一个名目不能包括一切支派。英文原名 Pragmatism 本来是皮耳士(C. S. Peirce)提出的,后来詹姆士(William James)把这个主义应用到宗教经验上去,皮耳士觉得这种用法不很妥当,所以他想把他原来的主义改称为 Pragmaticism 以别于詹姆士的 Pragmatism。英国失勒(J. C. S. Schiller)一派把这个主义的范围更扩充了,本来不过是一种辩论的方法,竟变成一种真理论和实在论了(看詹姆士的 Meaning of Truth,页五十一)。所以失勒提议改用"人本主义"(Humanism)的名称。美国杜威(John Dewey)一派,仍旧回到皮耳士所用的原意,注重方法论一方面。他又嫌詹姆士和失勒一班人太偏重个体事物和"意志"(Will)的方面,所以他也不愿用 Pragmatism 的名称,他这一派自称为"工具主义"(Instrumentalism),又可译为"应用主义"或"器用主义"。

因为这一派里面有这许多区别,所以不能不用一个涵义最广的总名称。"实际主义"四个字可让给詹姆士独占。我们另用"实验主义"的名目来做这一派哲学的总名。就这两个名词的本义看来,"实际主义"(Pragmatism)注重实际的效果;"实验主义"(Experimentalism)虽然也注重实际的效果,但它更能点出这种哲学所最注意的是实验的方法。实验的方法就是科学家在试验室里用的方法。这一派哲学的始祖皮耳士常说他的新哲学不是别的,就是"科学试验室的态度"(the laboratory attitude of mind)。这种态度是这种哲学的各派所公认的,所以我们可用来做一个"类名"。

以上两段论实验主义的名目,也可表现实验主义和科学的关系。这种新哲学完全是近代科学发达的结果。十九世纪是科学史上最光荣的时代,不但科学的范围更扩大了,器械更完备了,方法更精密了,最重要的是科学的基本观念都经过了一番自觉的评判,受了一番根本的大变迁。这些科学基本观念之中,有两个重要的变迁,都同实验主义有绝大的关系。

第一,是科学家对于科学律例的态度的变迁。从前崇拜科学的人,大概有一种迷信,以为科学的律例都是一定不变的天经地义。他们以为天地万物都有永久不变的"天理",这些天理发现之后,便成了科学的律例。但是这种"天经地义"的态度,近几十年来渐渐地更变了。科学家渐渐地觉得这种天经地义的迷信态度,很可能阻碍科学的进步;况且他们研究科学的历史,知道科学上许多发明都是运用"假设"的效果;因此他们渐渐地觉悟,知道现在所有的科学律例,不过是一些最适用的假设,不过是现在公认为解释自然现象最方便的假设。譬如行星的运行,古人天天看见日出于东落于西,并不觉得什么可怪。后来有人问日落之后到什么地方去了呢？有人说日并不落下，日挂在天上，跟着天旋转，转到西方又转向北方，离开远了，我们看不见它，便说日落了，其实不曾落。（看王充《论衡》说日篇。）这是一种假设的解释。后来有人说地不是平坦的，日月都从地下绕出；更进一步，说地是宇宙的中心，日月星辰都绕地行动；再进一步，说日月绕地成圆圈的轨道，一切星辰也依着圆圈运行。

这是第二种假设的解释，在当时都推为科学的律例。后来天文学格外进步了，于是有哥白尼出来说日球是中心，地球和别种行星都绕日而行，并不是日月星辰绕地而行。这是第三个假设的解释。后来的科学家，如恺柏勒（Keppler,）如牛顿（Newton），把哥白尼的假设说得格外周密。自此以后，人都觉得这种假设把行星的运行说得最圆满，没有别种假设可比得上它，因此它便成了科学的律例了。即此一条律例看来，便可见这种律例原不过是人造的假设用来解释事物现象的。解释得满人意，就是真的；解释得不满人意，便不是真的，便该寻别种假设来代它了。不但物理学、化学的律例是这样的，就是平常人最信仰、最推崇为永永不磨的数学定理，也不过是一些最适用的假设。我们学过平常的几何学的，都知道一个三角形内的三只角之和等于两只直角；又知道一条直线外的一点上只可作一条直线与那条直线平行。这不是几何学上的天经地义吗？但是近来有两派新几何学出现，一派是罗贝邱司基（Lobatschewsky）的几何，说三角形内的三只角加起来小于两直角，又说在一点上可作无数线和一条直线平行；还有一派是利曼（Riemanr）的几何，说三角形内的三角之和大于两直角，又说一点上所作的线没有一条和点外的直线平行。这两派新几何学（我现在不能细说,）都不是疯子说疯话，都有可成立的理由。于是平常人和古代哲学家所同声尊为天经地义的几何学定理，也不能不看做一些人造的最方便的假设了。（看 Poincare, Science and Hypothesis, Chapters Ⅲ. Ⅴ, and Ⅸ）

这一假说从前认作天经地义的科学律例如今都变成了人造的最方便、最适用的假设。这种态度的变迁涵有三种意义：（一）科学律例是人造的，（二）是假定的，——全靠它解释事实能不能满意，方才可定它是不是适用的，（三）并不是永远不变的天理，——天地间也许有这种永远不变的天理，但我们不能说我们所拟的律例就是天理。我们所假设的律例不过是记载我们所知道的一切自然变化的"速记法"。这种对于科学律例的新态度，是实验主义的一个最重要的根本学理。实验主义绝不承认我们所谓"真理"就是永远不变的天理。它只承认一切"真理"都是应用的假设。假设的真不真，全靠它能不能发生它所应该发生的效果。这就是"科学试验室的态度"。

此外，十九世纪还有第二种大变迁，也是和实验主义有极重要的关系的。这就是达尔文的进化论。达尔文最重要的书名为《物种起源》。从古以来，讲进化的人本不少，但总不曾明白主张"物种"是变迁进化的结果。哲学家大概把一切"物种"（Species）认作最初同时发生的，发生以来，永世不变，古今如一。中国古代的荀子说，"古今一度也，类不悖，虽久同理"。杨倞注说："类，种类，谓若牛马也。言种类不乘悖，虽久而理同。今之牛马与古不殊，何至于人而独异哉？"（看我的《中国哲学史大纲》页三百一十一至三百一十三。）这是说物的种类是一成不变的。古代的西洋学者如亚里士多德一辈人也是主张物种不变的。

这种物类不变的观念，在哲学史上很有大影响。荀子主张物类不悖,虽久同理,故他说那些主张"古今异情,其所以治乱者异道"的人都是"妄人"。西洋古代哲学因为主张物类不变,故也把真理看做一成不变。个体的人物尽管有生老死灭的变化,但"人""牛""马"等种类是不变化的;个体的事实尽管变来变去,但那些全称的普遍的"真理"是永久不变的。到了达尔文方才敢大胆宣言物的种类也不是一成不变的,都有一个"由来",都经过了许多变化,方才到今日的种类。到了今日,仍旧可使种类变迁,如种树的可以接树,养鸡的可以接鸡,都可得到特别的种类。不但种类变化,真理也变化。种类的变化是适应环境的结果,真理不过是对付环境的一种工具,环境变了,真理也随时改变。宣统年间的忠君观念已不是雍正、乾隆年间的忠君观念了。民国成立以来,这个观念竟全行丢了,用不着了。知道天下没有永久不变的真理,没有绝对的真理,方才可以起一种知识上的责任心。我们人类所要的知识并不是那绝对存立的"道哪""理哪",而是这个时间,这个境地,这个我的这个真理。那绝对的真理是悬空的,是抽象的,是笼统的,是没有凭据的,是不能证实的。因此古来的哲学家可以随便乱说,这个人说是"道",那个人说是"理",第三人说是"气",第四人说是"无",第五人说是"上帝",第六人说是"太极",第七人说是"无极"。你和我都不能断定哪一个说的是,哪一个说的不是,只好由他们乱说罢了。我们现在且莫问那绝对究竟的真理,只须问我们在这个时候,遇着"这个真理";这一类"这个真理"是实在的,是具体的,是特别的,是有凭据的,是可以证实的。因为这个真理是对付这个境地的方法。所以,它若不能对付,便不是真理;它能对付,便是真理,所以说它是可以证实的。

这种进化的观念,自从达尔文以来,各种学问都受了它的影响。但是哲学是最守旧的东西,这六十年来,哲学家所用的"进化"观念仍旧是海智尔(Hegel)的进化观念,不是达尔文的《物种起源》的进化观念。(这话说来很长,将来再说罢。)到了实验主义一派的哲学家,方才把达尔文一派的进化观念拿到哲学上来应用,拿来批评哲学上的问题,拿来讨论真理,拿来研究道德。

进化观念在哲学上应用的结果,便发生了一种"历史的态度"(The Genetic Method)。怎么叫做"历史的态度"呢?

这就是要研究事物如何发生,怎样来的,怎样变到现在的样子;这就是"历史的态度"。譬如研究"真理",就该问,这个意思何以受人恭维,尊为"真理"?又如研究哲学上的问题,就该问,为什么哲学史上发生这个问题呢?又如研究道德习惯,就该问,这种道德观念(例如"爱国心")何以应该尊崇呢?这种风俗(例如"纳妾")何以能成为公认的风俗呢?这种历史的态度便是实验主义的一个重要的元素。

以上泛论实验主义的两个根本观念,第一是科学试验室的态度,第二是历史的态度。这两个基本观念都是十九世纪科学的影响。所以我们可以说,实验主义不过是科学方法在哲学上的应用。

二 皮耳士——实验主义的发起人

詹姆士说"实验主义"不过是思想的几个老法子换上了一个新名目。这话固然不错,因为古代的哲学家如中国的墨翟、韩非(看我的《中国哲学史大纲》页五三至一六十五、又一九十七、又三七十九至三八十四),如希腊的勃洛太哥拉(Protagoras),都可说是实验主义的远祖。但是近世的实验主义是近世科学的自然产儿,根据格外坚牢，方法格外精密，并不是古代实验主义的嫡派子孙，故我们尽可老老实实地从近世实验主义的始祖皮耳士说起。

皮耳士生于西历一八三九年，死于一九一四年。他的父亲Benjamin Peirce 是美国一个最大的数学家，所以他小时就受了科学的教育。他常说他是在科学试验室里长大的。

后来他也成了一个大数学家，名学家，物理学家。他的物理学上的贡献是欧美学者所公认的。一八六几年皮耳士在美国康桥发起了一个哲学会，会员虽不过十一二人，却很有几个重要人物，内中有一个便是赫赫有名的詹姆士。皮耳士在这会里曾发表他的实验主义，詹姆士很受了他的影响。到了一八七七年十一月，皮耳士方才把他的实验哲学做了一篇长文登在美国《科学通俗月刊》上。这篇文章共分六章，登了几个月才登完。当时竟没有人赏识他。直到二十年后，詹姆士在加省大学演讲，方才极力表章皮耳士的实验主义。那时候，时机已经成熟了，实验主义就此一日千里地传遍全世界了。

皮耳士这篇文章总题目是"科学逻辑的举例"。这个名称很可注意，因为这就可见实验主义同科学方法的关系。

这篇文章的第二章题目是"如何能使我们的意思明白"。这个题目也很可注意，因为这一章是实验主义发源之地，看这题目便知道实验主义的宗旨不过是要寻一个方法来把我们所有的观念的意义弄得明白清楚。他是一个科学家，所以他的方法只是一个科学实验室的态度。他说："你对一个科学实验家无论讲什么，他总以为你的意思是说某种实验法若实行时定有某种效果。若不如此，你所说的话他就不懂得了。"他平生只遵守这种态度，所以说："一个观念的意义完全在于那观念在人生行为上所发生的效果。凡试验不出什么效果来的东西，必定不能影响人生的行为。所以我们如果能完全求出承认某种观念时有那么些效果，不承认他时又有那么些效果，如此我们就有这个观念的完全意义了。除掉这些效果之外，更无别种意义。这就是我所主张的实验主义。"（Journal of Philos., Psy., and Sc., Meth. XⅢ, No. 26, p. 710 引）

他这一段话的意思是说，一切有意义的思想都会发生实际上的效果。这种效果便是那思想的意义。若要问那思想有无意义或有什么意义，只消求出那思想能发生何种实际的效果，只消问若承认他时有什么效果，若不认他时又有什么效果。若不论认他或不认他，都不发生什么影响，都没有实际上的分别，那就可说这个思想全无意义，不过是胡说的废话。

我且举一个例。昨天下午北京大学哲学教授会审查学生送来的哲学研究会讲演题目。内中有一个题目是："人类未曾运思以前，一切哲理有无物观的存在？"这种问题，依实验主义看起来，简直是废话。为什么呢？因为无论我们承认未有思想以前已有哲理或没有哲理，于人生实际上有何分别？

假定人类未曾运思之时"哲理"早已存在，这种假定又如何证明呢？这种哲理于人生行为有什么关系？更假定那时候没有哲理，这哲理的没有，又如何证明呢？又于人生有什么影响呢？若是没有什么影响，可不是不成问题的争论吗？

皮耳士又说："凡一个命辞的意义在于将来（命辞或称命题 Proposition）。何以故呢？因为一个命辞的意义还只是一个命辞，还只是把原有的命辞翻译成一种法式，使它可以在人生行为上应用。"他又说："一个命辞的意义即那命辞所指出一切实验的现象的通则。"（同上书 p. 711 引）这话怎么讲呢？我且举两条例。譬如说

"砒霜是有毒的"。这个命辞的意义还只是一个命辞。例如"砒霜是吃不得的",或是"吃了砒霜是要死的",或是"你千万不要吃砒霜",这三个命辞都只是"砒霜有毒"一个命辞所涵的实验的现象。后三个命辞是前一个命辞翻译出来的应用公式,是这个命辞的真正意义。又如说"闷空气是有害卫生的"和"这屋里都是闷空气",这两个命辞的意义就是叫你"赶快打开窗子换换新鲜空气"。

皮耳士的学说不但是说一切观念的意义在于那观念所能发生的效果,他还要进一步说,一切观念的意义是那观念所指示我们应该养成的习惯"闷空气有害卫生",一个观念的意义在于它能使我们养成常常开窗换新鲜空气的习惯。

"运动有益身体"一个观念的意义在于它能使我们养成时常健身运动的习惯。科学的目的只是要给我们许多有道理的行为方法,使我们从信仰这种方法生出有道理的习惯。

这是科学家的知行合一说。这是皮耳士的实验主义。(参看 Journal of Ph. Psy. and Se Meth. XIII, 26, pp. 708~720)

三 詹姆士的心理学

维廉詹姆士(William James)生于一八四二年,死于一九一〇年。他的父亲 Henry James 是一个 Swedenborg 派的宗教家,有一些宗教的著作。(Swedenborg, 1988~1772,瑞典人,是一个神秘的宗教家,自创一派流传到今。他说人有一种精神的官能,往往闭塞了,若开通时便可与精神界直接往来。他自己说是真能做到这步田地的。)他的兄弟也叫 Henry James(1983~1916),是近世一个最大的文豪,所做的小说在英美两国的文学中占极重要的位置。我们的哲学家詹姆士初学医学，在哈佛大学得医学博士学位之后，就在那里教授解剖学和生理学，后来才改为心理学科哲学的教授。一八九〇年他的大《心理学》出版，自此以后他就成了一个哲学界的重要人物。

他的著作很多，我且举几种最重要的：

大《心理学》(The Principles of Psycholgy, 1890)

小《心理学》(Psychology, 1892)

《信仰的意志》及其他论文，(The Will to Believe 1897)

《宗教经验的种种》(The Varieties of Religious Experience, 1902)

《实验主义》(Pragmatism, 1907)

《真理的意义》(The Meaning of Truth, 1909)

詹姆士在哲学史上的最大贡献就是他的"新心理学"。

他的新心理学是心理学史上一大革命，因为以前只有"构造的心理学"(Structural Psychology)，到了他以后方才有"机能的心理学"(Functional Psychology)，又名"作动的心理学"(Behavioristic Psychology)。这种新心理学又是哲学史上一大革命，因为一百五十年来的哲学都受了休谟(David Hume)的心理解剖的影响，把心的内容看做许多碎细的元素，名为"印象"(Impressions)与"意象"(Ideas)。休谟走到极端，不但把一切外物都认作一群一群的感觉，并且连这个感觉的"我"也不过是一大堆印象和意象。还有物界一切因果的关系，也并没有实在，不过都是人心联想习惯的结果。后来出了一个大哲学家康德(Kant)，觉得休谟的知识论不能使人满意，于是创出他的新哲学。我现在不能细述康德的哲学，只可略说一个重要的方面。康德承认休谟的心理分析是不错的，承认心的内容是一些零碎的感觉；但是康德进一步说这些细碎的分子之外，还有两个综合的官能，一个是直觉，一个是明觉。直觉有两个法门，一是空间，一是时间；明觉有十二种法门，什么多数哪，独一哪，有哪，无哪，因果哪，我也不去细说了。每起一种知觉时，先经过直觉关，到了关上，那感觉的"与料"便化成空间、时间；然后明觉过来，自然会把那"与料"归到那十二法门中的相当法门的去，于是才知道它是一还是多，是有还是非有，是因还是果。康德的哲学因为要填补休谟的缺陷，故于感觉的资料之外请出一个整理组合的理性来。康德以来的哲学虽然经过许多变迁，总不曾跳出这个中心观念。一方面是感觉的资料，一方面是有组合作用的心。后来的人说来说去，越说越微妙了，但总说不出为什么这两部分都不可少，又说不出这两个相反对的部分怎样能够同力合作发生有系统的组织。

詹姆士的心理学以为休谟一派的联想论把一切思想都看做习惯的联想，固是不对的，但是理性派的哲学家，建立一个独立实在的心灵，也没有实验的根据。他说科学的心理学应该用生理的现象来解释心理的现象，应该承认脑部为一切心理作用的总机关，更应该寻出心理作用的生理的前因和生理的后果。他说："没有一种心理的变迁同时不发生身体上的变迁的。"这是生理的心理学，固然不是詹姆士创始的，但他更进一步，把生物学的道理应用到生理的心理学上。从前斯宾塞（Spencer）曾定下一条通则，说"心理的生活和生理的生活有同样的主要性质，两种生活都是要使内部的关系和外部的关系互相适应"。詹姆士承认这个通则在心理学上很有用处，所以他的心理学的基本观念是：凡认定未来的目标而选择方法和工具以求做到这个目标，这种行动就是有心的作用的表示。

心的作用就是认定目的而设法达到所定目的的作用。这种观点可以补救从前休谟和康德的缺点。为什么呢？因为休谟一派人把心的内容看做切碎的分子，其实那一点一块的分子并不是经验的真相；个人的经验是连贯不断的一个大整块，不过随时起心的作用时自然不能不有所选择，不能不在这连绵不断的经验上挑出一部分来应用，所以表面上看去很像是一支一节的片段，其实还是整块的、不间断的。还有康德一派人于感觉之外请出一个综合整理的心，又把这个心分成许多法门，这也是有弊的说法。因为神经系统之外更没什么"心官"，况且这个神经系统也不是照相镜一般的物事。若如康德所说，那心官分做许多法门，外物进来，自然会显出种种关系，那么心官岂不是同照相镜一样，应该有什么东西便自然照成什么东西，——那么，何以还有知识思想上的错误呢？詹姆士用生理来讲心理，认定我们的神经系统不过是一种应付外物的机能，并不是天生成完全无错误的，是最容易错误的，不过是有随机应变的可能性。"上一回当，学一回乖。"一切错误算不得是他的缺点，只可算是必须经过的阶级。心的作用并不是照相镜一般的把外物照在里面就算了，心的作用是从已有的知识里面挑出一部分来做现在应用的资料。一切心的作用（知识思想等）都起于个人的兴趣和意志。兴趣和意志定下选择的目标，有了目标方才从已有的经验里面挑出达到这目标的方法、器具和资料。康德所说的"纯粹理性"是绝对没有的东西。没有一种心的作用不带着意志和兴趣的，没有一种心的作用不是选择去取的。

这是詹姆士的新心理学的重要观念。从前经验派和理性派的种种争论都可用这种心理学来解决调和。因为心的作用是选择去取的，所以现在的感觉资料便是引起兴趣意志的刺激物，过去的感觉资料(经验)便是供我们选择方法工具的材料,从前所谓组合整理的心官便是这选择去取的作用。世间没有纯粹的理性,也没有纯粹的知识思想。理性是离不了意志和兴趣的;知识思想是应用的,是用来满足个人的意志兴趣的。古人所说的纯粹理性和纯粹思想都是把理性和思想看做自为首尾,自为起结的物事,和实用毫无关系,所以没有真假可说,没有是非可说,因为这都是无从证明的。现在说知识思想是应用的,看他是否能应用就可以证实他的是非和真假了。所以我们可说,詹姆士的心理学是实验主义的心理学上的基础。

四　詹姆士论实验主义

本章的题目是"詹姆士论实验主义"。这个标题的意思是说,本章所说虽是用他的《实验主义》一部书做根据,却不全是他一个人的学说,而是他综合皮耳士、失勒、杜威、倭斯鞺 Ostwald、马赫 (Mach)等人的学说,做成一种实验主义的总论。他这个人是富有宗教性的,有时不免有点偏见,所以我又引了旁人(以杜威为最多)批评他的话来纠正他的议论。

詹姆士讲实验主义有三种意义:第一,实验主义是一种方法论;第二,是一种真理论(theory of truth);第三,是一种实在论(theory of reality)。

(1)方法论。詹姆士总论实验主义的方法是"要把注意之点从最先的物事移到最后的物事,从通则移到事实,从范畴(Categories)移到效果"(Pragamtism, pp. 45~55)。这些通则哪,定理哪,范畴哪,都是"最先的物事"。亚里士多德说"在天然顺序中比较容易知道的"，就是这些东西。古来的学派大抵都是注重这些抽象的东西的。詹姆士说："我们大家都知道人类向来喜欢玩种种不正当的魔术。魔术上最重要的东西就是名字。你如果知道某种妖魔鬼怪的名字，或是可以镇服他们的符咒，你就可以管住他们了。所以初民的心里觉得宇宙竟是一种不可解的谜；若要解这个哑谜，总须请教那些开通心窍、神通广大的名字。宇宙的道理即在名字里面；有了名字便有了宇宙了。（参看中国儒家所论正名的重要，如孔丘、董仲舒所说。）'上帝''物质''理''太极''力'都是万能的名字。你认得它们，就算完事了。玄学的研究，到了认得这个神通广大的名字，可算到了极处了。"他这段说话挖苦那班理性派的哲学家，可算得厉害了。他的意思只是要表示实验主义根本上和从前的哲学不同。实验主义要把种种全称名字一个一个地"现兑"做人生经验，再看这些名字究竟有无意义，所以说"要把注意之点从最先的物事移到最后的物事，从通则移到事实，从范畴移到效果"。

这便是实验主义的根本方法。这个方法有三种应用。

（甲）用来规定事物（objects）的意义，（乙）用来规定观念（ideas）的意义，（丙）用来规定一切信仰（定理、圣教、量之类）的意义。

（甲）事物的意义。詹姆士引德国化学大家倭斯韈（Ostwald）的话"一切实物都能影响人生行为，那种影响便是那些事物的意义"，他自己也说，"若要使我们心中所起事物的感想明白清楚，只须问这个物事能生何种实际的影响，——只须问它发生什么感觉，我们对它起何种反动"（pp. 46~47）。譬如上文所说的"闷空气"，它的意义在于它对于呼吸的关系和我们开窗换空气的反动。

（乙）观念的意义。他说我们如要规定一个观念的意义，只须使这观念在我们经验以内发生作用。把这个观念当做一种工具用,看它在自然界能发生什么变化、什么影响。一个观念(意思)就像一张支票,上面写明可支若干效果,如果这个自然银行见了这张支票即刻如数现兑,那支票便是真的,——那观念便是真的。

(丙)信仰的意义。信仰包括事物与观念两种,不过信仰所包事物观念的意义是平常公认为已经确定了的。若要决定这种观念或学说的意义,只须问"如果这种学说是真的,那种学说是假的,于人生实际上可有什么分别吗?如果无论哪一种是真是假都没有实际上的区别,那就可证明这两种表面不同的学说其实是一样的,一切争执都是废话。"(p.45)譬如我上文所引"人类未曾运思以前,一切哲理有无物观的存在"问题,两方面都可信,都不发生实际上的区别,所以就不成问题了。

以上说方法论的实验主义。

(2)真理论。什么是"真理"(truth)?这个问题在西洋哲学史上是一个顶重要的问题。那些旧派的哲学家说真理就是同"实在"相符合的意象。这个意象和"实在"相符合便是真的,那个意象和"实在"不相符合便是假的。这话很宽泛,我们须要问:什么叫做"和实在相符合"?旧派的哲学家说:"真的意象就是实在的摹本(copy)。"詹姆士问道:"譬如墙上的钟,我们闭了眼睛可以想象钟的模样,那还可说是一种摹本。但是我们心里起的钟的用处的观念,也是摹本吗?摹的是什么呢?又如我们说钟的发条有弹性,这个观念摹的又是什么呢?这就可见一切不能有摹本的意象,那'和实在相符合'一句话又怎么解说呢?"(Pragamtism, p.199)

詹姆士和旁的实验哲学家都攻击这种真理论,以为这种学说是一种静止的、惰性的真理论。旧派的意思好像是只要把实在直抄下来就完了事,只要得到了实在的摹本,就够了,思想的功用就算圆满了。好像我们中国在前清时代奏折上批了"知道了,钦此"五个大字,就完了。这些实验哲学家是不甘心的,他们要问:"假定这个观念是真的,这可于人生实际上有什么影响吗?这个真理可以实现吗?这个道理是真是假,可影响那几部分的经验吗?总而言之,这个真理现兑成人生经验,值得多少呢?"

詹姆士因此下一个界说道:"凡真理都是我们能消化受用的,能考验的,能用旁证证明的,能稽核查实的。凡假的观念都是不能如此的。"(p.201)他说:"真理的证实在能有一种满意摆渡的作用"。(p.202)怎么叫作摆渡的作用呢?他说:"如果一个观念能把我们一部分的经验引渡到别一部分的经验,连贯得满意,办理得妥贴,把复杂的变简单了,把烦难的变容易了——如果这个观念能做到这步田地,它便'真'到这步田地,便含有那么多的真理"。(p.58)譬如我走到一个大森林里,迷了路,饿了几日走不出来,忽然看见地上有几个牛蹄印子,我心里便想到若跟着牛蹄印子走,一定可寻到有人烟的地方。这个意思在这个时候非常有用,我依了做去,果然出险了,这个意思便是真的,因为他能把我从一部分的经验引渡到别部分的经验,因此便自己证实了。

据这种见解看来,上文所说"和实在相符合"一句话便有了一种新意义。真理"和实在相符合"并不是静止的符合,乃是作用的符合。从此岸渡到彼岸,把困难化为容易,这就是"和实在相符合"了。符合不是临摹实在,是应付实在,是适应实在。

这种"摆渡"的作用,又叫作"做媒"的本事。詹姆士常说一个新的观念就是一个媒婆,它的用处就在能把本来有的旧思想和新发现的事实拉拢来做夫妻,使他们不要吵闹,使他们和睦过日子。譬如我们从前糊糊涂涂地过太平日子,以为物体从空中掉下来是很自然的事，不算稀奇。不料后来人类知识进步了，知道我们这个地球是悬空吊在空中，于是便发生疑问，这个地球何以能够不掉下去呢？地球既是圆的，圆球那一面的人物屋宇何以不掉到太空中去呢？这个时候，旧思想和新事实不能相容，正如人家儿女长大了，男的吵着要娶媳妇了，女的吵着要嫁人了。正在吵闹的时候，来了一个媒婆，叫做"吸力说"，他从男家到女家，又从女家到男家，不知怎样一说，女家男家都答应了，于是遂成了夫妇，重新过太平的日子。

所以詹姆士说，观念成为真理全靠它有这做媒的本事。一切科学的定理，一切真理，新的旧的，都是会做媒的；或是现任的媒婆，或是已经退职的媒婆。

纯粹物观的真理，不曾替人做过媒，不曾帮人摆过渡，这种真理是从来没有的。

这种真理论叫做"历史的真理论"（genetic theory of truth），为什么叫做"历史的"呢？因为这种真理论注重的点在于真理如何发生，如何得来，如何成为公认的真理。真理并不是天上掉下来的，也不是人胎里带来的；真理原来是人造的，是为了人造的，是人造出来供人用的。是因为他们大有用处所以才给他们"真理"的美名的。我们所谓真理，原不过是人的一种工具。真理和我手里这张纸、这条粉笔、这块黑板、这把茶壶，是一样的东西，都是我们的工具。因为从前这种观念曾经发生功效，故从前的人叫它做"真理"；因为它的用处至今还在，所以我们还叫它做"真理"。万一明天发生他种事实，从前的观念不适用了，它就不是"真理"了，我们就该去找别的真理来代它了。譬如"三纲五伦"的话，古人认为真理，因为这种话在古时宗法的社会很有点用处。但是现在时势变了，国体变了,"三纲"便少了君臣一纲,"五伦"便少了君臣一伦。还有"父为子纲,夫为妻纲"两条,也不能成立。古时的"天经地义",现在变成废话了。有许多守旧的人觉得这是很可痛惜的。其实这有什么可惜?衣服破了,该换新的;这支粉笔写完了,该换一支;这个道理不适用了,该换一个。这是平常的道理,有什么可惜?"天圆地方"说不适用了,我们换上一个"地圆说",有谁替"天圆地方"说开追悼会吗?

真理所以成为公认的真理,正因为它替我们摆过渡,做过媒。摆渡的船破了,再造一个。帆船太慢了,换上一只汽船。

这个媒婆不行,打她一顿媒拳,赶她出去,另外请一位靠得住的朋友做大媒。

这便是实验主义的真理论。

但是人各有所蔽,就是哲学家也不能免。詹姆士是一个宗教家的儿子,受了宗教的训练,所以对于宗教的问题,总不免有点偏见,不能老老实实地用实验主义的标准来批评那些宗教的观念是否真的。譬如它说,"依实验主义的道理看来,如上帝那个假设有满意的功用(此所谓"满意"乃广义的),那假设便是真的。"(p. 299)又说,"上帝的观念,……在实际上至少有一点胜过旁的观念的地方:这个观念许给我们一种理想的宇宙,永久保存,不致毁灭。……世界有个上帝在里面作主,我们便觉得一切悲剧都不过是暂时的,都不过是局部的,一切灾难毁坏都不是绝对没有翻身的。"(p. 106)最妙的是它的"信仰的心愿"论(The Will to Believe),这篇议论太长了,不能引在这里但是议论中最重要又最有趣味的一个意思,它曾在别处常常提起,我且引来给大家看看。"我自己硬不信我们的人世经验就是宇宙里最高的经验了。我宁可相信我们人类对于全宇宙的关系就和我们的猫儿狗儿对于人世生活的关系一般。猫儿狗儿常在我们的客厅上、书房里玩，它们也加入我们的生活，但他们全不懂得我们的生活的意义。我们的人世生活好比一个圆圈，他们就住在这个圆圈的正切线（tangent）上，全不知道这个圆圈起于何处终于何处。我们也是如此，我们也住在这个全宇宙圆圈的正切线上。但是猫儿狗儿每日的生活可以证明它们有许多理想和我们相同，所以我们照宗教经验的证据看来，也很可相信比人类更高的神力是实有的，并且这些神力也朝着人类理想中的方向努力拯救这个世界。"(p. 300)

这就是他的宗教的成见。他以为这个上帝的观念——这个有意志，和我们人类的最高理想同一方向进行的上帝观念，能使我们人类安心满意，能使我们发生乐观，这就可以算它是真的了！这类论理，仔细看来是很有害的。它在这种地方未免把它的实验主义的方法用错了。为什么呢？因为我们上文说过实验主义的方法须分作三层使用。第一是用定事物的意思；第二，定观念的意义；第三，定信仰的意义。须是事物和观念的意义已经明白确定了，方才可以用第三步方法。如今假定一个有意志的上帝，这个假设还只是一个观念，他的意义还不曾明白确定，所以不能用第三步方法，只可先用第二步方法，把这个观念当做一种工具，当做一张支票，看它在这自然大银行里是否有兑现的效力。这个"有意志的神力"的观念是一个宇宙论的假设，这张支票上写的是宇宙论的现款，不是宗教经验上的现款。我们拿了支票，应该先看它是否能解决宇宙论的问题。一切宇宙间的现状，如生存竞争的残忍，如罪恶痛苦的存在，都可以用这个假设来解决吗？如不能解决，这张支票便不能兑现。这个观念的意义便不曾确定。一个观念不曾经过第二步的经验,便不配算作信仰,便不配问它的真假在实际上发生什么区别。为什么呢？因为一张假支票在本银行里虽然支不出钱来,也许在不相干的小钱店里押一笔钱。那小钱店不曾把支票上的图章表记认明白,只顾贪一点小利,就胡乱押一笔钱出去。这不叫做"兑现",这叫做"外快",这是骗来的钱。詹姆士不先把上帝这个观念的意义弄明白,却先用到宗教经验上去,回头又把宗教经验上所得的"外快"利益来冒充这个观念本身的价值。这就是它不忠于实验主义的所在了。(参看 Dewey, *Essays in Experimental Logic*, pp. 312~325)

(3)实在论。我的所谓"实在"(Reality)含有三大部分:(A)感觉,(B)感觉与感觉之间及意象与意象之间的种种关系,(C)旧有的真理。从前的旧派哲学都说实在是永远不变的。詹姆士一派人说实在是常常变换的,常常加添的,常常由我们自己改造的。上文所说实在的三部分之中,我们且先说感觉。感觉之来,就同大水汹涌,是不由我们自主的。但是我们各有特别的兴趣,兴趣不同,所留意的感觉也不同。因为我们所注意的部分不同,所以各人心目中的实在也就不同。一个诗人和一个植物学者同走出门游玩,那诗人眼里只见得日朗风清,花明柳媚;那植物学者只见得道旁长的是什么草,篱上开的是什么花,河边栽的是什么树。这两个人的宇宙是大不相同的。

再说感觉的关系和意象的关系。一样的满天星斗,在诗人的眼里和在天文学者的眼里,便有种种不同的关系。一样的两件事,你只见得时间的先后,我却见得因果的关系。一样的一篇演说,你觉得这人声调高低得宜,我觉得这人论理完密。

一百个大钱,你可以摆成两座五十的,也可以摆成四座二十五的,也可以摆成十座十个的。

那旧有的真理更不用说了。总而言之,实在是我们自己改造过的实在。这个实在里面含有无数人造的分子。实在是一个很服从的女孩子,她百依百顺的由我们替她涂抹起来,装扮起来。"实在好比一块大理石,到了我们手里,由我们雕成什么像。"宇宙是经过我们自己创造的工夫的。"无论知识的生活或行为的生活,我便都是创造的。实在的名的一部分和实的一部分都有我们增加的分子。"

这种实在论和理性派的见解大不相同。"理性主义以为实在是现成的,永远完全的;实验主义以为实在还正在制造之中,将来造到什么样子便是什么样子。"(p.257)实验主义(人本主义)的宇宙是一篇未完的草稿,正在修改之中,将来改成怎样便是怎样,但是永没有完篇的时期。理性主义的宇宙是绝对平安无事的,实验主义的宇宙是还在冒险进行的。

这种实在论和实验主义的人生哲学和宗教观念都有关系。总而言之,这种创造的实在论发生一种创造的人生观。这种人生观,詹姆士称为"改良主义"(AMeliorism)。这种人生观不是悲观的厌世主义,也不是乐观的乐天主义,乃是一种创造的"淑世主义"。世界的拯救不是不可能的,也不是我们笼着手、抬起头来就可以望得到的。世界的拯救是可以做得到的,但是须要我们各人尽力做去。我们尽一分的力,世界的拯救就赶早一分。世界是一点一滴一分一毫地长成的,但是这一点一滴一分一毫全靠着你和我和他的努力贡献。

他说,"假如个造化的上帝对你说:'我要造一个世界,保不定可以救拔的。这个世界要想做到完全无缺的地位,须靠各个分子各尽他的能力。我给你一个机会,请你加入这个世界。你知道我不担保这世界是平安无事的。这个世界是一种真正冒险事业,危险很多,但是也许你最后的胜利。这是真正的社会互助的工夫。你愿意跟来吗?你对上自己,和那些旁的工人,有那么多的信心来冒这个险吗?'假如上帝这样问你,这样邀请你,你当真怕这世界不安稳竟不敢去吗?你当真宁愿躲在睡梦里不肯出头吗?"

　　这就是淑世主义的挑战书。詹姆士自己是要我的大着胆子接受这个哀的米敦书的。他很嘲笑那些退缩的懦夫,那些静坐派的懦夫。他说:"我晓得有些人是不愿意去的。他们觉得在那个世界里须要用奋斗去换平安,这是很没有道理的事。……他们不敢相信机会。他们想寻一个世界,要可以歇肩,可以抱住爸爸的头颈,就此被吸收到那无穷无极的生命里面,好像一滴水滴在大海里。这种平安清福,只不过是免去了人世经验的种种烦恼。佛家的涅槃其实只不过是免去了尘世的无穷冒险。那些印度人,那些佛教徒,其实只是一班懦夫,他们怕经验怕生活。……他们听见了多元的淑世主义,牙齿都打战了,胸口的心也骇得冰冷了"。(pp. 291~293)詹姆士自己说:"我吗?我是愿意承认这个世界是真正危险的,是须要冒险的;我决不退缩,我决不说我不干了!"(p. 296)

　　这便是他的宗教。这便是他的实在论所发生的效果。

(第六卷第四号,一九一九年四月十五日)

马克思学说

顾兆熊

一、传记

Heinrich Karl Marx 于一八一八年生在特列(Trier)。他的父亲操律师业,是由犹太教改入耶稣教的。马克思在特列的高等学校毕业后,先后在波昂(Bonn)及柏林学法学和哲学。一八四一年他再往波昂,想要充任大学讲师。那个时候他有一个朋友叫包尔(Bruno Bauar)在波昂大学任神学讲师,因为言论有违背政府的意思的地方,便被辞退。马克思眼见这桩事,就明白在普鲁士大学里是决没有他的立足之地了。

这个时候,莱因河流域的急进自由党得了自由党领袖的同意,在廓伦(Koln)地方开办了一种大规模的反对党新闻纸。马克思就是一个重要的著述员。作了许多关于当时议会及法律的文章。一八四二年他移居廓伦,充这新闻纸的总编辑。由此这新闻纸的论调便激烈起来。后来经过政府几次的干涉,到了次年,就被封禁了。

马克思此时决意到那较自由的巴黎去,继续他的事业。到巴黎之后,与别的人共组织了一个"德法年书"。但是第一因为这"德法年书"在德国不易流行,第二因为马氏到了法国之后,研究经济学与法国社会主义的结果,主张社会主义,因此与同事的人意见不合,所以这"德法年书"只出了一期,便停办了。这个时候马克思却得了一个同志名叫昂格思(Engels),以后他的著作和鼓吹事业全是与昂格思共同的。这个关系直到马克思死为止。

当时巴黎有一个德文的周刊叫作 Vorwarts,专批评当时德国专制的罪恶,揭破德国假立宪的阴私。马克思亦在这报里帮助作论说。因此招了德国政府的忌恨,要求法国内阁把马克思逐出法境。法国答应了。马克思便于一八四五年迁居比京比利塞。马克思在比利塞发表了他的著作两种,叫做:*Misère de la philosophie, réponse à la philosophie de la misère* 与 *Discours sur la question du libre Echange.*

一八四八年马克思与昂格思经"共产党同盟会"的委托,拟定了"共产党宣言"。一八四八年"二月革命"起,比利塞人民响应。马克思被捕并且被逐出境。四月,马克思往廓伦。六月,在那里出了一种《斯莱因报》。第二年五月又停版了。编辑的人或是拘捕,或是驱逐出境。这报的生命虽然不及一年之久,马克思却到了刑庭两次。一次因为犯了新闻纸条例。一次因为煽动武力抵抗。但是两次全被宣告无罪。

马氏于是又往巴黎。然而因为六月十三日示威运动的事,为避免长期拘留计,又不得联离开法国迁居伦敦。在伦敦地方他发表了以下的著作:《新莱因河报》(政治经济评论)、《讨论与政治一览》、《廓伦共产党案索隐》。一八五二年起,马氏充任 New York Tribune 的伦敦通信员。他此时著述,包含许多关于欧洲各国政治经济的论文,都是长期研究的结果,并不是寻常的通信。

一八五八年马氏宣布了他数年时间在不列颠博物院研究经济学的结果,这就是他的《政治的经济学批评》(*Zur Krüe der politischen Ökonomie*)的第一册。这第一册刚出版,他便发明他在述说以下几册的大意的时候,还有些不清楚的地方。于是他又重新更改。到了一八六七年他宣布了他的《资本》的第一卷——《资本的出产法》。他一方面预备《资本》的第二、三卷,一方面仍致力于工人运动。一八六四年"万国工人协会"成立。协会的章程和《开会宣言书》,就是马氏所撰的。由是以后,马氏便是"万国工人协会"的领袖。所有以后协会的宣言,都是出于马氏之手。

"万国工人协会"初立的时候,虽然分子复杂(协会里头有法国的"普鲁东派"、德国的"共产派"、英国的"新工会派"),却还可以意见一致。等到一八七一年巴黎社会党政府推翻之后,"万国工人协会"对外须与各国政府战争,对内须与无政府党分子竞斗。荷京会议,虽然把无政府党战败,却是以后的工人运动形势又变,那"万国工人协会"的形式,已经不适用了。

马氏从此对于鼓吹事业渐渐舍弃,专从事研究学问。他是一个周详审慎的学者,所以他每研究一个题目,必把一切相关的科学,都涉猎一过。他能读一切罗马系的文,一切日耳曼系的文,此外并习古斯拉夫语、俄罗斯语、斯尔维亚语以研究那些地方的社会情形。可惜他身体渐渐地不健康,不能把这种探讨工夫整理起来。他病终于一八八一年。

马氏的著作颇多。最要紧的几种,上文已经举出。至于那(一)解释马氏经济学的著作;(二)讨论马氏在十九世纪社会运动中所发生之影响的著作;(三)批评马氏的"唯物历史观"的著作,批评马氏的"价值论"的著作,批评马氏之《出产集中论》《贫乏造成论》《经济恐慌论》等的著作,都极其宏富,不是此地能全录的。

二、唯物的历史观及批评

马克思以前的关系学说

"唯物的历史观"是一种科学的历史观察法,是一种空前的社会哲学。这唯物历史观的创造人,便是马克思。

马克思的历史哲学,是受黑格尔(Hegel)、费巴赫(Feuerbach)和法国社会主义家的影响的。马克思把黑格尔的哲学作以下的解释:凡在世界上曾实现的,一定可以证明它是势所必然无可逃避的。因为是势所必然无可逃避的,所以也是合于情理无可非难的。然而历史上一切现象,都是与时间的条件相称。若是这种时间的条件变更,那与此条件相称的一切现象,一定消灭。按照黑格尔的哲学说,世界上没有什么经常不变的,没有什么千古不易的,没有绝对的,没有神圣的。宇宙间一切的现象,永远在那里变化。旧者消灭,新者代兴,没有间断的时候。并且变化的趋势,永远是由较低的变为较高的。马克思以为这就是黑格尔哲学革命的性质。黑格尔哲学,自然也有保守的一面。黑格尔哲学说,在某时代之某种见解和某种社会制度,因与那时代的情形符合,所以就应当承认这种见解与这种社会制度是合理。这就是黑格尔哲学保守的一面。但是马氏却以为黑格尔哲学里这种保守主义是相对的。黑格尔哲学里革命性质是绝对的。所以马氏的根本意见,以为历史是一个永久不停的变化轮机,并且是一个永久不停的进步轮机。黑格尔哲学把历史变化的公例,由那所谓"绝对的理解之自然发展"引出来。马克思却在此处受了费巴赫哲学的影响,说一切理想,全是由人创造。人的历史,并不是被理想所支配的,即使那宗教里头的超于人的神灵也全是人的想象所造成,全是人的本性的影子。人既然是可以于不知不觉间造成那最高尚的宗教,为什么不能造成政治、法律、科学、美术的生活呢?但是人的这种行动,究竟有什么公例没有?这个问题的答案,马氏是从法国历史家与社会主义家得了指导的。那个时候法国历史家如狄丽(Thierry)、祁则(Cuizot)等,都说要了解法国自中古以来的政治史,必要把它当做一个封建制度与平民间的决斗看才可。并且由一八二几年以后,做工的人也渐渐地起来与那有特权的阶级竞斗,这是有目皆见的事实。因此当时的法国社会主义家,如福烈(Fourier)、柏郎(Blanc)等,都把近世史当做一个阶级战争看,当做经济进化看。以上所称的各种材料,原来不相统属。马克思把它结成了一个大统系,化成了一个完全的理论。这个统系,这个理论,就是"唯物的历史观"。

"唯物的历史观"的大意

"唯物的历史观"说凡社会秩序的基础,全在这社会里的"出产"(Production)(日人译作"生产")和那出产品的交易形式。至于那出产品如何分配于社会内各阶级,这各阶级如何成立,全看社会里出产何物、如何出产与出产品如何交易而定。所以欲观察人类社会,那最根本、最原始的物件就是经济。一切社会生活的基础只是共同出产。社会里一切变动的最终的原因,须在一时代的经济里寻找。

一国的法律也全看那一国的社会经济而定。社会经济是社会生活的物质,是社会生活的实体。社会经济是基础,法律与政治是这基础上头的建筑。社会经济的特性如有重大的变化,那节制这社会经济的形式,也必须随着转移。

所以社会生活里头有一种规律。这种规律是可以天然科学的方法赢得的。社会经济的现象是一种天然物。他的成立,变化消灭,都是可以天然科学方法探讨的。这社会经济现象的全部就是社会生活的"物质"。这社会经济现象的生存、消灭,就是"物质的运动"。

"唯物的历史观"并不否认"理想"的作用。无论是以前还是将来,人的社会理想,是可以为改变法律、改变社会秩序的近因的。但是人对于善恶的想象,决不是在这物质世界以后独立存在的。换一句话说,人对于善恶的想像,决不是另有一个因果行列的。"唯物历史观"的意思以为就历史上的社会变迁细看起来那些理想,并不是社会变迁的最终的原因,乃是一种社会经济的影子。因为有了这种社会经济,所以那些理想才发生出来。

由以上所述的看起来,"唯物的历史观"对于社会中"理想"与"经济"的关系主张下说:

第一层世界里头只有一个单纯的经验。一切事变,都在一个时间行列里演出来。世界里并没有两个时间种类,并没有两个性质不同的因果系。"理想"与"物质"在宇宙之中,是联结在一个因果系里头的。这一层意思是与一切科学的经验相符合的,并没有什么特别的"唯物"性质。"唯物历史观"的"唯物"性质却是由第二层意见里才显明。"唯物历史观"把社会经济与社会经济现象当作社会生活里唯一真实的物件看。此外一切社会的理想期望、想象都是按照一种不可移之公例随着社会经济转移的。由这第二层理论,又引出一个极重要的断案出来:社会理想,既然全是社会经济的影子,不是改革社会制度的最终的原因,所以社会制度的改革,决不能靠着社会理想。社会的改革,必由于阶级战争。这阶级战争,是经济现象的结果。

上头已经说过了,"唯物历史观"是一种极有用的史学方法,是一种空前的社会哲学。马克思在世的时候,那哲学的大思想家时代已经过去了。当时研究社会科学与史学的学者专探讨单独的事实注重零碎的考究。这种研究方法,在天然科学里是可以行之无碍的,因为天然科学的原则和应用的方法早已弄清楚了。至于社会科学,却不能这样做去。社会生活究竟有什么规则的发展?社会生活与天然界的现象究竟有什么关系?这些紧要且根本的问题,都没有讨论透彻。因为没有讨论透彻,所以一切零碎的工夫,都没有原则作准,没有方法可循。正当这个时候,那"唯物历史观"崭然出现。所以"唯物历史观"在社会科学里的大意义,就是指示社会生活的规则。

"唯物历史观"的应用

"唯物历史观"出现之后,那拿他应用在史学及社会科学的人是非常之多的。初民文明、家族、国家、私有财产制度,欧洲中古史,法国革命,等等,都拿这唯物历史观去解释它。然而这全是以前历史上的应用。此外还有一个极重要的应用,就是"唯物历史观"在现世及将来社会上的应用。这个应用,便是那所谓"科学的社会主义"。

"科学的社会主义"就是德国式的社会主义。它的社会哲学的根据,就是唯物历史观。它并且自命是"科学的",因为他说他的论断是采用天然科学方法的。

"科学的社会主义"的意见大略如下:

一、近世的经济,已经渐渐的变成"社会式"的经济了。换一句话说，就是近世的出产，都是循大计划用大规模聚集许多的人组成大经济单位通力合作而举行的（这大经济单位就是工厂、大段的田地、大商业等）。这种大经济单位，范围愈弄愈大，它的数目，却是愈弄愈少。这是现世社会经济的实状。然而现行的法律，却还是由古来沿袭下来的。那个时候（法律成立的时候），工作的人所用的器械，是属于工作人自己的。所以法律也承认工作人作出来的出产品应当归工作人所有。到了近世这法律的经济基础已经变更了。工作人的器械，不是属于他自己了。工作人被佣于人，作出来的出产品，也不归他自己了。换一句话说，现世社会经济的基础是"合力共作的"，是"社会式的"。然而现行的法律，却还是自古沿袭下来与古代"独作自享"的经济、"个人式的"经济相称的。这便是现代社会的矛盾、现代社会的冲突。

法律与它的经济基础既是不相称，若是按照"唯物历史观"推论法律一定要退让的，一定要随着经济改变的。所以"科学的社会主义"说"私有财产制度"是基于古时经济的法律，到了现在是太老了，不能存在了。

二、现世的经济制度里头有一个极大的矛盾，这个矛盾就是：一方面在一个经济单位之内有许多的人循着一个大计划通力合作，这是极有纪律的，是很统一的。然而一方面在一个社会之内的各经济单位，却是彼此不相统属，毫无计划、毫无秩序。换一句话说，每一个经济单位的本身（譬如工厂、大商业等）是有完全的组织的，是中央集权的。但是整个社会里无数的经济单位，却是没有一个意志去支配它，是在无政府状态之下的。

这种经济的矛盾生出许多不良的矛盾。因为社会内的各经济单位，没有一个计划去统一它，各行其是，各谋其利，所以靡费许多人工,糟蹋许多材料。所以由马克思学派的人看起来,现世"无政府的社会出产法"一定归于废除,因为经济发展的趋势不容它了。所谓"废除无政府的社会出产法"是背面的消极的话,这话的正面就是"出产工具作为公产,建造社会主义的社会制度"。马克思学派的人以为这种趋势是根于天然科学公例的,是不能避免的。

如要批评现代所谓"科学的社会主义",一定要批评"唯物历史观",因为"科学的社会主义"是完全以"唯物历史观"为根据的。"科学的社会主义"并不树立一种理想的社会制度,以为改造之标准。"科学的社会主义"是说"出产工具改为公产"是势所必至之天然结果。

"唯物历史观"的批评

"唯物历史观"在社会科学的重大意义,是我们所承认的,但是它的弱点也很多。

以前批评"唯物历史观"的人,往往用历史的经验去驳它,引了多少历史的事实,去证明"唯物历史观"的错误。这种批评法完全错认了"唯物历史观"的性质了。"唯物历史观"原来不过是一个研究历史的方法,并不是史事的记述,所以一切历史的事实是不能摇动它的。若要批评"唯物历史观",当批评他的"认识条件",因为无论创辟科学方法,还是批评科学方法,都要考究他的"认识条件。"

"唯物历史观"所举的"经济"与"出产法"两个名词,究竟是什么物件,这是第一个问题要弄清楚的。"经济"与"出产法"都有"技术"与"社会"的两方面。现在既然是讲"社会科学"并不是讲"工学",所以"唯物历史观"所说的"经济"一定是指着"社会里头的经济秩序"而言了,他所说的"出产法"一定是"社会的出产法"了。然而一切社会科学的事务,只是人与人间外部关系。这种关系无论在历史的什么时代都是依法律构成的。由此看来所谓经济现象,并不是一个天然物,并不是循着天然科学的公例变化的。经济现象就是许多性质相同的法律关系。所以法律的关系是认识经济现象的条件。

社会经济就是人因充足其欲望而演出之共同动作。这种共同动作,确可以影响于社会秩序(法律)。这是"唯物历史观"的卓见无可非难的。但是"社会经济"与"法律"并非如"唯物历史观"所云,"社会经济是基础,法律与政治是这基础上头的建筑"。社会经济是在法律节制条件之下的。若是去掉节制条件,那社会经济便不存在了。

社会经济与法律的真确关系是这样:在一定的法律秩序之下,有一定的社会生活,有一定的社会现象。由这社会现象里头又生出改革法律秩序的意志与运动出来。这种改革的意志与运动如有了效果,就把旧法律秩序推翻。旧法律推翻了,那依着旧法律秩序而演出的旧社会现象也随着不存在了。这时候在新法律秩序之下,便构成新社会现象。

这就是历史中续绩不断的循环途径:社会现象促迫社会秩序之改革,社会秩序又造成新社会现象。如是无已时。

"唯物历史观"说将来"社会的冲突"是由现世"社会经济的内部矛盾"而来的。这个经济就在"出产力"与"社会秩序"之间。"出产力"是不断的膨胀而沿袭下来的旧秩序,是不能容纳他了。这种社会的矛盾,将来必要自己废除。旧社会秩序,必要崩裂。这是大势所趋无可避免的。

但是他所说的"旧社会秩序必要自己废除",这"必要"究竟是什么意思呢?马克思自己说这个"必要"是论理的必要。因为社会的冲突是社会体里头的一个"否认"（Negation）。这个"否认"一定要产出另一个"否认"出来。这与黑格尔所说的"人类历史之思辩性质"相称的。

但是马氏以后"唯物历史观"的代表，却不用这种黑格尔的名词了。他们也不说"论理的必要"了。他们只说这个必要是一种天然现象的因果关系。

以上两种意见，都未认清社会科学的认识条件。社会科学里所研究的社会现象，不是别的，乃是在一种秩序之下的共同动作。这种共同动作是有组织的、有纪律的、有意志的。所以"唯物的历史观"所说的"旧社会秩序必要废除"，这"必要"既不是论理的必要，又不是天然现象因果的必要，乃宗旨的必要。因为社会秩序是方法，社会生活是宗旨，如果社会秩序与社会生活有冲突的时候，它的宗旨全失了。人要达到这个宗旨所以起来改革社会秩序。换一句话说，改革与否并如何改革，这是视人的意志而定的，并不是机械的、自动的。

三、马克思之经济学说及批评

价值论与盈余价值论

马克思的经济学说与他的唯物历史观是有关系的。所以上节讲唯物历史观的时候，已经把马氏的经济学说，大略说了些。现在专就这个题目，作较详的讲述。

经济理论里头很烦难的一段就是价值论。并且凡在经济根本问题上有什么主张或对于现世经济制度下什么批评的人，也必要对于价值这一个问题弄个透彻，然后他的理论才有根据。马克思的经济学说也是不外此例的。马氏用黑格尔式的演绎法推论"价值"。他推论的大意说：凡两件货物若是互易，这两件货物一定有什么相同的地方。这相同的地方究竟是什么呢？譬如白面与铁，无论这两件货物互易的比例是怎样，却一定可以若干之白面易得若干之铁。这两件货物形式不同，物理的性质不同，用处不同，他们相同的地方只是都为工作的结果。所以凡货物的价值全视制造这货物所用的"社会上需要的"或"平均的"这工作数量而定。譬如用十二小时社会上需要的工作制成的货物，它的价值，就比用六小时工作制成的货物高一倍。所谓"社会上需要的"就是指着"社会上普通的出产条件与平均的技术、平均的勤勉"而言。特别的烦难的工作须按寻常工作的几倍计算。

　　出产的人如要出产，第一，须备具那些必需的出产工具（如机器等）。第二，须备具若干生活品，供他工作时候生活之用；等工作品制出之后，再拿来补偿。然而在现代社会里，只有少数的人占有上称的两件东西（出产工具与屯积的生活品）。这少数以外的人，只有一件货物，这货物就是他们的工作力。他们若要生存，一定要把这工作力卖给资本家。这资本家给他们多少价钱呢？按照马克思的价值公例，一件货物的交换价值寻常总是等于制造这件货物所用的工作。所以工作力的价值，就是等于培养这工作力的工作。换一句话说，工作力的价值，就是制造工人必需生活品的工作。譬如一个工人每日所需的生活品值六小时，他若是每日也工作六小时，便已产出他的生活品的价值了。但是他若把工作力卖给资本家，他每日工作的时间，便要比六小时多了。因此工作力的价值与工作力的利用时间是不相同的。但是资本家购买工作力的时候，也正是希求这个价值的差别。这个价值的差别是工人创造的，却是被资本家攫取了，这就是"盈余价值"。

这个理论，曾经昂格思这样说明："工人把他的工作力卖给资本家，约定了每日的价钱。做了几小时之后，工人所做的工已经把这价钱补偿了。然约他们的合同，却是让工人多做多少小时凑满一天。工人在这额外钟点里头所做的工的价值，就是盈余价值。资本家毫无劳费，这盈余价值却是全入了他的钱囊了。"所以在资本式的出产法之下，一方面资本家吸取无报酬的工作，一方面工人被人攫夺他的工作结果。

这盈余价值，便是资本家在出产事业内所贪图的。资本家经济行为的动机，只是扩大这盈余价值。所以若要考究资本主义的社会经济里头的公例，只要推究这"贪图盈余价值的心理"可以生出什么结果就是了。

但是资本家所投的资本有两部分：一部分用在工价里头，这是可以产生盈余价值的。还有一部分投在出产工具里头以后再由出产品里头偿还的，这一部分并不经出产手续有所增益，所以这一部分也可以叫做"不变的资本"；那产生盈余价值的一部分就叫做"变的资本"。

每日工作时间愈长，资本家所得的盈余价值愈多。所以资本家永远要延长工人的工作时间，愈久愈好。工人一面自然是愿欲工作时间短。这是他们两面利害冲突的地方。但是资本家的势力优越，工人是决不能和他对抗的。所以这利害冲突的结果，永远是工人失败，资本家胜利。所以无论何时何地，工人工作的时间，总是无限地延长。等到他们痛苦极了，然后结合起来，用全阶级的势力逼迫国家对于工作时间立一种限制的法律。

扩大盈余价值的第二个方法，就是增多"变的资本"。变的资本多，所雇用的工人也多。雇用的工人多，盈余价值也跟着多了。因为这个原故，资本主义之下的出产永远有膨胀的趋势。

扩大盈余价值的第三个方法是提高工作的"出产能力"（每时间单位之工作制造出来的出产品之数量叫做"出产能力"）。出产能力若是提高，工人的生活品，在一个较短工作时间之内便可以补偿了。譬如工人以前每日须工作六点钟，才能补偿工价的工值。到了现在出产力提高之后，他只须每日工作五点钟已经可以补偿工价的价值了。但是他的工作时间决不因此缩短，所以资本家所得的盈余价值一定是增加了。

现代资本式的出产的状况与它变迁的趋势

现代资本式的出产法是渐渐发达的。在手工时代这资本式的出产决难扩大范围。后来技术进步，工厂等大规模的组织出现，以前的小组织，全不能存在了。以前的工徒，经过学习时期，便可自备出产工具独立营业。到了现在，他们只能为人佣雇，若想自立做资本家，那是很不容易的了。

在现代资本制度之下，机器的势力最为重要。因为用了机器，所以小规模的工业不能存在，大资本大规模的工业成了一种必要。因为用了机器，所以分工极其精细，腕力变为无用。所以应用机器的结果，遂使工厂雇用那体力柔弱的妇人和发育未完的童子。这种攫夺人力的方法，愈来愈酷。工作人道德的、知识的、身体的堕落，是不可以言语形容的。并且机器既把工人的妻子也引到工作场上，他于是把工人工作力的价值分配在他的全家了。工人从前须赡养全家才能生活，所以他的工价是包括他自己和他妻子的生活品的价值。现在他的妻子也做工不需他养活，他的工价一定要低落了。机器还有一个结果，就是一方面引诱许多从前不做工的人来做工，一方面挤开许多无用的工人使他失业，如是伸缩不断就造成一种"额外的工民队"。这种"额外的工民队"为饥寒所迫，完全服从资本家的要求。

现代的社会经济组织，把出产工具归私人所有。所以它的首要的弊病，就是全社会的出产力，涣散纷乱，茫无计划。社会里无数的经济单位，各以它估量市情的能力，当做出产的标准。然而它确不能预知市场的货物，究有多少；能销售的数量，究有多少。无数出产的人，当出产的时候，决不知他所制出的货物一定可以卖出否，他的成本一定可以抵偿否。换一句话说，现代的社会出产是无指挥、无计划的社会出产，是无政府的社会出产。无数的出产人相互竞赛各竭其力改良他的出产法，为的是超过他的互竞者，所以出产的范围，愈弄愈大。然而市场的销路，却是不能与他相称。因为销路的广狭，不视消费人的欲望而定，乃视销（消）费人的购买力而定。社会上大多数人的购买力，决不能与那贪利无厌竞赛争逐的出产并驾齐驱。因此社会内出产太骤，不能消费，货物屯积，不能流通，所以经济恐慌、市场停顿乃在不可免之列，并且这经济恐慌要循环往复时时出现的。这便是现代资本式出产必有的结果。

以全社会而论，出产事业既然是处于无政府状态之下。以一个经济单位而论，他的组织，却是一天比一天完全；他的计划一天比一天周到。这种完全的组织周到的计划，就是推倒旧日手工业的利器，也就是现代相互竞赛的方法。一个工厂的出产有完全的组织，一个社会的出产却在无政府状态之下，这就是现代社会经济的矛盾。这矛盾的原因，就在一面共同出产，一面却让私人攫取出产的结果。（参观上节内《唯物历史观的应用》）

经过一次经济恐慌，社会里资本薄弱的企业家便被一次淘汰。

但是这经济恐慌是循环无已的。不但循环无已,并且一次比一次利害。因为资本家挽救经济恐慌的方法,不外开辟新市场或罗掘旧市场。这种方法不过是预备更大的经济恐慌罢了。经济恐慌既是循环无已,并且逐次加烈,所以资本式的出产法昌盛之后,社会内中级的人(如小企业家、手工等)渐渐地就灭亡了。只有那大企业继长增多,势力一天比一天大。但是无数的大企业,也是相互竞赛的。他们遇见剧烈的经济恐慌,也是不能全都站得住的。所以资本式的出产的趋势,就是只剩下少数的最大的企业可以存在,一切较小的企业全归覆亡;只留下极少数财力极雄厚的资本家操纵社会的出产,社会上大多数的人只是佣工谋活,决无自立的希望。并且他们的困苦艰难,一天比一天沉重。等到他们的境遇坏得够了,他们的人数也多得够了,他们一定就要团结起来,用武力夺取国家的权力。夺得之后,把一切出产工具改为国有,脱离资本家的羁绊,恢复他们的经济自由。这就是现代社会经济制度必有的结果,也是解决现代社会经济的矛盾的唯一方法。这个结果,是循着社会演进的程序自然而至的。

况且资本式的出产法,并不能保持出产家的利益。出产的步骤,忽而急促,忽而停顿。出产不能均匀,销路往往停顿,金融时有恐慌。再加上大多数的人流为贫乏,反抗的意志与反抗的运动一天烈似一天。于是那资本的出产法,那出产工具作为私有的经济制度,只有颠覆的一途。

以上所述的马克思的经济理论,再简单的总括起来:马克思学说的根据,就是"唯物历史观"与"价值论"("盈余价值论")。马氏用这两个基础学说去批评现代资本式的出产法,推论它发展的趋势与将来社会秩序的改革。分别层次说:现代资本式的出产使社会的出产集中在大企业里头,并且使社会的资财与"所得"聚集在少数的人手里,这就是"出产集中论"与"财富聚集论"。现代资本式的出产法,是利用工人的工作力,攫取他们工作的结果,所以使大多数的人贫乏困苦。这是"攫夺论"与"贫乏论"。但是工人既然不免贫困,那企业的人,却也是拼命的角逐,所以出产事业不能安稳,时时发生经济恐慌。再加上大多数贫困无告的人,嗷嗷待哺,图谋反抗。这种情形一定有崩溃的一天,万不能持久的。这就是"经济恐慌论"与"颠覆"论。这种的经济发展把全社会分为有财产与无财产的两个阶级。这无财产的阶级,一面因为共同工作,一面因为觉悟他们的共同利害,于是联络起来在政治上奋斗,争取国家的权力。等取得国家权力之后,再运用这国家权力,实行社会式的出产组织。此时实行社会式的出产组织,并不困难,因为以前的经济发展专向"出产集中"一面走去,已经把这新社会组织预备好了。这就是"阶级竞斗论"与"革命论"。

以上都是述说马克思的经济学说,以下是这学说的批评。

修正派

马克思学说出现之后,惹起各国社会主义家和经济学者的详核的批评。这批评的著作是非常宏富的。经过这种批评,马克思学说的真意义固然显明,他的缺点却也昭著了。就是德国的社会主义家从前本来专以马克思学说为根据的,到了现在,也不全认马氏的学说为不刊之论了。德国社会党如卞斯天（Bernstein）、达维德（David）、师培尔（Schippel）,都对于马氏学说有驳拒的批评。并且他们这批评是对于马氏学说的基础而发,是对于马氏学说全体而发。他们虽然说,他们只求"修正"马氏的学说,自称"修正学说"（Revisionismus）,却是这种"修正"竟无异把马氏学说的一大部分推翻了。

　　修正派既全属社会党人，他们的批评自然有特别价值。以下先述他们的批评。

　　卞斯天是这派的领袖。他对于唯物历史观说：以历史的事实而论，除经济之外，那地方的民族的特性，政治的、宗教的、道德的事实，都在历史的演进上有决大的影响。

　　凡历史的唯物主义都忽略了一个重要的事实。这事实是什么呢？就是人的历史是人造的。人都有头脑，这头脑的状态，决不是一件机械的东西，专看经济的境遇而变迁的。唯物历史观一类的思想，总迫人假定人的一切事变志向行为，都是物质的出产情形的影子。然而就事实看起来，人对于经济发展的支配能力却是时时在那里增长。经济的束缚力，一天减杀一天。无论个人还是民族，文明程度高了便可把拂意的经济羁绊渐渐脱除。

　　马克思的"价值论"与"盈余价值论"不与事实的真象相符，这也是卞斯天所承认的。卞斯天说，马氏这种理论不过一种"纯粹思想的抽象"，马氏的原意，不过举一个理想中的经济社会以明出产事业的原则罢了。至于社会的分配问题，工作结果如何分配方为公允，如何分配便为不公允的问题，决不是仅靠着价值论可以解决的。现代被佣的工人不能取得出产品的全值这是一件事实，但是若专依据这一件事实，便主张社会主义与共产主义，这是不可能的。所以马氏共产主义的要求，也确不是依据这件事实而主张的。他不过认定资本式的出产法必要颠覆，所以才说共产主义的出产是必至的结果罢了。

　　马氏预测资本式的出产不久必要颠覆。这个预测是根据他的"出产集中论""贫乏论""经济恐慌论"而成立的。然而这些理论并不与事实相符,这也是修正派所承认的。先就"出产集中"而论,有许多种工业,固然是由小规模的经营变成大规模的工厂,非工厂组织不能存在了;然而此外还有许多工业,经营的规模可大可小的。还有许多制造业,因为种种原因只宜于小经营不宜于大经营的。况且大企业成立之后,往往又唤起许多附属的小企业,这都是看那工艺的特性而异,不可一概而论的。这还是专就工业立论。若是讲到农业,按照各国近几十年的统计看起来,只有与"集中"相反的趋势。大段的田地或是不加多,或是竟减少了。再就社会的财富分配看起来,文明各国里有资财的人和所得丰富的人只有相对的绝对的增多并无减少。马氏的"贫乏论"与"财富聚集论"是不能成立的。至于现代的社会经济往往发生恐慌,这固然是事实,然而这经济恐慌的循环性,并非如马氏所云,是现代的经济制度所固有,不能避免的。现在的问题,只是研究这经济恐慌的强度和影响与救济的方法罢了。以今日世界市场之广大,交通之便利,信用机关之灵敏,企业同盟会组织之完备,剧烈的经济恐慌,颇不容易各地同时发生。即便发生经济恐慌,这恐慌的剧烈程度,也决不至把现代经济制度推翻。

现代的技术条件与经济条件既是不能促共产制度的实行,而现代政治的与心理的条件,也与社会式的出产制度相去甚远。马氏所称的"无资产阶级"(Proletariat)包含极复杂的群众。他们与"有资产阶级"相对,并不能自成一个团体。换一句话说,社会里阶级分析的情形,很是复杂,决不像马氏理论中所称的那样简单。现在阶级的竞斗固然是事实,然而在文明各国里这竞斗的形式却渐渐地缓和了。因有彼此谅解社会全体的利害,所以总可以寻得着调和的方法。至于"无资产阶级"因为经济的逼迫大举革命,这是出乎意想的事。马克思与昂格思晚年也把这层放松了。此外还有社会心理的问题和组织的问题最为重要。现时社会主义不能实行，也是多半受这两个问题的牵制。所以即便今日社会党取得了政治权力，也决不能实行社会式的经济制度。社会主义的共有财产决不能因把资本主义的私有财产一旦推翻便可成立，必要等到社会主义的共有财产发达之后，资本主义的私有财产才能消灭。

修正派虽然这样批评马克思的学说，他们却仍认现代的经济发展是趋向社会主义一面去的。修正派与修正派以外的社会主义家之间争论颇烈，但是他们都认这种争论是马克思主义范围以内的讨论，并没有社会主义的基础学说。

批评

马克思的学说虽然包含许多的错误，它在历史上的大意义却是终古不能磨灭的。它的功效就是对于现在经济制度的批评。自经他的批评，然后现代社会制度里的弊病才暴露出来。社会科学与社会运动受了它的教训，然后才考量现代社会制度的调剂方法。社会科学自马氏著作出现，得了许多新的探讨途径。社会里有许多重要的事实和关系为前人所未注意的，经马氏的著作才发现无遗。

但是马克思学说的严酷的格式，始终没有经科学界的赞许。他对于现代经济的消极的批评与精神的解析固是非常可贵，但是他的积极的抽象的构造与偏狭的推测，却是不与事实真象相符。

马克思价值论里所用的论理很属勉强，并且有根本矛盾的地方。他说两件互易的货物，一定有一个相同的性质。这相同的性质，就是制造这货物的工作，这就是他们相同的价值。然而他论"盈余价值"的时候，又说盈余价值所以能够取得的原故，就是因为按照普通情形，一切货物售卖的价格，或是超于他的价值，或是低于他的价值。由此而论，按照普通情形，两件互易的货物，并不是有相同的价值了。这就是马克思价值论的矛盾。

马克思说，货物的交换价值恒有以货物里所用的工作为标准之趋向。这话却不与事实相符。货物的交换价值，也受制造时所投资本之大小久暂的影响。

马克思分资本为"变的"与"不变的"两部分。他说，资本家的行为，是专图那变的资本所产生的盈余价值，所以他的一切设施，都可以拿这个动机去解释的。这种抽象的设想，固然可以为探讨真理之一助，然而到了应用的时候，却不能把这理论中所有的断案，都一一按格推究出来作为社会经济的真象。因为实在的资本家，并非图谋"变的资本"的盈余，乃求全部资本的盈余。所以若把马氏的设想严格地推论下去，把一切实在与私有资本相反的趋势置之不问，那就不免流于偏狭过甚，与事实相去太远。马氏的"贫乏论""财富聚集论""颠覆论"都是由这个误谬来的。

我们对于这些问题的意见，大致是与修正派相同的：现代文明各国的经济发展是趋向社会主义一面去的。但是这社会主义的目的并不是一个具体的社会计划，乃是一个社会原则，这原则就是联合互助。至于这社会主义的实行，也只能预测它的大概趋势和条件，却不能用模型的严格的理论预写他进行的详细程序。而国家社会的渐渐演进和教育等公正事业的积极建设，都可以促进社会理想的实现。

（第六卷第五号，一九一九年五月）

马克思学说的批评

凌 霜

马克思的学说大约可分为三大要点:(一)经济论,(二)唯物史观,(三)政策论。世人对于这些学说的批评多得很。那攻击社会主义的人,不必说了。(例如 W. H. Mallock 所著的 *A Critical Examination of Socialism* 第十八页说:"马氏的经济学'在现在的科学界'正如古人分元素为四种。或如 Thales 万物皆出于水的理论之在现今的化学。")社会党不满意于这种学说的人,也是不少。无政府党对于他的政策论,绝对的不赞成,早已成为历史上有名的争论,更不必说了。作者批评马氏的学说,对于他的经济论和唯物史观,以德人 E. Bernstein 的批评为根据;对于政策论的批评,以俄人 Z. Kropokein 的批评为根据。现在且把马氏学说的缺点和他的好处写出来:

(一)经济论

马氏的经济论大约见他所著的《资本论》(*Das Kapital*)。他的演(绎)的经济学,以余值说(Theory of suplus value)为根据。他所发明最重要的社会学原理,就是《唯物的历史观》(*materialist consception of history）。这本书第二、三两卷，是他的遗稿。后来他的朋友 Engse 才将它印出来。有许多人说马氏始初的观念：一个时代的社会组织，必与生产方法相应，不然社会革命就不免了。自从古代的共产或半共产的部落解散，国家制度成立之后，新旧战争最烈的，就是阶级战争。所以社会阶级一日没有消灭，这种战争一日不能停止。到了资本家的社会，就是无产或是劳动的平民和资本主决战，而最后的胜利却在劳动家。不对，我以为不然。为什么呢？这种现象，征诸历史事实，是的确无可疑的。马氏经济论最缺点的地方，还在他的记载，有不尽不确的地方。他所根据来做演绎的统计，有许多没有证明他所要证明的东西。他的价值说与唯物历史观，在经济学上，最为重要，他的学说所以卓然成一家言的，也不外乎这两要点。不知这两种观念，在他前头的社会党和社会学者，早已说过了。马氏不过说得较明白罢了。［即如强夺说 Ausbeutungs theorie 令人信以为创自马氏。其实蒲鲁东（Prodhon）在他所著的《什么是产业？》（Qu'est-ce que la proprieté?）第一章已屡言"财产是赃物""财产所有主是盗贼"。］又马氏所引以为演绎根据的统计证明有许多地方不特不够，也有不着边际的。此外有一极危险的论调，就是他屡次指出关于某问题的现象，后来却忘记了这些现象的存在，而犹申论不已。却不自知他后来的论点和先前的，已有不对呢。例如资本论第一卷记载资本家增加的历史的趋势，到了最后的一部分，却说资本家减少。这是一种已经成立的事实，而他的统计，又证明资本家没有减少，但有增加。至在他处，还要极力说这种事实的确当！

马氏所用的方法，还不出黑格尔（Hegel）的辩证法之外。他虽然说过若是要这个方法合于理性，必要将他转过来，搁在一个唯物的根据之上,但是他自己却不能处处依着这个范围立论。难道马氏不知严格的唯物方法的断案不能离事实太远的么？他的著作,本来要以科学为根据,不从预存的观念和从表面观察所谓现社会后进化律,推演下来以为断案,然而他最后的断案,却是一个预存的观念！简单说马氏不过把辩证的事业,代了前人辩证的观念罢了。空想会弄坏了科学,马氏恐怕不能自辞其咎罢。

以上将马氏《资本论》的经济学不当的地方说出来。但是他的"余值说""工值说"就现在看起来,他的价值,是不可磨灭的。那些劳动家所生产的东西,他们自己所得些少之外,还有许多盈余,为他人所掠夺,这是无论何人不能否认的。他的工值说,是社会主义的根据。他的信徒 Gronlund 以此为他的"思想之母""idée mère",说得倒是不错。那反对马氏主义最烈的无政府党,对于马氏这些重要的证明,也无异辞,他的价值,就可想而知了。

（二）唯物史观

马氏历史哲学的方法和原理的发明,可算是他最大的创造,为学问界开一新纪元。他所说的生产者在历史进化上的重要,可谓发前人之所没发。况且他能证明他们在社会机体的形式和意义的影响,所以姑无论他有时出自假托,到底可算是他著作中最重要的一部分。有人将马氏这种发明和达尔文的发明相比较。马氏的《政治经济学的批评》(Zur Kritik der politischen Ökonomie)出世,恰和达氏的种原论同时。马氏在他的历史的哲学序中,说明社会机体进化的原理和达氏所发明的生物机体进化的论据,很是相近。

（三）政策论

马氏的政策论详见他和 Engels 合著的《共产党宣言书》(*Manifest der Kommunistichen Partei*, *The Communist manifesto.*)。（马氏所谓共产主义即今日的集产主义，和他同时在《万国劳动会》相对抗的无政府党巴枯宁(Bukumiu)自称为集产主义，实即今日的共产主义。）这宣言书中有十条件，可算是社会民主主义的政策。这些政策是什么样呢？其大意如下：

（一）废除产业。

（二）一切交通机关，收归国家管理。

（三）一切工厂及生产的机器，并为国有。

（四）设立工兵，而犹注重农兵。

批评这种主张的人，以无政府党为最多。这是因为他们的共产方法，与马氏的集产方法，有根本不对的缘故。无政府党人以为国家的组织，从历史上观之，无非建立私权，保护少数特殊幸福的机关。现在教育、国教和保护领土种种大权，都在政府掌握之中。若更举土地、矿山、铁道、银行、保险等等给了它，谁保国家的专制，不较现在还要利害。[这是克鲁泡特金(Kropotkin)的话。见《英国百科全书》他所著的 *Anarchism* 一条。]我们的首领，谁保他们不变了拿破仑、袁世凯呢？且社会主义，不应当压制个人的自由。社会民主党的政府，又要设立什么工兵、农兵，这不是压制个人的表征吗？此外还有他们所主张的分配问题，也有可批评之点。社会是对个人而言。既称为社会主义，那么，社会的物概当属诸公有，不要为个人所私有，这才对的。马氏的集产说，以衣食房屋之类，可以私有，是明明尚有个人财产，根本上已和社会主义的定义不对。况且同一房屋，牛马的圈厩。既为公有，人居的房舍则为私有，在理论上也说不过去。还有一层，他们主张按各人劳动的多寡，来给酬报。那么强有力的，将享最高的幸福；能力微弱的，将至不能生活。能力微弱的缘故，或关乎生理，非其人懒惰的罪，而结果如此，还说什么幸福呢？无政府共产党想将国家的组织改变，由平民自己建立各种团体会社，如办教育就有教育会，办农业就有农业会等等，由单纯趋于复杂，以办理社会所应需的事，去除一切强权，而以各个人能享平等幸福为主。他们所主张的劳动原则，就是"各尽所能"（To each according to his capacity）四个大字。他们所主张的分配原则，就是"各取所需"（To each according to his needs）四个大字。无政府党和马克思派争论的焦点，就在这个了。

马氏的学说，在今日科学界上，占重要的位置。我这种批评，究竟对不对，我可不敢武断。今更引马氏致友人书数语，做这篇的结论。他说："我们决不学那些空论家，想以自己的主义，征服世界，说道：'这就是真理，跪下来罢！'我们由世界自己的原理中，抽出新的原理来，我们不叫人：'你的奋斗，是不好的你，离了他罢。你听我的话，跟着我来战斗就够了。'我们不过说明奋斗的真目的，就使他不赞成，也要自己找出一个必要达到的目的来。"很愿传播新思想、新学说的人，都有这种态度。

（第六卷第五号，一九一九年五月）

我的马克思主义观

李大钊

（一）

　　一个德国人说过，五十岁以下的人说他能了解马克思的学说，定是欺人之谈。因为马克思的书卷帙浩繁，学理深晦。他那名著《资本论》三卷，合计二千一百三十五页，其中第一卷是马氏生存时刊行的，第二、第三两卷是马氏死后他的朋友昂格思替他刊行的。这第一卷和二、三两卷中间，难免有些冲突矛盾的地方；马氏的书本来难解，添上这一层越发难解了。加以他的遗著未曾刊行的还有很多，拼上半生的工夫来研究马克思也不过仅能就他已刊的著书中，把他反复陈述的主张得个要领，究不能算是完全了解"马克思主义"的。我平素对于马氏的学说没有什么研究，今天硬想谈"马克思主义"已经是僭越的很。但自俄国革命以来，"马克思主义"几有风靡世界的势头。德、奥、匈诸国的社会革命相继而起，也都是奉"马克思主义"为正宗。"马克思主义"既然随着这世界的大变动，惹动了世人的注意，自然也招了很多的误解。我们对于"马克思主义"的研究，虽然极其贫弱，而自一九一八年马克思诞生百年纪念以来，各国学者研究他的兴味复活，批评介绍他的很多。我们把这些零碎的资料，稍加整理，乘本志出《马克思研究号》的机会，把他转介绍于读者，使这为世界改造原动的学说，在我们的思辨中有点正确的解释。吾信这也不是绝无裨益的事。万一因为作者的知能谫陋，有误解马氏学说的地方，亲爱的读者肯赐以指正，那是作者所最希望的。

（二）

我于评述"马克思主义"以前，先把"马克思主义"在经济思想史上占若何的地位，略说一说。

由经济思想史上观察经济学的派别，可分为三大系，就是个人主义经济学、社会主义经济学与人道主义经济学。

个人主义经济学，也可以叫做资本主义经济学，三系中以此为最古。著《原富》的亚丹·斯密（Adam Smith）是这一系的鼻祖。亚丹·斯密以下，若马查士（Malthus）、李嘉图（Ricardo）、杰慕士穆勒（James Mill）等，都属于这一系。把这一系的经济学发挥光大，就成了正系的经济学，普通称为正统学派。因为这个学派是在模范的资本家国的英国成立的，所以英国以外的学者也称它为英国学派。这个学派的根本思想是承认现在的经济组织为是，并且承认在此经济组织内，各个人利己的活动为是。他们以为现在的经济组织，就是个人营利主义的组织，是最巧最妙最经济不过的组织。从生产一面讲，各人为自己的利益，自由以营经济的活动，自然努力以致自己的利益于最大的程度。其结果社会全体的利益不期增而自增。譬如各人所有的资本，自然都知道把它由利益较少的事业，移到利益较多的事业上去。社会全体的资本，自然也都舍了那利益较少的事业，投到利益较多的事业上去，所以用不着什么政治家的干涉，自由竞争的结果，社会上资本的全量自然都利用到社会全体最有利的方面去。而事业家为使他自己的利益达于最大的程度，自然努力以使他自己制品全体的价增大，努力以求其商品全体的卖出额换回很多的价来。社会全体的富是积个人的富而成的。个人不断地为增加自己的富去努力。你这样做，他也这样做，那社会全体的富也不期增而日增了。再从消费一面讲，我们日用的一切物品，都不是在自己家内生产的，都是人家各自为营利为商卖而生产的。自己要得一种物品：米、盐、酱、醋乃至布匹、伞、屐、新闻杂志之属，都不是空手向人家讨得来的；依今日的经济组织，都是各人把物卖钱，各人拿钱买货。各人按着自己最方便的法子去活动，比较着旁人为自己代谋代办，亲切的多，方便的多，经济的多。总而言之，他们对于今日以各人自由求各自利益为原则的经济组织很满足，很以为妥当。他们主张维持它，不主张改造它。这是个人主义经济学，也就是以资本为本位、以资本家为本位的经济学。

以上所述个人主义经济学，有两个要点：其一是承认现在的经济组织为是；其二是认在这经济组织内，各个人利己的活动为是。社会主义经济学正反对它那第一点。人道主义经济学正反对它那第二点。人道主义经济学者以为无论经济组织改造到怎么好的地步，人心不改造仍是现在这样的贪私无厌，社会仍是没有改善的希望。于是否承认经济上个人利己的活动，欲以爱他的动机代那利己的动机；不置重于经济组织改造的一方面，而置重于改造在那组织下活动的各个人的动机。社会主义经济学者以为现代经济上社会上发生了种种弊害，都是现在经济组织不良的缘故。经济组织一经改造，一切精神上的现象都跟着改造，于是否认现在的经济组织，而主张根本改造。人道主义经济学者持人心改造论，故其目的在道德的革命。社会主义经济学者持组织改造论，故其目的在社会的革命。这两系都是反对个人主义经济学的，但人道主义者同时为社会主义者的也有。

现在世界改造的机运，已经从俄、德诸国闪出了一道曙光。从前经济学的正统是在个人主义。现在社会主义、人道主义的经济学，将要取此正统的位系，而代个人主义以起了。从前的经济学是以资本为本位、以资本家为本位。以后的经济学要以劳动为本位、以劳动者为本位了。这正是个人主义与社会主义人道主义过渡的时代。

马克思是社会主义经济学的学祖，现在正是社会主义经济学改造世界的新纪元，"马克思主义"在经济思想史上的地位如何重要，也就可以知道了。

本来社会主义的历史并非自马氏始的，马氏以前也很有些有名的社会主义者，不过他们的主张，不是偏于感情，就是涉于空想，未能造成一个科学的理论与统系。至于马氏才用科学的论式，把社会主义的经济组织的可能性与必然性，证明与从来的个人主义经济学截然分立，而别树一帜；社会主义经济学才成一个独立的系统，故社会主义经济学的鼻祖不能不推马克思。

（三）

"马克思主义"在经济思想史上的价值，既如上述，我当更进而就他的学说的体系略为大体的分析，以便研究。

马氏社会主义的理论，可大致为三部。一为关于过去的理论，就是他的历史论，也称社会组织进化论；二为关于现在的理论，就是他的经济论，也称资本主义的经济论；三为关于将来的理论，就是他的政策论，也称社会主义运动论，就是社会民主主义。离了他的特有的史观，去考他的社会主义，简直的是不可能。因为他根据他的史观，确定社会组织是由如何的根本原因变化而来的。然后根据这个确定的原理，以观察现在的经济状态；就把资本主义的经济组织，为分析的、解剖的研究，预言现在资本主义的组织不久必移入社会主义的组织，是必然的运命。然后更根据这个预见断定实现社会主义的手段方法仍在最后的阶级竞争。他这三部理论，都有不可分的关系。而阶级竞争说恰如一条金线，把这三大原理从根本上联络起来。所以他的唯物史观说，"既往的历史都是阶级竞争的历史"。他的资本论也是首尾一贯的根据那"在今日社会组织下的资本阶级与工人阶级，被放在不得不仇视，不得不冲突的关系上"的思想立论。关于实际运动的手段，他也是主张除了诉于最后的阶级竞争，没有第二个再好的方法。为研究上便利起见，就他的学说各方面分别观察，大概如此。其实他的学说是完全自成一个有机的、系统的组织，都有不能分离、不容割裂的关系。

（四）

请先论唯物史观。

唯物史观也称历史的唯物主义。它在社会学上曾经并且正在表现一种理想的运动，与前世纪初在生物学上发现过的运动有些相类。在那个时候是用以说明各种形态学上的特征关系的重要，志在得一个种的自然分类与关于生物学上有机体生活现象更广的知识。这种运动既经指出那内部最深的构造，比外部明显的建造，若何重要。唯物史观就站起来反抗那些历史家与历史哲学家，把他们多年所推崇为非常重要的外部的社会构造，都列于第二的次序。而那久经历史家辈蔑视，认为卑微暧昧的现象的，历史的唯物论者却认为于研究这很复杂的社会生活全部的构造与进化有莫大的价值。

历史的唯物论者观察社会现象，以经济现象为最重要。因为历史上物质的要件中，变化发达最甚的，算是经济现象。故经济的要件是历史上唯一的物质的要件。自己不能变化的，也不能使别的现象变化。其他一切非经济的物质的要件，如人种的要件、地理的要件等等，本来变化很少，因之及于社会现象的影响也很小。但于它那最少的变化范围内，多少也能与人类社会的行程以影响。在原始未开时代的社会，人类所用的劳作工具极其粗笨，几乎完全受制于自然。而在新发现的地方，向来没有什么意味的地理特征，也成了非常重大的条件。所以历史的唯物论者，于那些经济以外的一切物质的条件，也认它于人类社会有意义有影响。不过因为它的影响甚微，而且随着人类的进化日益减退，结局只把它们看作经济的要件的支流罢了。因为这个缘故，有许多人主张改称唯物史观为经济史观。

唯物史观也不是由马氏创的。自孔道西（Condorcet）依着器械论的典型，想把历史作成一科学，而期发现出一普遍的力，把那变幻无极的历史现象，一以贯之，已经开了唯物史观的端绪，故孔道西算是唯物史观的开创者。至桑西门（Saint‑Simon）、把经济的要素，看得比精神的要素更重。十八世纪时有一种想象说，说法兰西历史的内容不过是佛兰坎人与加利亚人间的人种竞争。他受了此说的影响,谓最近数世纪间的法国历史不外封建制度与产业的竞争,其争以大革命期达于绝顶,而产业初与君国制联合,以固专制的基础,基础既成又扑灭王国制。产业的进步是历史的决定条件,科学的进步又为补助它的条件。Thierry、Mignet 及 Guizot 辈继起,袭桑西门氏的见解,谓一时代的理想、教义、宪法等,毕竟不外当时经济情形的反映。关于所有权的法制,是尤其重要的。蒲鲁东亦以国民经济为解释历史的钥匙,信前者为因后者为果。至于马氏用他特有的理论,把从前历史的唯物论者不能解释的地方,予以创见地说明,遂以造成马氏特有的唯物史观,而于从前的唯物史观有伟大的功绩。

唯物史观为要领,在认经济的构造对于其他社会学上的现象是最重要的,更认经济现象的进路是有不可抗性的。经济现象虽用它自己的模型,制定形成全社会的表面构造(如法律、政治、伦理及种种理想、精神上的现象都是),但这些构造中的哪一个也不能影响它一点。受人类意思的影响,在它是永远不能的。就是人类的综合意思,也没有这么大的力量。就是法律是人类的综合意思中最直接的表示,也只能受经济现象的影响,不能与丝毫的影响于经济现象。换言之,就是经济现象只能由它一面与其他社会现象以影响,而不能与其他社会现象发生相互的影响或单受别的社会现象的影响。

经济构造是社会的基础构造,全社会的表面构造都依着它迁移变化。但这经济构造的本身,又按它每个进化的程级为它那最高动因的连续体式所决定。这最高动因,依其性质,必须不断地变迁,必然的与社会的、经济的进化以诱导。

这最高动因究为何物，却又因人而异。Loria 所认为最高动因的，是人口的稠庶。人口不断地增加，曾经决定过去四个连续的根本状态。就是集合奴隶，所有奴仆（Servie），佣工。以后将次发生的现象，也该由此决定。马克思则以"物质的生产力"为最高动因。由家庭经济变为资本家的经济，由小产业制变为工厂组织制，就是由生产力的变动而决定的。其他学者所认为最高动因的，又为它物。但他们有一个根本相同的论点，就是经济的构造依它内部的势力，自己进化，渐于适应的状态中，变更全社会的表面构造。此等表面构造，无论用何方法，不能影响到它这一方面。就是这表面构造中最重要的法律，也不能与它以丝毫的影响。

有许多事实，可以证明这种观察事物的方法是合理的。我们晓得有许多法律，在经济现象的面前暴露出它的无能。十七八世纪间那些维持商业平准、奖励金块输入的商法，与那最近英国禁遏脱拉斯（Trust）的法律，都归无效，就是法律的力量不能加影响于经济趋势的明证。也有些法律当初即没有力量与经济现象竞争，而后来它所适用的范围，却自一点一点地减缩，至于乌有。这全是经济现象所自致的迁移，无与于法律的影响。例如欧洲中世纪时禁抑暴利的法律，最初就无力于那高利率的经济现象竞争。后来到了利润自然低落，钱利也跟着自然低落的时候，它还继续存在，但它始终没有一点效果。它虽然形式上在些时候维持它的存在，实际上久已无用，久已成为废物。它的存在全是法律上的惰性，只足以证明法律现象远追不上它所欲限制的经济现象，却只在它的脚后一步一步地走，结局唯有服从而已。潜深的社会变动，惟依它自身可以产生，法律是无从与知的。当罗马帝国衰颓时代，一方面呈出奴隶缺乏，奴价腾贵的现象；一方面那一大部分很多而且必要的寄生阶级造成一个自由民与新自由民的无产阶级。他们的贫困日益加甚,自然渐由农业上的奴隶劳动、工业上的佣工劳动,生出来奴隶制度的代替,因为这两种劳动全于经济上有很多的便利。若是把废奴的事业全委之于当时的基督教,人类同胞主义的理想那是绝无效果的。十八世纪间英人曾标榜过一种高尚的人道主义的宗教。到了资本家经济上需要奴隶的时候,他们却把奴制输入美洲殖民地,并且设法维持它。这类的事例不胜枚举,要皆足以证明法律现象只能随着经济现象走,不能越过它,不能加它以限制,不能与它以影响。而欲以法律现象奖励或禁遏一种经济现象的都没有一点效果。那社会的表面构造中最重要的法律尚且如此,其它如综合的理想等,更不能与经济现象抗衡。

(五)

迄兹所陈是历史的唯物论者共同一致的论旨。今当更进而述马氏独特的唯物史观。

马氏的经济论,因有他的名著《资本论》详为阐发,所以人都知道他的社会主义系根据于一定的经济论的。至于他的唯物史观,因为没有专书论这个问题,所以人都不甚注意。他的《资本论》虽然彻头彻尾以他那特有的历史观做基础而却不见有理论地揭出他的历史观的地方。他那历史观的纲要稍见于一八四七年公刊的哲学的贫困及一八四八年公布的《共产党宣言》;而以一定的公式表出他的历史观,还在那一八五九年他作的《经济学批评》的序文中。现在把这几样著作里包含他那历史观的主要部分,节译于下,以供研究的资料。

一、见于《哲学的贫困》中的：

经济学者蒲鲁东氏，把人类在一定的生产关系之下制造罗纱、麻布、绢布的事情，理解得极其明了。可是这一定的社会关系，也和罗纱、麻布等一样，是人类的生产物他还没有理解。社会关系与生产力有密切的联络。人类随着获得新生产力，变化其生产方法；又随着变化生产方法，——随着变化他们的生活资料的方法——他们全变化他们的社会关系。手臼造出有封建诸侯的社会。蒸汽制粉机造出有产业的资本家的社会。而这样顺应他们的物质的生产方法，以建设其社会关系的人类，同时又顺应他们的社会关系，以作出其主义，思想范畴。

二、见于《共产党宣言》中的：

"凡以前存在的社会的历史都是阶级竞争的历史。希腊的自由民与奴隶，罗马的贵族与平民，中世的领主与农奴，同业组合的主人与职工，简单的说：就是压制者与被压制者，自古以来，常相反目而续行或隐然、或公然、不断的争斗。总是以全社会革命的变革，或以相争两阶级的共倒结局的一切争斗。试翻昔时的历史，社会全被区别为种种身份者，社会的地位有多样的等差。这类现象我们殆到处可以发现。在古代罗马则有贵族，骑士，平民，奴隶；在中世则有封建诸侯，家臣，同业组合的主人，职工，农奴；且于此等阶级内更各分很多的等级。"由封建的社会的崩坏产出来的近世的社会，仍没把阶级的对立废止。他不过带来了新阶级，新压制手段，新争斗的形式，以代旧的罢了。

"可是到了我们的时代,就是有产者本位的时代,却把阶级的对立简单了。全社会越来越分裂为互相敌视的两大阵营,为相逼对峙的两大阶级:就是有产者与无产者。

"……依以上所述考之,资本家阶级所拿它做基础以至勃兴的出产手段及交通手段,是已经在封建社会做出来的。此等生产手段及交通手段的发展达于一定阶段的时候,封建的社会所依以营生产及交换的关系,就是关于农业及工业封建的组织,简单一句话就是封建的所有关系,对于已经发展的生产力久已不能适应了。此等关系,现在不但不能奖励生产,却妨阻生产,变成了许多的障碍物。所以此等关系不能不被破坏,果然又被破坏了。

"那自由竞争就随着于它适合的社会的及政治的制度,随着有产者阶级的经济的及政治的支配代之而起了。

"有产者阶级于其不满百年的阶级支配之下,就造出比合起所有过去时代曾造的还厚且巨的生产力。自然力的征服,机械、工业及农业上的化学应用;轮船、火车、电报、全大陆的开垦,河川的开通;如同用魔法唤起的这些人类。在前世纪谁能想到有这样的生产力能包容在社会的劳动里呢?

"把这样伟大的生产手段及交通手段,像用魔法一般唤起来的资本家的生产关系及交通关系,资本家的所有关系;现代的资本家的社会,如今恰与那魔术师自念咒语唤起诸下界的力量,而自己却无制御他们的力量了的情事相等。数十年的工商史,只是现代的生产力,对于现代的生产关系,对于那不外有产者的生活条件及其支配力的所有关系,试行谋叛的历史。我们但举那商业上的恐慌——因隔一定期间便反复来袭,常常胁迫有产社会的全存在的商业恐慌,即足以作个证明。……有产者阶级颠覆封建制度的武器,今乃转而向有产者阶级自身。

"有产者阶级不但锻炼致自于已死的武器,并且产出去挥使那些武器的人——现代的劳动阶级,无产者就是。

"人人的观念意见及概念,简单一句话,就是凡是属于人间意识的东西,都随着人人的生活关系,随着其社会的关系,随着其社会的存在一起变化。这是不用深究,就可以知道的。那思想的历史所证明的,非精神上的生产,随着物质上的生产,一起变化而何?"

三、见于《经济学批评》序文中的:

"人类必须加入那于他们生活上必要的社会的生产;一定的,必然的,离于他们的意志而独立的关系;就是那适应他们物质的生产力一定的发展阶段的生产关系。此等生产关系的总和,构成社会的经济的构造——法制上及政治上所依以成立的,一定的社会的意识形态所适应的,真实基础。物质的生活的生产方法,一般给社会的、政治的及精神的生活过程,加上条件。不是人类的意识决定其存在,他们的社会的存在反是决定其意识的东西。

"社会的物质的生产力,于其发展的一定阶段,与它从来所在那里面活动当时的生产关系,与那不过是法制上的表现的所有关系冲突。这个关系,这样由生产力的发展形式,变而为束缚。于是乎社会革命的时代来。巨大的表面构造的全部,随着经济基础的变动或徐、或急,都变革了。

"当那样变革的观察,吾人非当把那在得以自然科学的论证的经济的生产条件之上所起的物质的变革,与那人类意识此冲突且至决战的法制上、政治上、宗教上、艺术上、哲学上的形态,简单说就是观念上的形态,区别不可。想把那样变革时代,由其时代的意识判断,恰如照着一个人怎样想他自己的事,以判断其人一样,不但没有所得,意识这个东西宁是由物质生活的矛盾,就是存在于社会用生力与生产关系间的冲突,才能说明的。

"一社会组织,非到它的全生产力,在其组织内发展的一点余地也没有了以后,决不能颠覆去了。这新的,比从前还高的生产关系在这个东西的物质的生存条件于旧社会的母胎内孵化完了以前决不能产生出来。人类是常只以自能解决的问题为问题的。因为拿极正确的眼光去看,凡为问题的,惟于其解决所必要的物质条件已经存在,或至少也在成立过程中的时候,才能发生。

"综其大体而论,吾人得以亚细亚的、古代的、封建的及现代资本家的生产方法为社会经济的组织进步的阶段。而在此中资本家的生产关系,是社会的生产方法之采敌对形态的最后。此处所谓敌对,非个人的敌对之意,是由各个人生活的社会的条件而生的敌对之意。可是在资本家社会的母胎内发展的生产力同时作成于此敌对的解决必要的物质条件。人类历史的前史,就以此社会组织终。"

(以上的译语,从河上肇博士。)

据以上所引,我们可以略窥马克思唯物史观的要领了。现在更把这个要领简单写出,以期易于了解。

马克思的唯物史观有二要点:其一是关于人类文化的经验的说明;其二即社会组织进化论。其一是说人类社会生产关系的总和,构成社会经济的构造。这是社会的基础构造。一切社会上政治的、法制的、伦理的、哲学的,简单说凡是精神上的构造,都是随着经济的构造变化而变化。我们可以称这些精神的构造为表面构造。表面构造常视基础构造为转移,而基础构造的变动,乃以其内部促它自己进化的最高动因,就是生产力为主动;属于人类意识的东西,丝毫不能加它以影响;它却可以决定人类的精神、意识、主义、思想,使它们必须适应它的行程。其二是说生产力与社会组织有密切的关系。生产力一有变动,社会组织必须随着变动。社会组织即社会关系,也是与布帛菽粟一样是人类依生产力产出的产物。手臼产出封建诸侯的社会,蒸汽制粉机产出产业的资本家的社会。生产力在那里发展的社会组织,当初虽然助长生产力的发展,后来发展的力是到那社会组织不能适应的程度,那社会组织不但不能助它,反倒束缚它、妨碍它了。而这生产力虽在那束缚它、妨碍它的社会组织中,仍是向前发展不已。发展的力量愈大,与那不能适应它的社会组织间的冲突愈迫,结局这旧社会组织非至崩坏不可。这就是社会革命。新的继起,将来到了不能与生产力相应的时候,它的崩坏亦复如是。可是这个生产力,非到在它所活动的社会组织里,发展到无可再容的程度,那社会组织是万万不能打破。而这在旧社会组织内,长成它那生存条件的新社会组织,非到自然脱离母胎,有了独立生存的运命,也是万万不能发生。恰如孵卵的情形一样,人为的助长,打破卵壳的行动是万万无效的,是万万不可能的。

以上是马克思独特的唯物史观。

（六）

与他的唯物史观很有密切关系的，还有那阶级竞争说。

历史的唯物论者，既把种种社会现象不同的原因，总约为经济的原因；更依社会学上竞争的法则，认许多组成历史明显的社会事实，只是那直接间接，或多或少，各殊异阶级间团体竞争所表现的结果。它们所以牵入这竞争中的缘故，全由于它们自己特殊经济上的动机。由历史的唯物论者的眼光去看，十字军之役也含着经济的意味。当时繁盛的意大利共和国中，特如 Venice 的统治阶级，实欲自保其东方的繁富市场；宗教革新的运动，虽然戴着路德的名义，其时的民众中，也似乎有一大部分是意在免去罗马用种种方法征课的重税（那最后有道理的赎罪符也包在内）。基督教的传布也是应无产阶级的要求做一种实际的运动。把首都由罗马迁至 Byzantium（就是现在的康士坦丁堡）与那定基督教为官教，也是经济的关系。这两件事都是为取罗马帝国从来的重心而代之。因为当时的中产阶级，实为东方富有财势的商贾阶级势力很厚。他们和那基督教的无产阶级相合，以与罗马寄生的贵族政治分持平衡的势力而破坏之。法国大革命也全是因为资本家的中级势力，渐渐可以压迫拥有土地的贵族；其间的平衡久已不固，偶然破裂，遂有这个结果。就是法国历史上迭起层兴的政治危机，单由观念学去研究终于神秘难解。像那拿破仑派咧、布尔康家正统派咧、欧尔林家派咧、共和党咧、平民直接执政党咧，他们背后，都藏着很复杂的经济意味。不过打着这些旗帜互相争战，以图压服他的反对阶级，而保自己阶级经济上的利益就是了。这类的政治变动，由马克思解释其根本原因都在殊异经济阶级间的竞争。我们看那马克思与昂格思的《共产党宣言》中"从来的历史都是阶级竞争的历史"的话，马克思在他的《经济学批评》序文中也说"从来的历史尽是在阶级对立，固然在种种时代呈种种形式中进行的"，就可以证明他的阶级竞争说，与他的唯物史观有密切关系了。

就这阶级竞争的现象，我们可以晓得，这经济上有共同利害自觉的社会团体，都有毁损别的社会团体以增加自己团体利益的倾向。这个倾向，斯宾塞谓是本于个人的利己心。他在《社会学研究》中说："个人的利己心引出由他们作成的阶级的利己心，于分别的努力以外，还要发生一种协同的努力，去从那社会活动的总收入中，取些过度的领分。这种综合的倾向，在每阶级中这样发展，必须由其他诸阶级类似的综合的倾向，来维持其平衡。"由此以观，这阶级竞争在社会的有机体中，恰与 Wilhelm Roux 所发现的"各不同的部分官能组织细胞间的竞争，在各有机体中进行不已"的原则相当。宇宙间一切生命都向"自己发展"（Self-expansion）活动不已。"自己发展"是生物学上、社会学上一切有机的进化全体根本的动机，是生物界普遍无敌的倾向。阶级竞争是这种倾向的无量表现与结果中的一个。而在马克思则谓阶级竞争之所由起，全因为土地共有制崩坏以后，经济的构造都建在阶级对立之上。马氏所说的阶级就是经济上利害相反的阶级，就是有土地或资本等生产手段的有产阶级，与没有土地或资本等生产手段的无产阶级的区别。一方是压服他人、掠夺他人的，一方是受人压服、被人掠夺的。这两种阶级，在种种时代，以种种形式表现出来。亚细亚的、古代的、封建的现代资本家的，这些生产方法出现的次第可作经济组织进化的阶级。而这资本家的生产方法，是社会的生产方法中采敌对形式的最后。阶级竞争也将与这资本家的生产方法同时告终。至于社会为什么呈出阶级对立的现象呢？马氏的意见以为全是因为一个社会团体，依生产手段的独占，掠夺他人的余工余值（余工余值说详后）的原故。但这两种阶级，最初不过对于他一阶级，可称一个阶级，实则阶级的本身还没有成个阶级，还没有阶级的自觉。后来属于一阶级的，知道他们对于别的阶级，到底是立于不相容的地位。阶级竞争是他们不能避的运命，就是有了阶级的自觉，阶级间就起了竞争。当初只是经济的竞争，争经济上的利益，后来更进而为政治的竞争，争政治上的权力，直至那建在阶级对立上的经济的构造自己进化，发生了一种新变化为止。这样看来，马氏并非承认这阶级竞争是与人类历史相终始的。他只把他的阶级竞争说应用于人类历史的前史，不是通用于过去、现在、未来的全部。与其说他的阶级竞争说是他的唯物史观的要素，不如说是对于过去历史的一个应用。

（七）

马氏的唯物史观及其阶级竞争说，既已略具梗概，现在更把对于其说的评论，举出几点并述我的意见。

马氏学说受人非难的地方很多，这唯物史观与阶级竞争说的矛盾冲突，算是一个最重要的点。盖马氏一方既确认历史——马氏主张无变化即无历史——的原动为生产力；一方又说从来的历史，都是阶级竞争的历史，就是说阶级竞争是历史的终极法则，造成历史的就是阶级竞争。一方否认阶级的活动，无论是直接在经济现象本身上的活动，是间接由财产法或一般法制上的限制，常可以有些决定经济行程的效力；一方又说阶级竞争的活动，可以产出历史上根本的事实，决定社会进化全体的方向。Eugenio Rignano 驳他道："既认各阶级间有为保其最大经济利益的竞争存在，因之经济现象亦自可以随这个或那个阶级的优越，在一方面或另一方面受些限制；又说经济的行程像那天体中行星的轨道一样的不变，从着它那不能免的进路前进，人类的什么影响都不能相加。那么那主要目的在变更经济行程的阶级竞争，因为没有什么可争，好久就不能存在了。在太阳常行的轨道上，有了一定的变更，一定可以贡献很大的经济利益于北方民族而大不利于南方民族。但我想在历史纪录中，寻找一种族或一阶级的竞争，把改变太阳使它离了常轨做目的的是一件无益的事。"这一段话可谓中了要扼。不过这个明显的矛盾，在马氏学说中，也有自圆的说法。他说自从土地共有制崩坏以来，经济的构造都建立在阶级对立之上。生产力一有变动，这社会关系也跟着变动，可是社会关系的变动，就有赖于当时在经济上占不利地位的阶级的活动。这样看来，马氏实把阶级的活动归在经济行程自然的变化以内。但难是如此说法，终觉有些牵强矛盾的地方。

这全因为一个学说最初成立的时候，每每陷于夸张过大的原故。但是他那唯物史观，纵有这个夸张过大的地方，于社会学上的进步，究有很大很重要的贡献。他能造出一种有一定排列的组织，能把那从前各自发展不相为谋的三个学科，就是经济、法律、历史联为一体，使他现在真值得起那社会学的名称。因为他发现那阶级竞争的根本法则，因为他指出那从前全被误解或蔑视的经济现象，在社会学的现象中，是顶重要的；因为他把于决定法律现象有力的部分归于经济现象，因而知道用法律现象去决定经济现象是逆势的行为。因为他借助于这些根本的原则，努力以图说明过去现在全体社会学上的现象。就是这个，已足以认他在人类思想有效果的概念中占优尚的位置，于学术界、思想界有相当的影响。小小的瑕疵，不能掩了他那莫大的功绩。

有人说，历史的唯物论者以经济行程的进路为必然的，不能免的，给他加上了一种定命的色彩。后来马克思派的社会党，因为信了这个定命说，除去等着集产制自然成熟以外，什么提议也没有，什么活动也没有，以致现代各国社会党都遇见很大的危机。这固然可以说是马氏唯物史观的流弊。然自马氏与昂格思合布《共产党宣言》大声疾呼，檄告举世的劳工阶级，促他们联合起来推倒资本主义，大家才知道社会主义的实现，离开人民本身，是万万做不到的。这是马克思主义一个绝大的功绩。无论赞否马氏别的学说的人，对于此点都该首肯。而在社会主义者评论（Socialist Review）第一号揭载的昂格思函牍中，昂氏自己说，他很喜欢看见美国的工人，在于政治信条之下，做出一种组织，可见他们也并不是坐待集产制自然成熟，一点不去活动的。而在另一方面，也可以拿这社会主义有必然性地说，坚人对于社会主义的信仰，信它必然发生于宣传社会主义上，的确有如耶教福音经典的效力。

历史的唯物论者说经济现象可以变更法律现象，法律现象不能变更经济现象。也有些人起了疑问。历史的唯物论者既承认一阶级的团体活动，可以改造经济组织。那么一阶级的团体活动，虽未至能改造经济组织的程度，而有时亦未尝没有变更经济行程趋势的力量。于此有个显例，就是现代劳工阶级的联合活动，屡见成功，居然能够屈服经济行程的趋势。这种劳工结合，首推英国的"工联"（Trade unions）为最有效果，他们所争在增加劳银。当时经济现象的趋势是导工人于益困益卑的地位,而工联的活动竟能反害为利。大战起来以后,工联一时虽停止活动,战事既息,他们又重张旗鼓。听说铁路人员总会、交通劳动者(专指海上劳动者)联合会和矿夫联合会三种工联联合起来向政府及资本家要求种种条件,声势甚猛。(参照《每周评论》第三十三号欧游记者明生君通信)将来的效果必可更大。这自觉的团体活动,还没有取得法律的性质,已经证明它可以改变经济现象的趋势。假使把这种活动的效力,用普通法律或用那可以塞住经济现象全进路的财产法,保障起来巩固起来,延长它那效力的期间,它那改变经济现象趋势的效力,不且更大么?试把英、法二国的土地所有制比较来看:在英国则诺曼的侵略者及其子孙,依战胜余威,获据此全土;而与其余人口相较,为数甚少,故利在制定限嗣财产制,与脱拉斯制以保其独占权,结果由此维持住大财产制。在法国则经数世纪的时间,贵旅及僧侣阶级的财产,为革命的中产阶级所剥夺。这剥夺它们的中级人民人口的数又占全体的大部,故利在分割而不在独占;适与英国的诺曼侵略者及其子孙相反。于是中级人民催着通过特别遗书遗产法,以防大财产制的再现。它们二国的财产法和防遏或辅助田间经济现象趋势的法制,这样不同,所以导致它们经济的表现与进化于不同的境界。一则发生很大的领地财产,隐居主义,为害田禾的牧业,全国的人口减少,农村人口的放逐,与财富的分配极不平均,种种现象。一则发生土地过于割裂,所有者自治其田畴,强盛的农业,节俭之风盛行,分配平均,种种现象。这样看来,经济现象和法律现象,都是社会的原动力。它们可以互相影响,都于我们所求的那正当决定的情状有密切的关系。那么,历史的唯物论者所说经济现象有不屈不挠的性质,就是团体的意思,团体的活动,在它面前，都得低头的话，也不能认为正确了。但是此等团体的活动，乃至法律，仍是在那可以容它发生的经济构造以上的现象，仍是随着经济的趋势走的，不是反着经济的趋势走的。例如现代的经济现象，一方面劳工阶级的生活境遇，日趋困难；一方面益以促其阶级的自觉，益增其阶级活动的必要，益使其活动的效果足以自卫。这都是现在资本主义制下自然的趋势，应有的现象，不能作足以证明法律现象可以屈抑经济趋势的理据。与其说是团体行动，或法律遏抑经济趋势的结果，毋宁说是经济本身变化的行程。英、法二国财产制之著效，也是在他们依政治的势力，在经济上得占优势，得为权力阶级。以后的事，也全是阶级竞争的结果。假使在英国当时定要施行一种防遏大财产制的法律，在法国当时定要施行一种禁抑小财产制的法律，恐怕没有什么效果。在经济构造上建立的一切表面构造，如法律等，不是绝对的不能加些影响于各个的经济现象，但是他们都是随着经济全进路的大势走的，都是辅助着经济内部变化的。就是有时可以抑制各个的经济现象，也不能反抗经济全进路的大势。我们可以拿团体行动、法律、财产法，三个连续的法则，补足阶级竞争的法则，不能拿它们推翻马氏唯物史观的全体。

有许多人所以深病"马克思主义"的原故，都因为他的学说全把伦理的观念抹煞一切。他那阶级竞争说，尤足以使人头痛。但他并不排斥这个人高尚的愿望，他不过认定单是全体分子最普通的伦理特质的平均所反映的道德态度，不能加影响于那经济上利害相同自觉的团体行动。我们看在这建立于阶级对立的经济构造的社会，那社会主义伦理的观念，就是互助博爱的理想实在一天也没有消灭。只因有阶级竞争的经济现象，天天在那里破坏，所以总不能实现。但这一段历史，马氏已把它划入人类历史的前史，断定它将与这最后的敌对形式的生产方法，并那最后的阶级竞争一齐告终。而马氏所理想的人类真正历史，也就从此开始。马氏所谓真正历史，就是互助的历史，没有阶级竞争的历史。近来哲学上有一种新理想主义出现，可以修正马氏的唯物论，而救其偏蔽。各国社会主义者，也都有注重于伦理的运动、人道的运动的倾向。这也未必不是社会改造的曙光，人类真正历史的前兆。我们于此，可以断定在这经济构造建立于阶级对立的时期，这互助的理想，伦理的观念，也未曾有过一日消灭。不过因它常为经济构造所毁灭，终至不能实现。这是马氏学说中所含的真理。到了经济构造建立于人类互助的时期，这伦理的观念可以不至如从前为经济构造所毁灭。可是当这过渡时代，伦理的感化，人道的运动，应该倍加努力，以图划除人类在前史中所受的恶习染；所养的恶性质，不可单靠物质的变更。这是马氏学说应加纠正的地方。

我们主张以人道主义改造人类精神，同时以社会主义改造经济组织。不改造经济组织，单求改造人类精神，必致没有效果。不改造人类精神，单等改造经济组织也怕不能成功。我们主张物心两面的改造，灵肉一致的改造。

总之，一个学说的成立，与其时代环境，有莫大的关系。马氏的唯物史观，何以不产生于十八世纪以前，也不产生于今日，而独产生于马氏时代呢？因为当时他的环境，有使他创立这种学说的必要和机会。十八世纪以前的社会政治和宗教的势力，比经济的势力强，所谓社会势力从经济上袭来的很少。因为原始社会的经济组织是仅求自足的靠着自然的地方居多，靠着人力的地方还少，所以宗教和政治的势力较大。譬如南美土人，只伸出一张口，只等面包树、咖啡树给他吃喝,所以他们只有宗教的感谢,没有经济的竞争。到了英国产业革命后的机械生产时代,人类脱离自然而独立,达到自营自给的经济生活,社会情形为之一变。宗教政治的势力全然扫地,经势济力异军苍头特起支配当时的社会了。有了这种环境,才造成了马氏的唯物史观。有了这种经济现象,才反映以成马氏的学说主义。而马氏自己却忘了此点。平心而论,马氏的学说,实在是一个时代的产物。在马氏时代,实在是一个最大的发现。我们现在固然不可拿这一个时代一种环境造成的学说,去解释一切历史,或者就那样整个拿来应用于我们生存的社会,也却不可抹煞他那时代的价值和那特别地发现。十字军之役,固然不必全拿那历史的唯物论者所说,全是经济的意味去解释。但当那僧侣彼得煽动群众营教圣墓的时候,彼得与其群众虽然没有经济的意味参杂其间,或者纯是驱于宗教的狂信,而那自觉的经济阶级,实在晓得利用这无意识的反动,达他们有意识的经济上的目的。从前的历史家,完全抱经济的意味蔑视了,也实未当。我们批评或采用一个人的学说,不要忘了他的时代环境和我们的时代环境,就是了。

(第六卷第五号,一九一九年五月)

老子的政治哲学

高一涵

一、老子时代政治社会情形

老子生在什么时候，死在什么时候，没有人晓得确实。大概总生在周朝灵王初年，当西历纪元前五百七十年前后。老子前两三百年的时候，中原一带连年都不免兵争。南边有吴、楚各国争王夺霸，北边又有猃狁、犬戎等族进来打搅。闹得兵火连天，百姓都东跑西散。所以老子的时代，可算是兵祸顶利害的时代。

周朝行封建制度，社会里头贵贱阶级是很不平等的。《左传》上说："王臣公，公臣大夫，大夫臣士，士臣皂，皂臣舆，舆臣隶，隶臣僚，僚臣仆，仆臣台；马有圉，牛有牧，以待百事。"可见当时的社会是一个比一个胜些。乡下的老百姓，不是替帝王去打仗，就是替权门贵族做马牛。你看《鸨羽》《陟岵》《采薇》《草不黄》等诗，写得怎样凄惨。后来"钱谷兵刑"的权柄，渐渐落在权贵手里，社会上的财产，一齐聚在几个权贵家里。这就是经济上"分配不均"。有了分配不均情形，社会自自然然的就现出贫富不等的状况。你看《葛屦》诗里头所说的劳动社会，不是替富贵人家做马牛吗？劳动的人到了冬天,还穿着夏天的衣服鞋子;那王孙公子,沾他祖上福气,一点事也不做,在家里受用那种享不了的荣华、受不尽的富贵。这还怪得《伐檀》的诗人在那里痛骂吗?照这种情形看起来,从老子前几百年来,真是一种贫富不均,"损不足以奉有余"的时代。

再看看那时候的政治,老百姓只有当兵纳税两种义务。法律是管不着有钱有势的人的。老百姓的生命一个大子也不值,老百姓的财产是没有"所有权"的。《大雅·瞻卬》诗中讲的最明白,它说:"人有土田,女反有之;人有民人,女覆夺之。此宜无罪,女反收之;彼宜有罪,女覆说之。"你想这还算什么世界呀?再看做《硕鼠》的诗人,想丢了"父母之邦"不要,跑到外国去过日子;你想当时的政治,岂不黑暗极了吗?所以从老子前几百年来,又可算是暴君污吏以百姓为土芥的时代。

政治思想,本是正对时事发生的,无论谁家学说,不是时代思潮的产儿,便是社会情况的反动。凡当人民顶不自由,顶不平等的时代,自然会有人出来主张"自然法"和"放任主义"。

因为凡想打破人为的法制,总会说天然法怎样好,怎样森严。说天然法好,可见得人为法不好;说天然法森严,可见得随便怎样人为法也不能胜过它。英、法两国十八世纪的经济学家深信"自然法是完全无缺,不变不灭的;人为法是不大完全,且常常变化的。人为要顺乎自然才好,若背乎自然,就存不着了",所以那时经济学家所抱的政策,多是顺乎自然的放任主义。至于政治家,如英国的洛克,法国的卢梭,美国的浩克尔(Hooker)、文素朴 Winthrop 等,皆生在顶不自由、顶不平等的时代,所以一个个都拿"自然法""自然权利""自然平等""自然国家"等说,做攻击政府干涉民事、侵夺民权的武器——这都是当时社会情形的反响。老子的政治哲学,也完完全全是刚才说的三个时代——兵祸顶利害的时代；贫富不均，损不足以奉有余的时代；暴君污吏，以百姓为土芥的时代——反响。讲政治学的人，明白这个道理，可以免去两种弊病：（一）知道政治学说，是对着时事而发的，不要去无的放矢；（二）知道一个时代有一个时代的政治学说，不要强拉时代不同的学说，不分青红皂白，一齐拿来应用。这就是我当叙述老子政治哲学时所以先叙叙老子时代政治社会情形的原因。

二、老子政治哲学的根本观念

要想明白老子的政治哲学必先明白老子哲学的根本观念。老子哲学是起于"无"而复归于"无"的。以"无"为一切事物的缘起，亦以"无"为一切事物的究竟。老子说：

天地万物生于有，有生于无。

他说恍恍惚惚之中，仿佛有了象，有了物，这就是有生于无的道理。老子所说的"道"是"先天地生"的。在未有天地之先，当然是一样东西也没有，所以老子的"道"即"无"，"无"也即"道"。他以为天地万物是有始有终的，"道"是无始无终的，所以天地万物起于"无"复终于"无"。他说：

……复归于无物。是谓无状之状，无物之象；是谓恍惚。至虚极，守静笃，万物并作，吾以观其复。夫物芸芸，各复归其根，归根曰静，是谓复命。

老子所说的返真归朴,就是归到那"无状之状,无物之象"的境界,归到那寂寥混沌、不可名状的"恍惚"的境界。一到了可字可名的地步,便不是那"万物恃之而生而不辞,功成不名有,衣食万物而不为主"和那"恍兮惚兮""窈兮冥兮"、混混沌沌不可名状的"道"了。所以他说:

道可道,非常道;名可名,非常名;无名天地之始,有名万物之母。

他以为天地的原始,是无名的,有名才有万物。名字既立,人类的知识便随之发生。何以故呢？因为有了名字,万物才有区别。人所以能够识别万物,就因为有了名字可以代表物性;人类借这名字,把万物的区别印入脑中,所以发生知识的问题。知识越多智越多,智越多伪也越多。善恶、美丑、贤不肖,和那有无、难易、长短、高下,前后种种区分,都是从名字上知识上起的。既有这种区别万物的工具和识别万物的能力,才生出来文物制度。既有了文物制度,那"无名之朴"的混沌世界就根本推翻了。老子以为这都是大乱的种子,是人类所以造成种种罪恶的原因。不把这种子和原因去了,再也不能达到那沌沌闷闷、无知无欲的乌托邦。所以他要"绝圣弃智""绝仁弃义""绝巧弃智",拿那"无名之朴"来镇压人欲,让万物自化,智欲自消,天下自定。所以老子说:

民之难治,以其智多。故以智治国,国之贼;不以智治国,国之福。

天下多忌讳,而民弥贫;民多利器,国家滋昏;人多伎巧,奇物滋起;法令滋彰,盗贼多有。

这就是老子所以尊尚"无名朴"的用意。他说要想使民易治,必先愚民;要想叫人不生情欲,必先废去"五色""五音""五味";要想叫人不争、不偷、不闹乱子,必先"不尚贤""不贵难得之货""不见可欲";要想叫人不作恶,必先叫人不晓得"美之为美";要想叫人不作不善的事,必先叫人不晓得"善之为善"。老子的意思,想把文物制度一扫而空,使天地万物复归到"无"的境界——这就是老子政治哲学的根本观念。

三、老子理想中的国家

老子的政治哲学是反抗当时政治和社会情形的,所以他的国家观念是空想的,不是实际的。只从消极的方面想法子,便不从那积极的文明进步上着想。老子一生,一点也不受政治和社会的现状拘束,这是他所以能成一个理想大家的原因,也是所以仅成一个空想大家的原因。

何以说老子的政治哲学是反抗当时政治社会情形的呢？因为他看见当时年年打仗,百姓东跑西散,所以才主张去兵;看见当时社会贫富不均,损不足以奉有余,所以才主张尚俭;看见当时暴君污吏以百姓为土芥所以才主张无为;看见当时智巧日生、诈伪百出,所以才主张尚愚。这四个主张——去兵、尚俭、无为、尚愚,就是造成老子理想国的入手办法。

（一）去兵。老子的人生哲学是抱定知止不争主义，所以他说：

知足不辱，知止不殆，可以长久。……祸莫大于不知足，咎莫大于欲得，故知足之足常矣。

他又说：

是以圣人欲上民必以言下之，欲先民必以身后之。是以圣人处上而民不重，处前而民不害，是以天下乐推而不厌。以其不争，故天下莫能与之争。

上善若水，水善利万物而不争……夫唯不争，故无尤。

老子以为为人的道理，贵知止，贵不争。能够知止，自然用不着争的；若要不争，须先把做战争工具的兵废掉了。故去兵就是老子知止不争主义的实际应用。老子眼见周朝人民，不是直接受服兵的痛苦，就是间接受那因兵争而起的死亡、丧乱、流离、转徙的痛苦。各国的当道都把所有的百姓，当他争权夺利的器械。据老子看起来，都因为他们不懂得知止和不争之争的道理，所以造成这样战争不歇的世界。老子所最痛恨的就是兵，所以他说：

夫佳兵者（佳古唯字也），不祥之器。物或恶之，故有道者不处。君子居则贵左，用兵则贵右。兵者不祥之器，非君子之器，不得已而用之。

以道佐人主者，不以兵强天下。其事好还。师之所处，荆棘生焉；大军之后，必有凶年。

老子以为国家的永远和平——天下的永远和平——只在去兵一事。他确信"自然法"是调剂均平，称物平施的。就是有强梁者也不得其死；暂时胜了，不久也是要败的；暂时忍辱含羞，终久必能抵抗强暴。这就叫做"天网恢恢，疏而不失"。与其不能拿人的力量，去战胜天的力量，又何必不知止不退让，去反乎天道而行呢？

（二）尚俭。老子反对高等文化，却不甚反对低等文化。老子对于精神上的欲望，极端的反对，所以只叫人见素抱朴，少私寡欲。说到物质上的欲望，他并不十分反对，却要人吃得饱饱的，穿得好好的，住得安安静静的。所以他说：

虚其心，实其腹；弱其志，强其骨。
圣人为腹不为目。
甘其食，美其服，安其居，乐其俗。

老子眼见当时富贵人家的幸福，都是劳动人家的汗血；下等社会的百姓，都是上等社会的马牛，所以非常的痛恨。我们现在读《小雅·正月》一诗，"彼有旨酒，又有嘉肴，洽比其邻，婚姻孔云。念我独兮，忧心殷殷！佌佌彼有屋，蔌蔌方有谷，民今之无禄，天夭是椓。哿矣富人，哀此茕独！"可见当时苦乐不均的状况。读《大东》"小东大东，杼柚其空。纠纠葛屦，可以履霜。佻佻公子，行彼周行。既往既来，使我心疚"几句诗，可见当时贫富不均的状况。再读《伐檀》诗中"不稼不穑，胡取禾三百缠兮！不狩不猎，胡瞻尔庭有悬狟兮！彼君子兮，不素餐兮！"几句，和《北山》诗中"或燕燕居息，或尽瘁事国；或息偃在床，或不已于行，或不知叫号，或惨惨劬劳；或栖迟偃仰，或王事鞅掌，或湛乐饮酒，或惨惨畏咎，或出入风议，或靡事不为"几句，可见当时劳逸不均的状况。大概那个时代，全是"损不足以奉有余"。所以老子想反抗这种现状，"损有余以奉不足"；想把那太奢侈的生活，拿来填补那太贫苦的生活，把社会上的生活，引到一个水平线上。这就是老子尚俭的目的。所以他说：

天之道其犹张弓乎！高者抑之，下者举之；有余者损之，不足者与之。

他以为天地生物，只有一定的数量。分配不均，这个所多的，就是那个所少的。所以他说：

民之饥，以其上食税之多，是以饥。

但是老子说的社会生活平等观是损有余以补不足，不是添加不足上齐乎有余的。他的真正的目的在"去甚、去奢、去泰"，他的平等的基础是"贵以贱为本，高以下为基"，可见老子是求人类最小幸福却不是求人类最大幸福的。他以为穷奢极欲，必定要侵占人家幸福，所以必须尚俭。

（三）无为。主张"自然法"的人，大概都有一种迷信，说是："任凭你费尽了多大力气，总跳不出那天行的圈套儿。"从积极的方面做，知道有天行处处同我为难，必得要步步留神，才能敌得过他，这就是"戡天主义"（Conquestofnature）。

从消极的方面做，明晓得跳不出自然的范围，又何必白费气力,去逆天而行呢？这就是达观主义。老子属于达观主义一派,他以为人是逃不出天地范围的,天地是逃不出道的范围的,道是逃不出自然的范围的。所以他说：

人法地,地法天,天法道,道法自然。

无论是人、是地、是天、是道,总要受自然支配的；顺着自然法则,便"无为而无不为"；背着自然法则,"虽欲为之而无以为"。

他把"自然法"的功用看得这样森严,所以才主张放任主义。不过老子的放任主义和欧洲学者弥儿、斯宾塞尔等说的不同。他们的放任主义是放任于个人,老子的放任主义,却(是)放任于自然。且看老子说：

天之道,不争而善胜,不言而善应,不召而自来,浑然而善谋。天网恢恢,疏而不失。

因为天行如此,所以凡想拿人力去抵抗天行的,皆不是本分内的事。且看他说：

常有司杀者杀夫,代司杀者杀。是谓代大匠斫夫,代大匠斫者希有不伤其手者矣。

自老子眼光看来,凡是替天行化的,都是违反天道,都是搅乱自然法则。国家的举措赏罚和个人的学问知识,都是用不着的。大家只有混混沌沌,无知无欲,听那"自然"摆布罢了。

（四）尚愚。老子不但主张生活平等，并且主张知识平等。他的知识平等，是以愚做本位；百姓必到了混混沌沌、无知无欲的程度，才合老子乌托邦的人民资格。所以他说：

古之为治者，非以明民，将以愚之。民之难治，以其智多，故以智治国，国之贼。不以智治国，国之福。

绝圣弃智，民利百倍；绝仁弃义，民复孝慈；绝巧弃利，盗贼无有。

他以为天地间一切罪恶，皆是从知识上起的。且看他说：

民多利器，国家滋昏；人多伎巧，奇物滋起；法令滋彰，盗贼多有。

因为如此，所以才用全副精力，去打消人类的知识，铲除世界的文化。他的理想的国民，就是他说的：

我独泊兮其未兆，如婴儿之未孩。儽儽兮若无所归。众人皆有余，而我独若遗。我愚人之心也哉！沌沌兮。俗人昭昭，我独昏昏；俗人察察，我独闷闷。澹兮其若海，飂兮若无止。众人皆有以，而我独顽似鄙。我独异于人而贵食母。

这样国民，还有什么知识？这样国家，还有什么文物制度？愚的程度，必到了没有为非作恶的能力，才合老子尚愚的意思。

综看老子这四个主张——去兵、尚俭、无为、尚愚，可见他确是反对政治社会现状的一个顶激烈的政治家。把他的理想实现出来,不但没有国家,并且没有社会。他理想中的天下不过是一群无知无识的人散在地面上,天天吃饭睡觉罢了。不用器械,不讲交通,不要甲兵,不要文字;学问知识,文物制度,一齐废掉。这还是什么世界,还像什么国家?老子有描写这样天下顶好的一段文章,说:

小国寡民,使有什伯人之器而不用,使民重死而不远徙。虽有舟舆无所乘之,虽有甲兵无所陈之。使民复结绳而用之。甘其食,美其服,安其居,乐其俗。邻国相望,鸡犬之声相闻,民至老死不相往来。

这几句话,的的确确是老子理想中国家的小照,所以特为引出来,做本篇的结论。

(第六卷第五号,一九一九年五月)

罗素的社会哲学

高一涵

这篇文章是高先生从东京寄来的。我同张崧年先生看了一遍，删去了一部分。因为路远，不能先得高先生的同意，故声明一句。

（适）

一、罗素论人类行为的动机

从来政治哲学家的人类行为动机观，在因袭的道德家眼光看来，多说是理性的要求；在个人主义的政治学家眼光看来，又多说是欲望的要求。两家的观察点虽然不同，但有一个共同的地方，便是把人类行为的动机看作有意识、有目的的。到了欧战一开，自高蹈的哲学家眼光看来，全世界的人都一个个极力发挥他的兽性，就是生平以阐明真理自命的人，和世间尊重的哲学家、思想家、科学家，和那些讲人道博爱的宗教家，都没有一个不为自己国家曲辩，不说人家国家的坏话。即如世界上很推重的倭铿、柏格森等，都没有一个不是这样。因此便使一般高蹈的哲学家疑惑几千年来所夸奖的文明都是嘴上说得好听，其实只是欺人的假话；因此便使一般高蹈的哲学家觉得人类行为的动机，仍然没有意识，没有目的，不过是一种本能——生性——的动作罢了；因此便使一般高蹈的哲学家觉得从前把人类的行为动机看作理性的要求，看作欲根的要求，都是错的，不得不从理性、欲望之外，再求人类行为的动机。

罗素所著《社会改造原理》(*Principles of Social Reconstuction*)第一章开首便说：

凡感受新印象和为新思想所动的人，经过这回大战，从前的信仰和希望上总会生相当的变化。怎样变化虽因个人性格、境遇的关系各有不同，但总有一个共同的地方。我这回由大战所学得的第一件事便是人类行为的动机观——即人类由什么动机而行动和怎样才可利导修正这种动机。（《社会改造原理》）

人类行为的动机到底是什么东西呢？照罗素看起来，便是鼓动本能力量顶大的"冲动"(Impulse)。所以他说：

战争的最后原因并不是经济的、政治的，战争的发源并不是因为没有方法来镇压国际的争论，真正的原因是因为多数人抱着不好调和而好争斗的冲动。（《社会改造原理》）

又说：

冲动一方面是战争的原因，一方面也是科学、艺术、恋爱的原因。（《社会改造原理》）

罗素从前虽然主张理智万能,但察看欧战发动的原因,总觉得理智的力量不及冲动的力量大。从前的哲学家虽然说欲望是人类动作的动机,但自罗素看来,欲望只能支配人类一部分行为,不是支配人类全部行为的主因。所以他说:

> 人类一切活动,本从两个渊源生出来的:一是冲动,一是欲望。……但是欲望只支配人类行动的一部分,而且不是重要的部分,只不过是最有意识、最明了、最文明的部分罢了。(《社会改造原理》)

他以为人类行动最大的部分便是发于自然的、无意志的、无目的的冲动,这些行动并不受有意识的、有目的的欲望支配。他说:

> 人类天性更有本然的一部分,在一定范围以内,受无目的的冲动支配,与有一定目的的欲望毫不相干。譬如小孩便(边)走便(边)叫,并没有想得到什么好东西的意思,不过被走的叫的冲动刺激罢了。犬之吠月也并不想到于它自己有什么利益,不过被吠的冲动刺激罢了。(其)他如饮食、恋爱、争斗、傲慢种种行动,也并不是有什么目的,有什么意志,不过为冲动所感触罢了。(《社会改造原理》)

人类行动不但大部分受冲动支配,这种冲动并且是盲目的、无规则的、无统御的。所以他说:

冲动本来是盲目的,并不预想什么结果,并不是由先见预料而起的。(《社会改造原理》)

讲理性的人本来连欲望都看不起的。照罗素说:人类行动不但说不上理性,并且连理性家所看不起的欲望也说不上,可见得人类行动和禽兽并没有什么区别!

罗素不但承认冲动是人类行动的动机,并且承认冲动是不可排除的。如果排除冲动,这种生活便是死的、冷淡的、不快活的生活。他说:

我们所希望的并不是想把冲动弄弱,是想利导他,使他不要朝死亡、荒废的方向去,只朝生活生长的方向去。想以意志来强制冲动——伦理家常常提倡这一说,并想借经济的必要来强行这种主张——真是无希望的事。生活受目的和欲望统制,把冲动完全排除,便成不快活的生活。活力、生气都消磨完了,结果便使人对于所经营的目的不大注意。全国国民如照这样生活,这种国民必定衰弱,遇到阻止欲望的障碍物,便不能有充分的力量将它打倒。

近代产业主义和社会制度,都想强使文明的国民抑制冲动,依目的生活。这种生活的样式、结果,不使生命的来源枯涸,便要引起来一种新冲动。这种新冲动和从前为意志抑制的、为意识感悟的冲动性质大不相同,新冲动比被抑制的旧冲动还要坏些。过度的节制,由外部加入的节制,往往唤起残忍的破坏的冲动。这便是军国主义所以使人民性格上受恶影响的一个理由。如果突发的自动的冲动没有发泄的路途,结果必定引起压制活气和有害生命的种种冲动。……(《社会改造原理》)

罗素这种人类行为动机观，便不啻把古来制欲派、正心诚意派的社会哲学和政治哲学根本推翻，便不啻把几千年来天天抹油搽粉的文明假面具一齐揭开，便不啻把"移风俗"必须从"正人心"做起、改良社会必须从改良个人做起的种种迷梦一齐唤醒。罗素的意思，是想教人知道现在所夸张的文明世界，仍然是一个兽欲横行世界。要想使兽性渐渐变化，使人性渐渐扩张，非从社会改造、政治改造下手断断不能成功。这便是罗素所以主张社会改造的理由。

二、罗素社会政治目的观

罗素承认人类行为的动机是由于冲动，并承认冲动不应该用意志来强制，但是他并不承认所有冲动都是不能利导的。罗素承认现在的世界仍然是本能的世界，并承认本能是不可灭的，但是他并不说本能是绝对不可变的。且看他说：

现在有一个普通的信心，就是说我们的本能不可变化，只有承认它，善用它罢了。这是不对的。人类各有各的自然性质，并可借外界的境遇，养成一定的性格。就是性格中本能的部分，也可以训练出来的。或由信仰，或由物质的情形，或由社交的事情，或由文物制度，都可以使他生出变化。（《社会改造原理》）

冲动一方面是战争的原因，一方面也是科学、艺术、恋爱的原因。所以我们所希望的并不是把冲动弄弱，是想利导它，使它不要朝死亡、荒废的方向去，只朝生活生长的方向去。（同前）

罗素虽承认本能可以改变,冲动可以利导,但他的改变和利导的下手方法和旧道德家绝对不同。旧道德家把正心诚意作治国平天下的本源,罗素却以改造政治制度、改造社会制度,为改变个人本能、利导个人冲动的本源。他认定人类行为常随社会政治的情形变化,社会生活根本变迁,社会组织根本变迁,人类行为也会跟着改变。所以,他主张改良人类行为应该从改造社会制度、政治制度入手。

但是罗素是一个主张"绝对多元论"的人,所以他的冲动观、本能观也是一种多元论。他不但说人类行为的动机,有欲望和冲动两个渊源,并且说冲动也分两种:(一)叫做占据的冲动(Possesive Impulse),(二)叫做创造的冲动(Creative Impulse)。前者包括财产、权力、战争等冲动说,后者包括知识、艺术、恋爱、建设等冲动说;前者是死的方面冲动,后者是生的方面冲动。他说:

货物可分两种,冲动也可分两种。货物有可以许个人占据的,有可以许人人同享的。这个人的衣食不是那个人的衣食,设若供给不足,这个人所有的便是从牺牲那个人而得的。……至于精神的物品,便不是排除他人,专为一个人所有了。譬如某人研究某种学问,不但不因此妨碍他人研究,并且可以帮助他人增进知识。……

冲动也可同货物一样分为两种:(一)叫做占据的冲动,以取得及维持私人独占的财产为目的,因此便造成财产的冲动;(二)叫做创造的冲动,把既不能秘密,又不能占据的货财公诸社会,且要令使用有效。(《政治理想》)

冲动是藏在本能里边的,由本能发动出来的。这种本能也有好坏的两方面。所以个人同个人相处,一方面有本能的亲爱,一方面又有本能的嫌恶。大概自罗素看来,无论是本能是冲动,总都分个好坏两方面。

而且这好坏两方面并不是毫无关系、互相独立的,乃是互相消长、互相妨制的。且看他说:

占据冲动强盛的时候,很妨害创造的进行。这个发现重要的东西,那个同他竞争的发现家或者要生出满肚子嫉妒。又如这个人发现治癌的方法,那个人发现治肺的方法,或者你欢喜我发现有错,我欢喜你发现有错。便是不错,也并不是专为治疗病人的痛苦设想。这种地方他们并不是专为着知识效用,不过希望传播声名罢了。所有创造的冲动往往为占据的冲动遮蔽。便是大发志愿想做圣人的人,对于已经成功的圣人总感觉他怀一种嫉妒。便是爱情,也往往同嫉妒相随而至。这便是占据的冲动常常闯入创造的世界。(《政治理想》)

创造的世界既已被占据的冲动闯将进去,无怪乎嫌恶的冲动常常抑制亲爱的冲动,战争的冲动常常遮住艺术、科学的冲动,朝死亡绝灭方面去的冲动常常驱逐朝生活生长方面去的冲动。要想拿政治的、社会的势力,来利导亲爱的、艺术的、科学的、生活的、生长的冲动,抑制嫌恶的、战争的、死亡的、绝灭的冲动——换句话说,要想减少占据的冲动,利导创造的冲动:这便是罗素社会制度、政治制度的目的。

罗素的社会政治目的,既全在减少占据的冲动,增长创造的冲动，所以他评判一切制度都拿这种观念作标准，要想估计某种制度有没有价值，必定要先研究某种制度合不合这个标准。所以他说：

　　政治或社会制度的好坏，必定由他对于个人的影响善恶而定。看这种制度是不是鼓舞创造性比较占据性多，是不是实现或增进人类中尊敬的精神，是不是保持自重心。因此，才可以判断这种制度的好坏。(《政治理想》)

　　我们应该尽力增多本能的亲爱之情，减少本能的嫌恶之情。这事比什么都重大，因为必定要由它的结果来判断政治制度的好坏。(《社会改造原理》)

　　罗素以为社会政治目的在使人类得到最善的生活；最善的生活便是使创造冲动的活动尽量增多，使占据冲动的活动尽量减少的生活。(《政治理想》)这是罗素的社会政治目的观。他理想的社会政治制度，都是从这个观念中演绎出来的，所有建设的主张，都是拿这个观念作标准的。

三、罗素理想的政治社会制度

　　从来哲学方法注重分析的对于政治社会的主张，多注说个人。罗素的政治哲学有许多地方简直是个人主义的社会政治哲学。讲个人主义的社会政治哲学家，第一个重要条件便是自由，都想把国家社会权力范围缩到最小限度，单靠自由一个方法来做造成个人创造的、自主的、进步的、能力的工具。罗素也是这样，所以他说：

政府和法律本来是为限制自由而设的,但是自由实在是政治的产物中很大的东西。(《自由的道路》)

罗素社会政治的理想制度,第一在能使各个人都自由去发展他的创造的冲动。他把自由看做取得政治的条件、经济的条件最适用的物事,最反对那种消极的自由,说消极的自由一点建设的意味都没有。他说:

安宁和自由,不过是理想政治组织的消极条件,我们既已得到之后,便要有积极的条件,即奖励创造的精力(Creative Energy)。(《政治理想》)

罗素的理想政治并不是想发现一种"乌托邦",不过想发现政治运动的正当方向。他有判断政治运动方向的两个原理:

(一)要尽量促进个人和社会生长力和生活力。
(二)一个人或一个社会的生长,不甚牺牲别个人或别个社会。(《社会改造原理》)

归总一句话,他所希望的人类便是:

不单要许多物质上的好东西,是要更多的自由,更多的自主,更多的创造的机会,更多的享乐的机遇,更多的自发的协同,和更少的不自由的服从。(《社会改造原理》)

罗素对于今后社会政治制度总希望要达到这些目的,所以这几句话便是他理想社会政治制度的抽象的目标。单研究罗素抽象的目标还不能明白他社会政治哲学的真相,此后再略为说一说他对于国家、国际关系、财产、教育、婚姻等具体的主张。(罗素承认宗教有存在的必要,说社会组织改造和人生哲学改造之后,必定要有适应新时代的新宗教。我是不欢喜说宗教的人,所以把它删了。)

(A)国家

罗素想从个人自由和公共管理中间找出一个调和的方法,所以一方面不赞成国家社会主义派的主张,一方面又不满意无治主义派的主张;一方面承认国家非常有害,一方面又承认国家暂时为必不可缺的机关。他以为现在国家主要的目的便是势力,尤其是武力的势力。对内侵犯个人的自由,对外侵犯别国的自由,所以认为有害。最好的方法,便是以法律代替暴力。不过法律太静、太死,离生长的运命太远。法律太偏于理论,对内除了革命,对外除了战争,不能修正。要想防止这些事,只有借势力均衡的状态,时时变更修改罢了。

国家的职权必定要尽力缩小,积极的职掌只以两个原则为限:

(一)为人类社会幸福着想,国家在最小限度以内对于普及的事项有主张维持的权利。

(二)国家可以防止牺牲他人的不正当行为。

应用第一原则,国家可以执行卫生法,预防传染病,奖励科学的研究,推行义务教育。应用第二原则,国家有排除经济上不公平的权利。如果把这些权利许给国家,以国家的权力来抑制人民的自由,又将怎样处置呢?唯一的方法便在分权。一组织独立的团体,一委托自治的机关。国家除了维持治安以外,所有积极的目的,不必由国家自己实行,可使若干独立的团体分担执行。地域上及商业上的事项,可委托各种自治机关之手,实行地方分权。(《社会改造原理》)行政部的权力固然不能忽然废止,但有两种方法可以除去弊害:一、把各部分的问题,委托各部分团体——地方自治,同业组合——解决;二、把行政部占领的权限让立法部收回行使。(《自由的道路》)这便是罗素对于国家改造的大致主张。

(B)国际关系

照罗素想来,妨害国际关系的根本问题,只是人性中一部分心理的原因和事实的原因。这种原因中最重要的便是竞争性、权力欲、嫉妒心等,由这些原因发生出来的害处,可用改良过的教育和改良过的经济制度、政治制度来纠正、消灭。(《自由的道路》)现在所看得见的国际间利害冲突,最重要的有三种:(一)关税;(二)虐待劣等民族;(三)扩张权力和领土。(一)是妄想,(二)是罪恶,(三)是儿戏,必定要一齐打消的。

罗素理想中的国际关系,并不是一种"世界主义"(Cosmopolitanism),并不是想借交通接触的机会把各种民族的特性一齐消灭。消灭各民族的特性是"世界主义"损失的结果,并不是成功的结果。对于祖国的爱国心还是要有的,不过不要妨害个人对它的亲爱罢了。为人类谋幸福,使仁爱的精神赶早实现,使偏狭的爱国心赶早消灭。一国思想学术出众,是为全世界的利益,并不是一国家、一民族的利益。家族的爱情不要想触国家的爱情,国家的爱情不要想触人类的爱情。对于世界,人类全以爱做根基,便是除去国际间恶害的好方法。

(C)财产

崇拜金钱足以减去人类的生活力，现在的制度应该尽力改造，使拜金主义消灭，好让一般生命增长。资本主义与近代人所发现的正义观念绝对相反，大资本主义便是牺牲他人所得，侵略弱劣民族的祸根。

经济组织原有四个目的：（一）得最多量数的生产；（二）使分配公平；（三）使生产的人得安定的生活；（四）减少占据冲动，解放创造冲动。现在的经济组织只以第一项为目的，社会主义只以第二、第三两项为目的，现在的改造家想把产业交给个人经营，便是注重这第四项。

罗素以为社会主义家主张生产归国家管理，是很妨碍个人和团体自由发展的。"工团主义"（Syndicalism）固然大唱产业自治，可是他们想完全脱离中央的关系，一定许惹起分配不公的问题。只有同业组合社会主义（Guild Socialism）把分配划归国家统治，把生产划归同业组合自治，是一种完全的组织。罗素的意思是经济的行动与政治的行动并行，所以对于同业组合所主张的直接行动，排斥政治的行动，也是不满意的。

总而言之，罗素最注重前边所说的经济组织目的中第四个目的——减少占据冲动，解放创造冲动。无论什么经济组织，只要违反这个目的，都是他必定排斥的。

(D) 教育

罗素以为现在的教育不是给青年的思想，不过是给青年的教条。拿积极的见解去强迫青年，既不使他怀疑，又不想养成他精神的独立性。所以，现在的教育实在是阻害自由讨论和新思想发生的障碍物。

教育的真正的目的不是给青年信仰真理的信条，乃是养成他们对于真理的欲望，养成他们精神上的冒险性。将来的教育应该努力保存独立心和冲动，去了服从和训练；努力养成尊敬心，去了轻蔑心；与其教人默从，不如教人反对；与其教人轻信，不如教人怀疑；与其教人爱慎重，不如教人爱冒险。增加创造的冲动，养成尊敬的心理，便是罗素的教育最大的目的。

(E) 婚姻

罗素对于婚姻制度也没有想出根本救济的好方法，不过想等到新宗教发生后再由新宗教去掌管罢了。为现在经济制度逼迫，生出晚婚和避胎两个弊病，是要根本改造的。再偏于性欲的秘密恋爱，没有共同生活，不生子女，也不是好现象。要想保持男女的关系，使他享幸福生活，得安固生活，必须有一种新组织。这种新组织，第一要鼓吹精神的发达。儿童以国家的经费公育，婚姻制度要取一夫一妇主义，结婚要以自由原则做基础。

（附注）罗素的学说外人批评的很多，我想从东京帝国大学图书馆把这一类批评罗素哲学的杂志书籍一齐借出来参考，做一篇"对于罗素政治社会哲学之批评"，但不知这个交涉能办妥不能？

二月十五日在东京作

（第七卷第五号，一九二〇年四月一日）

罗素的逻辑和宇宙观之概说

王星拱

我们都知道宇宙间有两种东西：一是物质 Matter，二是形式 Form。换一句话说，一是原质 Elements，一是关系 Relation。二者缺一，不能成其为宇宙。这两样东西都是实在的。依罗素的意思，哲学之精髓就是逻辑；逻辑和算学一样，是专门研究形式——关系——的学术，至于物质，有各行专门科学去研究它，不是哲学所应研究的。形式是普遍的，所以哲学的目标是普遍的。哲学不藉科学的材料为基础，而哲学的结论，也不因科学理论为转移。它有它自己的范围，若懂得这个范围里的东西，就可以懂得宇宙之普遍的模样。General aspects of the universe.

我们首先举一个例，来说明这个形式——关系——之实在。（哲学问题中所举的。）譬如我说："我是在这间屋里。""我"和"屋"固然是实在的，"这间"是表明这屋的性质的。然而"在里"二字，也必定代表一个实在的东西，这个实在的东西，就是我和这间屋的关系。若是"在里"二字不能代表这个实在的东西，则"我是在这间屋里"这一句话——这一个命辞——是没有意义的，是不能为人所了解的。所以我们的了解 Uuderstanding 之中，不但隐含着物质及其性质，并且隐含着关系，即此一层，已经可以证明关系是实在的了。

因为要承认关系之实在，所以罗素反对经院派的逻辑。经院派的逻辑，自亚里士多德传下来，乃是类之逻辑——把宇宙间的所有，汇成一一的类，本是亚里士多德的野心。这个逻辑，即以主词Subject和谓词Predicate之关系为起点。例如在"牛是有角的"这个命辞之中，"牛"是主词，"是有角的"是谓词；在"人是能笑的动物"这个命题之中，"人"是主词，"是能笑的动物"是谓词。依经院逻辑说来，所有的命题，都可以归于主谓词的形式Subject－predicate form之下；换一句话说：所有的关系，都可以简约而成一个主词的性质。以上所举的二例，原是说主词"牛"和"人"的性质，当然是主谓词的形式所能收纳得下的。若把这个理论，应用到我们在上节所举的例子"我是在这间屋里"上去，就有点不大好说了。因为这个命题之中，含有两个项Terms——两个物件；这两个物件。是相对的——是有相对的关系的。若必以此项不过为彼项之性质，未免是抑制原来敌辑之妻，而为丈夫的附属品了。然而这还不算是经院逻辑之致命椎。我们再看看中含"比较的等级"（Gomparatire degree）的命题，这种命题中所隐含的关系，就是罗素所叫做的反相称的关系。Asymmetrical relation这个关系，是无论如何不能简约而成一个主询的性质的。试看他所说如何。

今有一个命题"此物是较大于彼物"。在此命题之中，我们不但知道它俩有不同的体量，并且知道：其一的体量是较大于其他的分量。这个关系，是完全无法可以简约而成一个主词的性质的。倘若我们知道：此物是与彼物相同的，我们还可以把这个命题"此物是与彼物相同的"变成"这两个物件是相同的"一个命题。在这个新命辞中，以"这两个物件"为主词，以"是相同的"为谓词，那就是说：以"是相同的"为"这两个物件"这一个主词的性质；换一句话说，我们把它俩的关系，简约而成它俩的共同性质了。倘若我们仅仅知道：此物是与彼物不同的，我们也还可以把这个命辞"此物是与彼物不同的"变成"这两个物件是不同的"一个命题。在这个新命题中，以"这两个物件"为主词，以"是不同的"为谓词，那就是说：以"是不同的"为"这两个物件"这一个主词的性质；换一句话说，我们把它俩的关系，简约而成它俩的不同性质了。但是现在我们不但知道此物是与彼物不同，并且知道此物是较大于彼物，则它俩的不同性质，在形式方面，完全不能够解释这个事实。质说起来，"此物是较大于彼物"这个命题之中所包含的，不仅仅是它俩的不同性质。倘若此命题中所包含的，仅仅是它俩的不同性质，则"此物是较大于彼物"和"彼物是较大于此物"，毫无分别之可言了。我们须得说：此物的体量是较大于彼物的体量。我们无论如何，驱逐不掉"较大"这个关系。因为关系不同，所以形式不同。所以，"此物是较大于彼物"这个命辞，和"这两个物件是同的"和"这两个物件是不同的"这两个命题，各有形式不同。这个反相称的关系，既是无论如何，驱逐不掉的——是无论如何，不能简约而成一个主词的性质的。由此更可见关系是实在的，我们必得承认它。

"较大"的关系是如此，较小，较先，较后，在左，在右，在内，在外，诸关系，都是如此。以上所举的例，不过是两项之间之关系。我们须知道：有这种关系的项，可以为三，为四，为五，以至无限，例如：一排中之单位，一直线中之点都是的。

经院逻辑既相信主谓词（见第三段）的形式之普遍，所以它相信"天下"只有一个主词。这个主词，就是绝对。它以为，凡当判断Judgement而发结命题之时，我们都是描写一个共总的同一的主词之性质；如果"天下"可以有两个主词，则"两个主词是在这里"这一个命辞（此命辞之中，以"两个主词"四字为主词，以"是在这里"四字为谓词）。也不能描写二主词中此主词之性质，也不能描写二主词中彼主词之性质。所以赫格尔的道理，是哲学的命题之形式，必定是"绝对是如此如此"（见罗素的《哲学》中之《科学方法》）。这个道理，是罗素所极端反对的。他以为命题之形式，不止这一个（主谓词的形式）。不但不止这一个，并且是多得很——无限地多咧！如上节可举的例，已经可以表明：命题可以有不同的形式。其余如凡一命题中有"与""或""除非""倘若""如果""加""每""不""非"，没有，以及其他否定的字，等等字样的，都各有不同的形式。因为这些字样，都介绍进来各自特别的关系。罗素这个道理，若应用于含有否定字如"不""非""没有"的命辞之中，最为明了。这些字都是代表关系——形式的。若不以形式为实在，而把这些否定字表明实现的物质，是说不通的。因为没有一样实现的物质——如日月桌椅——可以有消极的——"没有"的性质。有些哲学家，因为这一层说不通的道理，而主张天下没有"没有"。你不能设想"没有"Thou canst not conceive nothing 就是他们的偈言。但是我们每日判断了解之中，几乎无时不碰着"没有"，足见"没有"也是实在的。但是它这个实在，是一个消极的形式；凡形式之实在，都和物质之实在不同罢了。所以罗素说："从前的人以为心理的世界和物理的世界之外，别无其他世界。现在我们知道，这两个世界之外，还有一个形式的世界。这个形式的世界，和物理的世界一般也是客观的，但是不像物理的世界之可为器官所感触的。"逻辑之职务，就是要研究这个形式的世界。在这个形式的世界里，也有各种类之不同，可以用物理世界里的"光怪陆离"的草木鸟兽来比喻它们,不是像在经院逻辑之中只有一个以一概百的形式。所以逻辑的机能,就是分析;逻辑形式之"字典",必须充足,才不至于发生"屈众就一之下"的毛病。这样逻辑之第一步,就是承认关系之实在。

由这样分析的逻辑所发生出来的宇宙观,概括起来说,有以下四个特点:(一)多元,(二)人类渺小,(三)唯实,(四)中立。

(一)多元　　这个实现的世界,是许多的物带着许多的性质和许多的关系所成的。这个关系,从不比物质还重要——依罗素说其实在哲学的方面,只有这个关系是重要的。——至少也和物质是一样的重要。譬如:我和你有友谊,其中有两项之关系;我因为她而嫉妒你,其中有三项之关系;我希望你把这本书送给他,其中有四项之关系;世上所有的人,都各尽所能,各取所需,其中有无限项之关系。我们可以用一个粗浅的——我希望不是误引的——推敲来说:物质是砖,关系是泥,二者缺一,不能成墙。但是这个泥,也是占据空间的,我们切不能因此而把关系当做占据空间的东西。许多项在一道,如何因为连接的关系集合而成世界,其中又要牵引到联续和无限之观念。罗素的连续和无限之理论,是从算学中得来,带有专门的色彩的,此处也不便说及它了。

(二)人类渺小　　希腊哲学家信徒和"一",以为宇宙就是一个"一"。中古宗教哲学家以为人是宇宙之主。依罗素说,这都把宇宙太看小了。希腊哲学家所以信从和一,是因为他们过于尊崇理性而不重经验,他们依理性推论起来,宇宙必是一的,不能够是多的。中古哲学家日居战争扰乱之中,所以他们的理想,就是一个整齐的宇宙。罗素以为如此的宇宙观,是把宇宙之所有——已知的和未知的——都当做书案上的地球仪,晤言一室之内了。依罗素逻辑说来,我们只能因彼此之关系,由此推彼,因彼与又彼之关系,而由彼推又彼。再往前推,关系复杂,也许就无从推了,何以见得是和一呢?所以我们不能在未知的区域以内,设一个和一的范围界线。若说这个宇宙是完备的,所以是和一,则"天下"也许有许多宇宙,每个宇宙都似乎是完备的。这就是算学中无限之外可以有有限的道理,何以见得是不可能的呢? 所以,这个宇宙,也许是许多宇宙中之一个;太阳系是这个宇宙中之微尘;地球又不过太阳系中之一部分;人类又不过是地球上一类生物。若以为人类之欲望,与宇宙之进行相符,那真是井蛙不可语海了(这个道理和第四特点中立,自然也是相符的)。

(三)唯实　逻辑是研究关系的学术,这些关系的张本,就是感触(亦译感觉)。这个感触的张本,是实在的,不是像唯心论家所说:它是因心神而存在的,也不是像唯物家所说:它就是外界的物体的本身。凡感触都是真的,即梦中之感触,也是真的。因为梦中之感触和醒时之感触,不能连接起来而不相冲突,所以我们说梦不是真的。足见梦之不真,并不是感触之分子不真,是这些分子之关系不真(科学的真实,是系统的真实,也是这个意思)。这个感触,既是实在的张本,则物理学中之"物",都是由这个感触建设起来的。换一句话说,物理学中之物,和感触张本有一定的关系,物理学中之物,就是感触张本之函数 Function。譬如:我绕一个桌子而走,看见桌子之连续为眼所感触的颜色。这些颜色之联合的级系,是实在的,至于桌子本身之存在,乃是经由各感触(视官的感触和筋肉的感触)之互组,而建设起来的。所有几何学中之点 Point 力学中之瞬,Instant 都是由感触张本建设起来的。

(四)中立　哲学所研究的普遍的形式,是不受人类欲望之驱使的。二加三得五，不能因为我们望它为六而即变为六。罗素以为宇宙之行动，究竟是进化还是退化，不是哲学所应答的问题。凡进化论中自不善而进于善之观念，乃是人类欲望的出产品（科学的进化论之本身，本不过是内界的组织，随外界环境而变迁，是一种机械的动作，自不善进化于善之观念，是带着伦理学的色彩的）。但是我们不要骇怕：普遍的形式，既是中立的，则人类之生死存亡，全凭命运支配。我们若要直接寻快乐，往往不如经由别的途径间接的寻快乐者所得之多。星卜学是直接的求趋福避祸的，然而不如中立的天文学之有益于人类；点金化学是直接的求发财的，然而不如中立的近代化学之有益于人类。求善亦是如此。哲学尽管不以善为目标，然而如果我们懂得宇宙之普遍的模样，则所得的结果，比拘拘守财奴式的求善者所得的结果，大得多啊！

（第八卷第三号，一九二〇年十一月一日）

唯物史观在现代史学上的价值

李大钊

"唯物史观"是社会学上的一种法则,又 Karl Marx 和 Friederich Engels 一八四八年在他们合著的《共产党宣言》里所发现的。后来有四种名称,在学者间通用,都是指此法则的:即(1)历史之唯物的概念(The Materialistic Conception of History),(2)历史的唯物主义(Historical Materialism),(3)历史之经济的解释(The Economic interpretation of History),(4)经济的决定论(Econmic Determinism)。在(1)(2)两词,泛称物质,殊与此说的真相不甚相符。因为此说只是历史之经济的解释,若以"物质"或"唯物"称之,则是凡基于物质的原因的变动,均应包括在内;例如历史上生物的考察,乃至因风土、气候、一时一地的动植物的影响所生的社会变动,均应论及了。第(4)一词,在法兰西颇流行:以有倾于定命论宿命论之嫌,恐怕很有流弊。比较起来,还是"经济史观"一词妥当些。Seligman 曾有此主张,我亦认为合理,只以"唯物史观"一语,年来在论坛上流用较熟,故且仍之不易。

科学界过重分类的结果,几乎忘却它们只是一个全体的部分而轻视它们相互间的关系,这种弊象,呈露已久了。近来思想界才发生一种新倾向:研究各种科学,与其重在区分,毋宁重在关系;说明形成各种科学基础的社会制度,与其为解析的观察,不如为综合的观察。这种方法,可以应用于现在的事实,亦可以同样应用于过去的纪录。唯物史观,就是应这种新倾向而发生的。从前把历史认作只是过去的政治,把政治的内容亦只解作宪法的和外交的关系。这种的历史观,只能看出一部分的真理而未能窥其全体。按着思想界的新倾向去观察,人类的历史,乃是人在社会上的历史,亦就是人类的社会生活史。人类的社会生活,是种种互有关联、互与影响的活动,故人类的历史,应该是包含一切社会生活现象,广大的活动。政治的历史,不过是这个广大的活动的一方面,是社会生活的一部分,不是社会生活的全体。以政治概括社会生活,是以一部分概括全体,陷于很大的误谬了。于此所发生的问题,就是在这互有关联、互与影响的社会生活里,那社会进展的根本原因究竟何在?人类思想上和人类生活上大变动的理由究竟为何?唯物史观解答这个问题,则谓人的生存,全靠他维持自己的能力;所以经济的生活,是一切生活的根本条件。因为人类的生活,是人在社会的生活。故个人的生存总在社会的构造组织以内进动而受它的限制,维持生存的条件之于个人,与生产和消费之于社会是同类的关系。在社会构造内限制社会阶级和社会生活各种表现的变化,最后的原因,实是经济的。此种学说,发源于德,次及于意、俄、英、法等国。

唯物史观的名称意义,已如上述,现在要论它在史学上的价值了。研究历史的重要用处,就在训练学者的判断力并令他得着凭,以为判断的事实。成绩的良否,全靠所论的事实确实与否和那所用的解释法适当与否。十八世纪和十九世纪前半期的历史学者,研究历史原因的问题的人很少。他们多以为历史家的职分,不外叙述些政治上、外交上的史实；那以伟人说或时代天才说解释这些史实的，还算是你一层的研究。Lessing 在他的《人类教育论》与 Herder 在他的《历史哲学概论》里所论述的，都受过神学观念的支配，很与思想界的新运动以阻力。像 Herder 这样的人，他在德国与 Ferguson 在苏格兰一样，可以说是近代人类学研究的先驱，他的思想犹且如此，其他更可知了。康德在他的《通史概论》里，早已窥见关于社会进化的近代学说，是 Huxley 与许多德国学者所公认的，然亦不能由当时的神学思想完全解放出来，而直为严正的科学的批评。到了 Hegel 的"历史哲学"，达于历史的唯心的解释的极点，但是 Hegel 限的"历史精神"观，于一般领会上究嫌过于暧昧过于空虚。

有些主张宗教是进化的关键的人，用思想感情等名词解释历史的发长，这可以说是历史的宗教的解释。固然犹太教、儒教、回教、佛教、耶稣教等五大宗教的教义，曾于人类进步，以很深的影响，亦是不可争的事实，但是这种解释，未曾注意到与其把宗教看作原因，不如把它看作结果的道理，并且未曾研究同一宗教的保存何以常与它的信徒的环境上性质上急遽的变动相适合的道理。这历史的宗教的解释，就是 Benjamin Kidd 的修正学说，亦只有很少的信徒。

此外还有历史的政治的解释。其说可以溯源于 Aristotle，有些公法学者右之。此派主张通全历史可以看出由君主制到贵族制、由贵族制到民主制的一定的运动；在理想上，在制度上，都有个由专制到自由之不断的进步。但是有许多哲学家，并 Aristole 亦包在内，指出民主制有时亦弄到专制的地步；而且政治的变动，不是初级的现象，乃是次级的现象，拿那个本身是一结果的东西当作普遍的原因，仿佛是把车放在马前一样的倒置。

这些唯心的解释的企图，都一一失败了，于是不得不另辟一条新路。这就是历史的唯物的解释。这种历史的解释方法不求其原因于心的势力，而求之于物的势力，因为心的变动常是为物的环境所支配。

综观以上所举历史的解释方法，新旧之间截然不同。因历史事实的解释方法不同，从而历史的实质亦不同，从而及于读者的影响亦大不同。从前的历史，专记述王公世爵记功耀武的事。史家的职分，就在买此辈权势阶级的欢心，好一点的，亦只在夸耀自国的尊荣。凡他所记的事实，都是适合此等目的的，否则屏而不载。而解释此类事实，则全用神学的方法。此辈史家把所有表现于历史中特权阶级的全名表，都置于超自然的权力保护之下。所记载于历史的事变，无论是焚杀，是淫掠，是奸谋，是篡窃，都要归之于天命，夸之以神武，使读者认定无论他所遭逢的境遇如何艰难，都是命运的关系。只有祈祷天帝，希望将来，是慰藉目前痛苦的惟一方法。

这种历史给予人类精神的影响，就是把个人的道德的势力，全弄到麻木不仁的状态。既已认定配境遇的艰苦，都是天命所确定的，都是超越自己所能辖治的范围以外的势力所左右的，那么以自己的努力企图自救，便是愚妄至极的事，只有出于忍受的一途。对于现存的秩序，不发生疑问；设若发生疑问，不但丧失了他现在的平安，并且丧失了他将来的快乐。他不但要服从，还要祈祷，还在杀他的人的手上接吻。这个样子，那些永居高位握有权势的人，才能平平安安的常享特殊的权利，并且有增加这些权利的机会。而一般人民，将永沉在物质道德的卑屈地位。这种史书，简直是权势阶级愚民的器具，用此可使一般人民老老实实的听他们掠夺。

唯物史观所取的方法，则全不同。它的目的，是为得到全部的真实。其给予人类精神的影响，亦全与用学神的方法所得的结果相反。这不是一种供权势阶级愚民的器具，乃是一种社会进化的研究。而社会一语，包含着全体人民，并他们获得生活的利便，与他们的制度和理想。这与特别事变特别人物没有什么关系。一个个人，除去他与全体人民的关系以外，全不重要；就是此时，亦是全体人民是要紧的，他不过是附随。生长与活动，只能在人民本身的性质中去寻，决不在他们以外的什么势力。最要紧的，是要寻出那个民族的人依以为生的方法，因为所有别的进步，都靠着那个民族生产衣食方法的进步与变动。

斯时人才看出他所生存的境遇，是基于能也时变动而且时时变动的原因；斯时人才看出那些变动，都是新知识施于实用的结果，就是由像他自己一样的普通人所创造的新发明新发现的结果，这种观念给了很多的希望与勇气在他的身上；斯时人才看出一切进步只能由联合以图进步的人民造成，他于是才自觉他自己的权威、他自己在社会上的位置，而取一种新态度。从前他不过是一个被动的、否定的生物，他的生活虽是一个忍耐的试验品，于什么人亦没有用处。现在他变成一个活泼而积极的分子了，他愿意知道关于生活的事实，什么是生活事实的意义，这些生活事实给进步以什么机会；他愿意把他的肩头放在活轮前，推之提之使之直前进动。这个观念，可以把他造成一个属于他自己的人，他才起首在生活中得了满足而能于社会有用。但是一个人生在思想感情都锢桎于古代神学的习惯的时代，要想思得个生活的新了解，那是万万不可能。青年男女，在这种教训之下，全麻痹了他们的意志，万不能发育实成。

　　这样看来，旧历史的方法与新历史的方法绝对相反：一则寻社会情状的原因于社会本身以外，把人当作一只无帆无楫无罗盘针的弃舟，漂流于茫茫无涯的荒海中，一则于人类本身的性质内求达到较善的社会情状的推进力与指导力；一则给人以怯懦无能的人生观，一则给人以奋发有为的人生观！这全因为一则看社会上的一切活动与变迁全为天意所存，一则看社会上的一切活动和变迁全为人力所造，这种人类本身具有的动力可以在人类的需要中和那赖以满足需要的方法中认识出来。

　　有人说社会的进步，是基于人类的感情。此说乍看似与社会的进步是基于生产程序的变动之说相冲突，其实不然。因为除了需要的意识和满足需要的愉快，再没有感情；而生产程序之所以立，那是为满足构成人类感情的需要。感情的意识与满足感情需要的方法施用，只是在同连环中的不同步数罢了。

　　有些人误解了唯物史观，以为社会的进步只靠物质上自然的变动，无须人类的活动，而坐待新境遇的到来。因而一般批评唯物史观的人，亦有以此为口实，便说这种定命（听命由天）的人生观，是唯物史观给下恶影响。这都是大错特错，唯物史观给予人生的影响乃适居其反。

　　旧历史的纂著和它的教训的虚伪既是那样荒陋，并且那样明显，而于文化上又那样无力；除了少数在神学校的，几乎没有几多教授再做这种陈腐而且陋劣的事业了。晚近以来，高等教育机关里的史学教授，几无人不被唯物史观的影响，而热心创造一种社会的新生。只有出之学校的初级史学教员，尚未觉察到这样程度的变动。因为在那里的教训，全为成见与习惯所拘束，那些教员又没有那样卓越的天才，足以激励他们文化进步上的自高心。而现今的公立学校又过受政治和教科书事务局的限制。

  唯物史现在史学上的价值，既这样的重大，而于人生上所被的影响，又这样的紧要，我们不可不明白它的真意义，用以得一种新人生的了解。我们要晓得一切过去的历史，都是靠我们本身具有的人力创造出来的，不是哪个伟人圣人给我们造的，亦不是上帝赐予我们。将来的历史，亦是如此。现在已是我们世界的平民的时代了，我们应该自觉我们的势力，赶快联合起来，应我们生活上的需要，创造一种世界的平民的新历史。

（第八卷第四号，一九二〇年十二月一日）

马克思还原

李 达

马克思的社会主义,已经在俄国完全实现了。可是还有许多人正在那里怀疑,实在有替他们解释的必要,所以特意写点出来看看。

这篇文字的大意,第一要说明马克思主义的本体,其次要说明马克思主义堕落的原因和历史,末了要说明马克思主义复活的事实,使世人了解真正的马克思。

马克思社会主义是什么?这个问题最难于简单的答复,可是这里也为省篇幅起见,特就马克思所述社会革命的原理、手段、方法及其理想中的社会,列举大概如下:

一、一切生产关系财产关系,是社会制度的基础;一切社会、宗教、哲学、法律、政治等组织,均依这经济的基础而定。

二、社会的物质的生产力,发展至于一定程度时,就与现社会中活动而来的生产关系财产关系、发生冲突。资本家利用收集生产物的剩余价值,坐致巨富,劳动者仅赖工钱以谋生。富者愈富,贫者愈贫,遂划分社会为有产者、无产者两大阶级。

三、人类的历史是阶级争斗的历史。资本制度发展到了一定阶段,大多数的无产阶级就与少数的有产阶级互相对峙起来。劳动者发生阶级的心理与阶级的自觉,互相联合组成一大阶级,与有产阶级为猛烈的争斗。

四、资本主义跋扈,渐带国际的倾向,而无产阶级的作战,亦趋于国际的团结。于是全世界一切掠夺、压迫、阶级制度、阶级斗争,若不完全歼灭,全世界被压迫被掠夺的无产阶级,不能从施压迫施掠夺的有产阶级完全解放。

五、无产阶级的革命,在颠覆有产阶级的权势,建立劳动者的国家,实行无产阶级专政。

六、无产阶级藉政治的优越权,施强迫手段夺取资本阶级一切资本,将一切生产工具,集中到劳动者的国家手里,用最大的加速度,发展全生产力。

七、国家是一阶级压迫他一阶级的机关,若无产阶级专政,完全管理社会经济事业,把生产工具变为国家公产以后,则劳动阶级的利益,成为社会全体的利益,就没有奴隶制度,没有阶级差别,生产力完全发达,人人皆得自由发展。国家这种东西自然消灭,自由的社会自然实现了。

以上是马克思社会主义的概观。综合起来说,马克思社会主义的性质,是革命的,是非妥协的,是国际的,是主张劳动专政的,这就可以明白了。

马克思社会主义是科学的,其重要原则有五:一、唯物史观;二、资本集中说;三、资本主义崩坏说;四、剩余价值说;五、阶级斗争说。马克思的政治学说和经济学说,均详备于此五原则之中。

马克思是理论家又是实行家,实具有二重资格。学者的马克思与实际运动家的马克思或不免略有出入的地方,马克思的门徒就因为这种关系,发生了许多误会出来。固守师说的人拘泥不化,自作聪明的人妄加修改，把一个马克思的真面目湮没了，什么正统派、修正派也就发生了。

马克思社会主义的堕落，可以从两方面说明：一是从实际的方面说明；一是从理论的方面说明。

马克思社会主义在德国本不甚流行，可是现在一般的论者，却多指德国社会民主党为马克思社会主义的代表。所以要说明马克思主义堕落的原因，无论如何，非说明德国社会民主党的本体及变态不可。

德国社会民主党，是马克思派的国际劳动协会和拉塞尔派的德国劳动协会合并而成的。当时马克思派以威廉里布克勒为代表，他们最初标榜纯马克思主义。对于拉塞尔派的国家主义，带有国际主义的色彩。所以社会主义的政策，从理论上说，马克思派较为彻底。可是从当时的实际问题上说，拉塞尔派反占有力的地位。再严格地说，拉塞尔派并不能称为社会党，只可称为自由党，他们承认国家、承认战争、承认国家的活动。而当时马克思派的主张却与此完全相反对。可是德国民族有崇拜国家万能的根性，所以为时不久，马克思派所信奉的主义就渐呈变态了。拉塞尔派主张经济改善，须俟政治改善，以为一切社会改革非行普通选举使全体人民参政不可，所以要纠合全国无产阶级组织一个大政党。马克思派本来标榜彻底的主义，可是到了一八六九年，马克思派的国际劳动协会，组织了民主劳动党，以实现所谓自由民国为标帜。而实现这自由民国的手段，则以获得政治的自由为政纲，说政治的自由是经济的自由的基础，所以也主张行直接的普通选举。到这时候，民主劳动党所标举的政纲，已极其保守，与拉塞尔派极相接近，马克思派国际主义，鉴于周围的形势已经放弃了。两派既无根本不同之处，而合同之机运已到，所以两派于一八七五年在哥达合并，社会民主劳动党于是产生了。当时该党在哥达所订的政纲，在理论上虽采用马克思的经济学说，而在实际政策上则采用拉塞尔派的劳动资本两阶级的协和主义了。国际主义派与国家主义派互相提携结为一党，实是一种变态。这是马克思主义堕落的第一步。

社会民主劳动党自经俾斯麦施镇压令以后，该党颇受挫折，且因受当时社会状态的影响，于是理论上与政策上的见地，于有形无形中发生变化，把该党一八九一年爱尔弗尔特政纲一看，就可知道的。该党在理论上原来反对议会政策的，从前党员被选为议员出席国会的时候，常有一种标语说，"我们到议会非参与立法事宜，乃是妨害议场并宣传主义的。"又说，"我们不是赞成资本阶级的立法，不是卖同志。"所以他们虽然做国会议员，口头上还有几分强硬态度。可是自一八九〇年以后，该党不称"社会民主劳动党"，改称"社会民主党"，表明社会主义与民主主义相结合，简直要与权力阶级妥协了。威廉里布克勒简直承认了议会政策。他说；"主义与战术有别，我在一八六九年本反对过议会政策的，可是在今日则事实与前大变了。"于是从前反对预算、关税、立法、军备、殖民政策的，此时却不惜加以协赞了；帝国议会书记八名中也有一名社会党员加入了，社会党自己也提出法案了。兵士增饷的法案，施行社会政策的法案，责任内阁的法案，保险官办的法案，等等，或径由该党提出，或加以协赞了。从前主张阶级斗争，此时主张阶级调和；从前反对议会政策，现在赞成议会政策。这是马克思主义堕落的第二步。

关于社会民主党的变态及堕落更堪注意的，就是该党对于战争的态度。社会民主党本来极力反对战争的。因为国际战争是资本阶级国家与国家间的战争，是资本阶级利益的冲突，劳动者是没有祖国的，国家虽亡，而劳动者除失掉铁锁以外并无他种损失。劳动者若承认资本阶级国际的战争，就是承认资本主义，所以社会党是根本的绝对的反对战争的。可是由国际主义变而为国家主义的德国社会民主党，后来对于战争的态度也改变了。一九〇七年贝贝尔在帝国议会的演说，说明对于战争应取的态度，他说"本国侵略他国的战争，本可反对，若本国受他国的侵略则须应战"，是已明白承认了战争了。这种主张，支配了社会民主党大多数人的心理，直至此次欧洲大战发生的时候，该党党员因此大中其毒。在欧战将开始的时候，该党犹装腔作势，极力非战，言论鼓吹，不遗余力，可是战端开始以后，该党的态度就大变了。战费案也协赞了，党员也从军了，并且人人都努力为国牺牲，好像殉教者一般。昨日的社会党，今日已成了国民党自由党了。欧战五年间德国除加尔里布克勒、连休修达、哈艮三人及卢森布尔克、泽特金二女士外，差不多没有社会主义者了。马克思社会主义至此时已完全消失了。这是马克思主义堕落的第三步。

由以上所述考察起来，马克思社会主义，经过德国社会民主党的蹂躏，精彩完全消失，由国际主义堕落到国家主义，由社会主义堕落到自由主义，由革命主义堕落到改良主义，由阶级斗争堕落到阶级调和，由直接行动堕落到议会主义，马克思的真面目被威廉里布克勒、贝贝尔、柏伦斯泰因、柯兹基一流人湮灭殆尽了。

这是从实际上说明马克思主义堕落的原因，而在理论上又是如何变迁附会的呢？也有详细叙述的必要，再说明于下。

依唯物史观所说，新社会的组织，是旧社会组织中各种固有势力发展的结果。资本制度发达至于一定程度的时候，必然发生一种"自身解体的物质上的动因",资本制度自己掘自己的坟坑。可是某种社会形式中固有的生产力,若在可以充分利用发达的期限以内,绝不会倒灭的。这种社会形式发展的结果,内中新生产力的利用和发达,当然要与这社会形式发生冲突。资本的独占成为生产关系的桎梏。于是生产机关的集中与劳动的社会化,遂与资本主义不能两立,而新社会组织于是起来代替了。可是这里所述的"新生产力"和"资本制度自身解体的物质上的动因",究应如何解释呢?若说资本制度的解体是资本集中的结果,则由旧社会推移到新社会的途径,完全可以离却人的精神的要素和意识的行动,马克思的唯物史观就变为机械的史观了。若是这样解释,社会党无需干社会革命,只听资本主义自然发展好了。社会主义者也无需鼓吹革命,只努力去开发实业好了,国家当然可以利用阶级当然可以调和了。因为资本集中的结果,自然要发生革命的。所以照这样说,马克思一面运动革命,一面唱这种机械史观的宿命论,不是自相矛盾吗?这是使人易生疑窦的地方,马克思派主义者的变态,未始不从这种怀疑点出发的。他们这种误入歧路的地方,早已有许多学者出来纠正了的,可是这种错误,一般普通人都可以看得出的。就是上面所说的,资本制度发达到了一定程度,资本阶级收集掠夺劳动者的血汗的剩余生产,增加自己的私有财产,劳动者仅依工钱谋生。于是社会截然分为有产者、无产者两大阶级。无产阶级受了资本阶级的掠夺和压迫,久而久之,就会发生一种阶级的觉悟。有了这种阶级的觉悟,就发生一种阶级的心理。有了这种阶级的心理,就会有一种阶级的组织和阶级的运动,就自然有一种团体的结合,成为阶级斗争的行动。阶级斗争的结果,无产阶级得最后的胜利,自然要废止私有财产,推倒资本制度。所以唯物史观一方面说明资本制度发展的过程，一方面注重现社会中新兴的无产阶级的力量。若忽视这种阶级的心理和阶级的自觉，不去助长阶级斗争的运动，社会革命是不可期待的。

过信资本集中论的人，对于马克思的学说，便生出一种根本的怀疑点，因为马克思的先见，是说明资本集中的结果，一资本家压倒多数的资本家，收夺者复遭收夺。且此时应受收夺的人已非为自己作工的劳动者，反是利用多数劳动者的资本家。照这样说，马克思的革命观，当然要跟着资本制度发达的程序益增显著。可是自十九世纪中叶至十九世纪末叶，数十年间，资本集中的步骤，并未证实马克思预言的确实。而且在他一方面看来，资本制度的范围扩大，公司会社日见增加，中产阶级的人数因亦增多，小资本家依然存在。资本并未集中，反形分散之象。而收夺者的收夺亦未成就。马克思的预言至此竟成空想。于是马克思派主义者，对于资本集中和社会自然革命的先见，怀疑起来，以为资本集中的学说，资本制度倒坏的学说，都是不可靠的了。于是不相信革命的必然主义，以为从旧社会到新社会的过程，只有进化而无革命，只有运动而无目的，而所谓修正派的运动，于是盛行了。加以当时思想界的倾向，在文艺方面已由自然主义转入新罗曼主义，在哲学方面已由实证主义转入新理想主义，所以社会主义也不能超过这范围独立存在。所以新理想主义，渐至代替唯物史观的位置。同时修正派运动发生"新马克思派的康德化，新康德派的马克思化"的现象，愈增显著了。于是柏伦斯泰因的修正主义，遂支配了社会民主党员大多数的心理，都放弃革命主义流而为进化主义、改良主义了。

其须最堪注目的，就是马克思派的政治运动。一部《共产党宣言》，差不多纯粹讲革命的，可是把那十大政纲看起来，却很平易而且是利用国家的。这种地方就含有所谓"二元的性质"。这种二元的性质，就被他们附会到议会主义去了。从实际上说起来，一切社会问题，不尽是一阶级的问题，也有阶级与阶级间的共通问题。这种阶级间共通的问题，关系阶级间共通的利害。无产阶级对于这种问题的解决方法，有时也无定要推倒有产阶级的必要，而且有时也可以和有产阶级携手的。所以无产阶级对于革命运动以外，凡有可以与有产阶级协同行动的，只有阶级共通的问题。这种协同的行动，就是政治运动。政治运动当然要利用国家，这也是必然的趋势。马克思派误会了这种地方，重视了这类阶级间共通的问题，专行政治运动，而且把阶级对抗的运动也附属于政治运动的范围以内了。于是社会党议会主义的大旗帜，在世界上招展起来了。马克思主义一入议会主义的范围，立刻就由革命主义堕落到改良主义，失却了本来的面目。

要推倒资本主义，必须厉行阶级争斗。所以劳动团体阶级的运动，最关紧要。劳动团体阶级的运动，决不可附属于政治的团体。马克思也曾说"劳动组合要达到本来的目的，决不可附属于政党。劳动组合若失其独立，劳动组合立即死亡。劳动组合是社会主义的学校，劳动者在这学校里和资本阶级争斗，其结果要达到社会主义。一切政党无论其倾向如何，只不过唤起劳动阶级的热狂，而劳动组合，则在劳动阶级之间造成有力而且永久的团结。所以只有劳动组合能够造成真的劳动阶级的党派，能使劳动者的势力抵抗资本家的势力"。所以由这一点看起来，劳工运动是不能把来附属政党的。社会民主党也把政治运动和阶级运动并为一事，公然要借议会政策达到社会革命的目的，不过是一种梦想罢了。

以上是从理论上说明马克思主义堕落的原因的。我们从上述实际上理论上观察马克思派社会主义的变迁，就可以知道标榜马克思主义的德国社会民主党，是牵强附会的，是堕落的了。

　　马克思社会主义在理论上是完成了的，在事实上也可以完成。只有一事与马克思的预言略有不符，就是十九世纪后半期四五十年间，各国的资本主义虽日见扩张，劳动阶级的人虽日见增加，而劳动者阶级的心理与阶级的自觉，十分幼稚，所以劳动组织和运动，都不甚发达。当时的德国固不待言，即如英国劳动组合虽日见发达，然仍不能离去地位改善运动的范围，很带保守的倾向。这种地方是与马克思的预期相反的。一般马克思派主义者，窥见当时的形势，以为与其求速成而无效，不如取渐进主义，愈改变而愈离奇，竟弄出非驴非马的马克思社会主义来了。

　　可是最近二十年，各国劳动运动的发达，一一与马克思的预言相符合了。劳动组合已由职业的组合变为阶级的组合了。劳动运动已由同业运动变而为阶级的运动了。更有一种新劳动组织，已经创造新生产组织了。阶级的觉悟与阶级的心理，愈益增大，而阶级斗争的运动，亦日增剧烈了。"一切工业社会化"的声浪，几乎无处不闻。所以说到这里来，我们就不能不佩服马克思的先见了。

　　更举实例说明，就是劳农俄国的缔造。世间以耳代目的人，都说劳农俄国所行的主义是一种什么过激主义，看做蛇蝎一般。其实劳农俄国的施设，在我的眼光看起来，并无新奇的地方。就是俄国所行的，各国最怕的"劳动专政"，都是数十年前马克思所倡导、所主张的，用不着大惊小怪。列宁并不是创造家，只可称为实行家，不过能将马克思主义的真相阐明表彰出来，善于应用，这便是列宁的伟大，世人都要拜服的。

被威廉里布克勒、贝贝尔、柏伦斯泰因、柯兹基等弄堕落了的马克思社会主义,到今日却能因列宁等的发扬光大,恢复了马克思的真面目,这是一件很重要的事实。

所以我要大声疾呼:"马克思还原!"

一九二〇,一二,二六,于上海

(第八卷第五号,一九二一年一月一日)

马克思派社会主义

李 达

一、马克思主义之分派

马克思学说出世以后,从前的空想社会主义变而为科学的社会主义,于是社会主义就为马克思主义所代表,一说社会主义,就晓得这是马克思主义了。但是近来各派社会主义产生,范畴复杂,遂有所谓马克思派社会主义和非马克思派社会主义的名称,马克思主义就不能代表社会主义了。

马克思派社会主义,究竟包含一些什么主义?恐怕还有一些研究社会主义的人弄不清楚的。他们自己要提倡马克思派社会主义,却自己不知道,反指摘别人所提倡的马克思主义为过激主义,加以过激派的头衔,使别人害怕,不敢公然主张。揣摩他们的心理真是可笑至极,也许是不懂得马克思主义的派别所致。我觉得有就这中间的派别说明的必要,所以作一篇马克思派社会主义的文字。

从前说马克思主义的派别的人,多半列举正统派和修正派两种,至于工团主义和组合社会主义(Syndicalism)(Guild socialism),

却不当作马克思主义看的。若提到多数主义(Bolshevism,中国人多译作过激主义或劳农主义,我主张译为多数主义)那更不消说了,一般人不特不承认这是马克思派社会主义,反说是无政府主义。这事正和北京政府中人说"劳农俄国"即"无政府主义"的话,是一样的无识可笑!

所以我特地在这里把马克思派社会主义分为五种范畴。即:一、正统派社会主义;二、修正派社会主义;三、工团主义;四、组合社会主义;五、多数主义。

二、正统派社会主义

既说是"正统派"当然是纯粹的马克思主义了,但是我却不敢这样说。"正统派"的名称是在十九世纪末叶柏伦斯泰因一派提倡修正说的时候才发生的。正统派的代表柯祖基,因为要保存马克思主义的本体,和修正派争论非常激烈,世上的人就是到现在都承认他确是马克思主义代表的学者。但是据我看来,我们只可说正统派社会主义中所保存的马克思主义的质量以修正派为多,却不能说就是纯粹的马克思主义。因为在正统派和修正派分裂的时候,当时的马克思主义,似乎完全变成了德国社会民主党的社会民主主义,已经不是纯粹的马克思主义了。所以我说正统派社会主义不是纯粹的马克思主义,不过是马克思派社会主义中一个分派。

马克思主义的本质怎样?这一层我曾在本志八卷五号《马克思还原》一篇文字上说明了,而且在这里也无赘说的必要,所以只就各派别发生的历史和内容,叙述一个大概。在十九世纪七十年代前后,马克思社会主义输入欧洲各国,各国相信马克思社会主义的人，都很热心运动，希望社会革命早日实现。他们要实行马克思的学说，尽最完善的努力，排斥妥协，直接行动。他们晓得是资本家特权，妨害了社会主义的发展；他们晓得社会党应该归纯粹无产阶级组织；他们的目标在根本的社会改造，不在现存制度的改良；他们的手段，是结合无产阶级，实行有组织的阶级斗争；所以要实行革命的政治运动，在共产主义基础上，建设共产社会；所以反对温情主义，反对劳动救济的立法，反对和资本阶级携手，反对共同运动，反对工会运动。综合起来说，这时候马克思社会主义者的运动就是要用无产阶级的直接行动，实现无产阶级的共产社会。所以这时候的社会运动者，很能彻底实行马克思主义的。

可是这里有不可掩饰的事实，社会革命完全是无产阶级的事，全靠无产阶级自己觉悟，革命运动才有进展的希望。在这个时候，资本主义虽然日见扩张，劳动阶级的人虽然日见增多，可是劳动者阶级的自觉和阶级的心理，尚属十分幼稚，所以劳动者的组织和运动还没有十分发达。因为这个理由，所以当时的产业虽然进化，虽有集中的倾向，却没有照马克思的预言那样急速成就。小产业、中产业似乎增加了；农业方面的实验，也和马克思的预言相反，地主之数不特不减少，而且增加了；商业上的恐慌，也似乎不多见了。社会主义者看见了当时的状况，不晓得自己对于促进劳动者阶级的自觉的努力不足，反以为马克思的学说不易奏效，于是就改变方向，在实行和理论上发生变化了。譬如德国的社会民主党，在这时候早就改变方针，采用了议会主义。所以在表面上德国社会民主党虽然奉行马克思主义，而在实际上已成了民主主义了。后来愈演愈进，到了十九世纪末，当时的马克思主义者之间发生冲突，于是就有正统派和修正派分立起来了。

正统派自然是标榜纯粹马克思主义的,在当时的人固不消说,就是现在也有很多人承认正统派是马克思主义的嫡派。但是正统派有一种根本的谬误的地方,就是误解马克思的学说,坚守民主主义,支持议会政策。马克思主义是否采用民主主义和社会政策,这是马克思派中一个新近发生的最重要的问题。关于这个问题的讨论,有柯祖基和列宁、托洛斯基两派人的著书和辩论。我想凡是研究了马克思主义,又读过这两派著作的人,一定能够了解谁是真正的马克思主义者。

三、修正派社会主义

修正派的代表,首推柏伦斯泰因(Edward Bernstein)。他于一八九九年脱离正统派,关于实行社会主义的手段,主张逐渐的受国家干涉。他著了很多修正马克思学说的论文,要从社会主义内部,改革社会主义。他对于马克思的"唯物史观说""剩余价值说""资本集积说""资本主义崩坏说""阶级斗争说"都加了严格的批评,要大行修正运动。他这种主张,也得到一部分人的信仰,而尤以德国社会民主党人受影响的最多,这是不可掩饰的事实。

修正派运动,同时在英、法两国也发生了。法国虽然有喀特(Guesde)一派坚守正统说,可是又有米勒兰(Millerand)一流提倡改良主义。米勒兰主张实行社会主义最好和一切政党携手,他排斥马克思派的意见,反对无产阶级共同团结,来行无产阶级革命。所以他反对喀特派,又反对梭列(gaures)。梭列主张劳动者地位改善,在某种程度,虽然可以和国家妥协,却不愿社会党和别的政党携手。换句话说,他就是希望继续阶级斗争,推倒中产阶级的国家。喀特也是主张用阶级斗争来实行社会革命的。

英国也是一样。正统派的社会民主同盟的势力衰弱以后,独立劳动党的势力增大起来了。独立劳动党是从费边主义产生出来的,即修正派。

德国的柏伦斯泰因、法国的米勒兰、英国的韦卜这一流人,都把进化的思想,注入本国社会党的纲领,社会主义,就变成了进化的或改良的主义了。

综合这些修正派的学说,虽然有种种不同的地方,可是这个进化的社会主义的特征,可分为以下五项:(一)产业协会或消费协会之发达,(二)助成产业归市有或国有的倾向,(三)组织地位改善的工会,(四)使劳动者获得选举权,(五)由国家征收累进的所得税。

进化的社会主义运动,其目的或对象,在学说上和马克思派社会主义并无不同。两派的主张,都是要推倒私有的现时个人的私有制度,把生产机关移归社会管理来组织新社会的。但是进化的社会主义,在学说上虽然有了这个目的,而在实际上,正统派的呼声较高,修正派的态度,却是非常冷淡的。

到了近年来,马克思还原的呼声一天比一天高了,这一派的学说,在事实上,已不能引起我们的注意。

四、工团主义

一九〇七年国际社会党在巴黎开会的时候,讨论了社会主义和工团主义的关系。当时演说的人,多指定工团主义的发生是社会主义复兴的新倾向。他们猛烈的批评那进化的社会主义或议会的社会主义,已经渐渐地消失了阶级斗争的思想,证明了真正的马克思主义已不存在；而自称奉纯粹马克思主义的人，都采用议会主义去了。

但是工团主义是什么呢？工团主义的名词，本有劳动组合主义的意思。法国的劳动组合，最初分两派：一是改良主义，一是革命主义。前者的目的在减少工作时间，增加工银，改良劳动状态；后者的目的专在革命，并不希望减轻资本主义的弊害，而在根本的改革社会组织。而且后者比前者势力较大，到了廿世纪初期以后，就支配了法国全部劳动运动的精神。

工团主义根本的思想是阶级斗争。依工团主义者的意见，社会是由掠夺者和被掠夺者两大阶级而成，雇者和被雇者的利益完全相反，所以劳动者应当和那些握有生产机关的资本家继续斗争。但是劳动者要得到经济的解放，就要凭借自身的力量，在经济上实行有效力的战斗。所以按照以前的经验，信赖议会政策，专从事投票的竞争，不惜和别的阶级妥协，反失掉革命的精神。所以工团主义反对民主主义。他们不重在态度冷淡的多数，而重在有"自觉的少数"。工团主义反对生产机关集中在国家手里，以为国家是束缚个人的。

工团主义的理想，在使劳动者有自主的"自由工场"，主张劳动阶级的解放，由劳动阶级自主。工团主义反对专从事改善劳动者地位的运动，主张实行自然的总同盟罢工，而不主张准备罢工基本金。

工团主义以直接行动为主，说社会常在战争状态，资本家、劳动者两阶级之间，有最大的隔阂，利益完全相反。所以劳动者要用一切手段征服资本阶级，继续努力奋斗，末了实行总同盟罢工，一举而实现社会革命，变更一切社会组织。

工团主义一方面固可以说是马克思主义的反动，一方面又可以说是马克思主义的还原。工团主义不相信资本家社会自然的破灭，不相信社会是自己的命运的结果所产生的，只相信根本的变革，是劳动阶级多年牺牲和斗争方能做到的。马克思说，力是旧社会孕育新社会的必要的产姆。工团主义却主张把这力提早运用。在这种地方，工团主义似与马克思主义相反。但是工团主义者却自称保存马克思主义的神髓。据 Lagardelle 说，"阶级斗争若包含社会主义的全部，社会主义全部就包含在社会主义之中，工团主义以外阶级斗争是没有的"。G. Sorel 也曾说过，马克思主义在工团主义的形式复兴起来了。

工团主义也不描写理想中的社会，据法国著名的一个工团主义者说："若要将目的确定，就惹起无穷的争论。有人说，我们的目的在实现无政府的社会；或者说，我们的目的在实现善于统治、善于经营的社会。这两种意见正确与否，我没有断定的责任。比如我要到某地方去，总要等到旅行完了之后再定，到这时候旅行的目的地自然明了的。"

工团主义相信大革命的时候，劳动阶级一定要起来统治社会。劳动阶级就会要掌握本来资本家所有的一切生产机关。他们会要组织协会管理工场矿山铁道，各协会联合组成中央大协会，开全国会议决定许多职业和产业的关系，尽统治的责任。

工团主义的国家也有统治的人。各职业的全国会议选出代表开总会议，决定各协会会员所应受之分配额。有余裕的协会，又可以补助没有余裕的协会。

工团主义否定政治的方法，但是依工团主义看起来，所谓"总会议"，当然要用代议制度做基础，这不是别开妥协、术数和种种政略的门径吗？而且社会上各人的结合，不专在经济一方面，必定还有行政裁判、国民教育、宗教等必要的东西。工团主义排斥政治的结合，主张经济的结合，这显然是一个缺陷。

但是工团主义主张劳动者的成功，与其依赖政治的行动，不如依赖经济的行动，所以不赞成工会受政党的利用。工团主义的新运动使产业的各国，都注意于工会的组织了。比如英国的工会，非常萎靡不振，可是受了工团主义新精神的刺激，也渐渐进步起来了。英国的进步的劳动者也认定产业的团结是一件重要的事情，要借团体运动要求管理产业，于是产生了组合社会主义。这也可以算是受了工团主义的影响。

五、组合社会主义

组合社会主义与集产主义和工团主义都不相同。实在的说起来，这是把集产主义和工团主义的要点结合起来，另成一种新形式的。

组合社会主义的意义，就是用工会和国家共同经营产业的提案。生产机关归社会公有，委托工会管理。但是管理的权利，不仅属于生产者，消费者也可以经由地方团体或中央团体发表自己的要求。生产的程序和方法，虽然归工会管理，而生产的种类和缓急，却不能决定的。组合社会主义者，想把现在的工会，变成合理想的组合，使适宜于将来产业的管理；推倒工钱制度，以达到与国家共同管理产业之目的。其第一步在结合劳动者向这目的进行，和资本阶级对抗；第二步要求共同管理产业，使国家收买资本家，允许组合经营产业。

组合社会主义不干涉生产者的自由，拥护个人权利。所谓组合有全国的和地方的区别。全国的组合，大概是处理物品标准之决定、商品贩卖，以及需要供给之调节等事。地方的组合在一定范围之内，实行产业的自治。组合的职员，由组合的会员选举而出。全国的组合组成一个中央机关，即组合总会。这总会是生产者方面最高的权威，是和消费者方面最高的权威的国家对立的。组合总会和国家各派代表组织共同委员会，掌管产业上最高的事务。生产者和消费者，因为这个委员会，可以时时接触，互相协议，就不至有一方面的利益和他方面的利益相冲突的事情，所以能够共同拥护全社会。

国家的收入，每年用单税法形式，按照各组合所得的纯利益提出若干充作国家的收入。国家得到这宗收入，就用来办理教育、公共道德、裁判和国际事务。

但是这里有一种反对论：在近代社会之中，各种活动，关系非常复杂，像组合主义者的主张，把国际关系委托国家管理，把生产事业委托组合管理，恐怕没有这样容易划分界限的。因为国际关系，每每含有经济的生产问题；而经济的生产问题，又每每含有国际关系，所以不能明白的分别出来。

况且组合制度，就是成立，恐怕也不能保持产业的平和。这种思想，也是一种空想。组合社会主义者，以为人性本善，过于相信人类有爱他人的本能。殊不知要使人类不为利益生产而为效用生产，若没有一种强制的权力去指导，必不会达到新社会的境界的。

六、多数主义

当多数主义初次得势的时候,世人都把这当做洪水猛兽,或以为这是无政府主义,想纠合世界一切暴力,去完全歼灭他的。后来看了劳农俄国的建设以后,多数主义的真相,渐渐明了,但是劳动专政一层,却惹起了全世界各方面的非难。社会主义以外的各色各派的人,无论是贵族绅士军阀资本家,当然都要反对的。非社会主义的人反对社会主义,乃是必然的道理,我们可以不必计较。只是最奇怪的地方,莫如社会主义者反对社会主义,尤莫如马克思社会主义者反对马克思社会主义。

多数主义的建设,完全遵奉马克思主义,这一层我想人人都应知道的。但是马克思主义者如所谓正统派代表柯祖基一流人,却极力的攻击,不承认多数主义是马克思主义,我们却不能无疑义了。所以我想就列宁、托洛斯基和柯祖基两派关于辩论"劳动专政"的著作和言论,略略的做一个简单的介绍：一面研究"劳动专政"是否出自马克思学说,一面说明多数主义的本质意义和实行的方法。

多数主义指导的原理就是劳动专政,我们要完全了解多数主义,要了解多数主义是否马克思主义,只就劳动专政一事研究清楚就很够了。据列宁、托洛斯基的申说,劳动专政纯粹根据马克思学说;但是柯祖基却极力否认,并且著了《劳动专政》和《民主主义？独裁政治？》(这是《劳动专政》书中的一部分,另印单行本的)两书,由理论批评多数主义所主张的劳动专政,不承认这是马克思的主张。柯祖基说,若没有民主主义就没有社会主义,力说社会主义非和民主主义结合不可；并且说马克思纵然主张劳动专政，但这是政治状态的劳动专政，而不是政治形式的劳动专政，即不是劳农俄国所实行的劳动专政。劳农俄国所行的劳动专政，是否马克思所说的劳动专政，还须由列宁的说明来说明；至于柯祖基所说的和社会主义结合的民主主义，当然是德国式的社会民主主义了，这一层我在上面说过，我觉得这并不是发源于马克思主义的。

马克思在他所著的《法国内乱》一书上曾经说："劳动阶级要想达到自己阶级的目的，单靠掌握现行的国家是不济事的。"又在一八七四年著的《哥达纲领批判》里面说："由资本主义社会转移到社会主义社会的中间，有一个政治的过渡时期。这政治的过渡时期，就是劳动专政。"又在《共产党宣言》上说："劳动阶级的革命，第一步在使劳动阶级跑上支配阶级的地位。劳动阶级就用政治的优越权，从资本阶级夺取一切资本，把一切生产工具集中到国家手里，即集中在组成支配阶级的劳动阶级手里，全部生产力就可用大速度增加起来……劳动阶级若和资本阶级战斗，迫不得已，自己不得不组织一个阶级，用革命手段，把自己造成一个支配阶级，并且用权力扫除旧生产条件，于是阶级对抗的存在和一切阶级的自身都要扫除的，无产阶级的优越权也要废除了。"这几段话，就是多数主义实行劳动专政的思想的源泉，经列宁引申立论之后，凡是曾经研究社会主义的人，都是不得不承认的。无论柯祖基如何曲辩，而劳动专政发源于马克思主义一事，已有确切的根据了。

多数主义何以反对观代的民主主义、反对议会政策而必欲实行劳动专政呢？这是因为议会政策是资本阶级社会的政治机关，和阶级斗争的思想绝对不相容的。据列宁说一切民主主义都是对立的，换句话说，就是阶级的民主主义。以前的民主主义不过是一阶级的机关；资本阶级的民主主义，不过是资本主义专制的表现。所以劳动阶级的民主主义（即劳动专政）要努力把资本阶级的民主主义打破。又资本主义虚伪的主张一切阶级的政府，而在事实上却是一阶级的政府。所以劳动阶级的革命，也率直的组织劳动阶级的政府，以期实现一切阶级的民主主义。

劳动阶级的意义怎样？列宁在他所著的《国家与革命》一书上说："劳动阶级革命的独裁政治，是被压迫的人为图谋粉碎施压迫的人而造成的先锋的支配阶级之组织。"他又在他所著的《劳兵会论》上说："劳动专政是一句伟大的话。这句伟大的话不可空用，这是征服绞取者和恶人而且具有勇敢、强权的铁血支配。"他又在论社会革命的文字中说："说共产党的暴力的人，全不懂劳动专政的意义。革命的自身，是纯粹的强力的行动。专政的语义，由各国语言说起来，不过是用强力的意思。所以强力和阶级的意义在这里是非常重要的。革命的地位越是困难，专政的程度越是辛辣。"所以由列宁这些解释说起来，劳动专政的意义就是劳动阶级对于资本阶级运用的强力政治。

劳动专政的意义，在上面说了，劳动专政的本质又是如何呢？据列宁说，劳动专政的本质，即一阶级对于他阶级而实行的革命的强有力的国家。换句话说，所谓劳动专政，就是劳动者的国家。至于劳动者的国家又是什么？列宁的解释，也和马克思、恩格斯的意见相同。据马克思说，国家是阶级支配的一个机关；是一阶级压迫他阶级，因此造出法律，使这种压迫继续持久，借以缓和阶级冲突的机关。又据恩格斯说，国家是一定发展阶段之中的社会的一个产物，是阶级的冲突和经济的利益不能和谐的一个证据。列宁因此引申他两人的话，演绎出自己的国家观，他说，国家是阶级冲突的产物,是那些不调和性的表现,所以国家只限于在阶级冲突不能调和的时候发生。反面说,国家所以存在,是阶级冲突不能调和的证明。所以依着发展的程序说起来,在资本阶级国家之次的是劳动者的国家;而这种劳动者的国家,已不是真正的国家,无不例外是在劳动专政的形式里实现社会主义。所以资本阶级的国家是资本阶级专政;劳动者的国家是劳动阶级专政。

　　劳动专政的作用怎样？这也是应当说明的。据列宁说,劳动专政的目的在征服资本阶级,根本铲除资本主义的一切思想、风俗习惯和制度,确定社会主义的根基;一方面用强制的权力,破坏资本阶级压迫劳动阶级的机关,从资本阶级夺取武装,把劳动阶级武装起来,制服一切反革命的反动力,因此徐徐的经过这政治的过渡时期,巩固新社会的基础。

　　劳动专政用什么形式表现出来呢？依列宁说,劳动专政的形式,形成了劳动阶级和下等农民永久专政的典型的劳农会共和制度。托洛斯基也说,劳农会是劳动阶级的组织,其目的在为革命的权力而战,所以劳农会又是劳动者阶级的意思的表现。至于劳农会的组织,依列宁说,一切劳动者和下等农民都包含在内,所以劳农会是劳动阶级运用主权征服资本阶级的机关,把一切立法上、行政上的权力,一致结合,不以地方分别选举区域,而以工厂、工作场所等产业的单位为选举区域的。至于劳农会组织的详细,在这里不便多为介绍,暂从省略。

七、结论

　　综合上述各派社会主义理论,范畴虽有种种不同,但在社会改造的根本原则上,都是主张将生产机关归社会公有的。不过所采取手段,各派各不相同,或者采用直接的适宜的手段,能够早日达到目的;或者采用间接的迂缓的手段,愈实行而离目的愈远。至于各派所采取手段所以不同,或者因为各国国情和国民性不同所致,但是我相信近的将来,各派都要在同一目的地会合的。

第三国际,已经可以代表各国社会党的进步派,都是赞成劳动专政,采用劳农制度的,这也可称为各国社会运动最新的趋势了。

中国何时能够发生社会革命,中国社会革命究竟采用何种范畴的社会主义,大概也是要按照国情和国民性决定的。未到实行的时候,我们也不能预先见到,所以不敢说中国应实行多数主义,却又不敢说中国一定不适宜多数主义。

一九二一年六月二日

本文参考书如下:
拉金的《马克思派社会主义》
列宁的《国家与革命》
柯祖基的《民主主义？独裁政治？》
列宁的《劳兵会论》
室伏高信的《列宁主义批评》

(第九卷第二号,一九二一年六月一日)

马克思的共产主义

存　统

（一）序论

大家都知道马克思是一个科学的社会主义者，他的社会主义是有科学的体系的。在他以前的社会主义，都是空想的社会主义，没有科学的体系；自从他出来之后，社会主义才具备了科学的体系，划了一个新纪元。这个区别，我可以借河上肇的话来说明：

把"共产主义的社会"当做理想来描写的思想家，在马克思以前，也很多很多。可是他们都只能在他们的头脑中描写那个理想，至于可以实现那个理想的"物质的基础"，却都不能发现，所以他们都只做一个空想家就完了。简单点说，那种只想飞到空中去而不去研究怎么样才能飞到空中去的手段的人，我们可以说他是一个空想家。但是如果有人想做出像飞行机那样东西来，用它飞到空中，我们就不能说他是空想家，因为他已整然想出为实现那个目的的"物质的基础"了。因为马克思关于（一）为实现那个当做理想的共产主义社会要怎样的"物质的基础"，和（二）那个必要的"物质的基础"如何才能完成——这两个问题,曾经做了科学的研究,所以在这一点上,他的社会主义可以称做科学的社会主义,可以同他以前的空想的社会主义区别的。

这一段话,很足以说明科学的社会主义和空想的社会主义的区别,也很可以表明马克思的共产主义能够实行的理由。

关于(一)问题,就是生产力十分发展;关于(二)问题,就是改造经济组织。换句话说:要实现共产主义,必须以生产力十分发展为前提;要生产力十分发展,必须以改造经济组织才能实现,即只有靠社会革命才能实现。社会革命,简单点说,就是改变经济组织的革命。经济组织一改变了,社会的全部制度都要随之而改变,于是新社会也就因而出现。

但是要完成这个社会革命,实现共产主义,是有一定的顺序的。马克思在一八七五年所著的《哥达纲领批判》中,把这个顺序明白告诉了我们。马克思是一八八三年死的,离他做这篇文章只有八年,所以我们很可以在这篇文章里窥见他的成熟的思想。我们从他这篇文章里,可以把他的实现共产主义的顺序分为三期:第一期,是革命的过渡期;第二期,是共产主义的半熟期(这就是普通所说的社会主义的时期);第三期,是共产主义的完成期。(其实,是不能这样严密区分的,大家以意会之就是了。)在这第三期各人都得着"生存保证",自由社会也就完全实现了。

(二)革命的过渡期

现在先说第一期,这一期就是革命的过渡期。我们把马克思

在这篇文章中及其他文章中关于这点的话一同引在下面,当能格外明白。《法兰西内乱》上说:

　　劳动阶级要想达到自己阶级的目的,单靠掌握现存的国家是不济事的。

　　大家不要轻轻看过这句话,这句话是马克思主义的精髓呢。因为马克思主义的根只是唯物史观,依唯物史观的解释,一种经济组织,一定要有一种政治组织和它相适应。所以一面改变经济组织,同时也非改变政治组织不可。那些要想在议会里实现社会主义,死守有产阶级德谟克拉西的先生们,在这一点,明明是违背马克思主义的教义的。所以列宁骂他们为"马克思主义的淫卖妇",实在是不错的。我们之所以不承认正统派社会主义(就是柯祖基所代表的那一派)为纯粹的马克思主义,也就在此。纯粹的马克思主义,据我看来,只有布尔什维克主义。

《哥达纲领批评》里说:

　　从资本主义社会推移到社会主义社会的中间,必须经过一个革命的变形时期。同这个革命的变形时期相适应的,有一个政治上的过渡期。这个政治上的过渡期,就是无产阶级革命的独裁政治。

　　这一段话可为紧接上段而说的,也就是山川均先生所说的"这是唯物史观说当然的结论与应用"。

《共产党宣言》上说:

劳动阶级的革命，第一步是使劳动阶级跑上权力阶级的地位。……既达到第一步，劳动阶级就用政治的优越权从资本阶级夺取一切资本，将一切生产工具集中在国家的手里，就是集中在组成权力阶级的劳动阶级手里。这样做去，那全部生产力，就可以用最大的速度增加起来了。起初的时候，少不得要用强迫的攻击手段对付私有财产权和资本家的生产方法，才得达到目的……劳动者和资本阶级战斗的时候，迫于情势，自己不能不组成一个阶级，而且不能不用革命的手段去占领权力阶级的地位，用那权力去破坏旧生产方法。但是同时阶级对抗的存在和一切阶级本身，也都是应该扫除的，因此劳动阶级的权势也是要去掉的。

《空想的及科学的社会主义》上说：

劳动阶级掌握政权，先把生产机关收归国有。从此之后，把无产阶级自身也一同废止，一切阶级区别、阶级对抗，都一概废止，就是叫做'国家'的国家，也随着废止。……无产阶级握取政权，用这个权力，把离开有产阶级的手的'社会的生产机关'，完全移归公共机关所有。

这一段话，是马克思说的，虽没有像前面那几段那样明白，但也明明白白教无产阶级夺取政权的了。总之，马克思主张"劳动专政"，实是一桩很的确的事实。他从一八四七年起草《共产党宣言》以来，就抱有这个思想，不过明白确定的，却在一八七一年巴黎自治团失败之后。有人说他到了后年思想成熟了，放弃这个主张，那是不对的。

在这个革命的过渡期，无产阶级最大的工作，就是把一切生产机关收归国有，及把一切阶级消灭。俄罗斯同志现在所做的，就是这第一期的事业。这第一期，是由资本主义进到社会主义的过渡时期，就是马克思所说的社会革命的时期。这个时期经过的长短，我看要以各国的经济发达状况和人民知识程度如何而定的。在俄国、中国这些产业幼稚、人民无知识的国家，过渡时期要比别国多一些时日也未可知。究竟要多少时日，我们固不能预定，不过共产主义不是一举而成的这件事实，我们是无疑的。我们也只有同心协力，尽我们最善的努力，以期早日通过这个过渡期就是了。

（三）共产主义的半熟期

共产主义的半熟期，就是共产主义的第一期。到了这时期，因为已经经过了"久产之苦"的过渡期，把一切生产机关都收归国有了，所以就没有有产阶级和无产阶级的阶级区别了，也就没有一切阶级区别了，因之无产阶级专政这个政治形态，也便随着告终了。而同时在别一方面，因为全社会的生产机关已成为"国家的统一"，和全社会的生产力已成为"意识的计划的结合"，所以"全生产方法的变革"也就实现了，"社会的生产力"也就大大地增加了。到了巨大的生产力增加的时候，社会才进到共产主义的第一期。但是在这时期的共产主义，起初还不过半熟的东西罢了。现在再把马克思在《哥达纲领批判》中关于这共产主义第一期的话写在下面：

"我们这里要处置的东西，并不是在那个固有基础上发展的共产主义社会，实在是那个刚从资本主义社会产出之后那些时候的共产主义社会。在这时期无论在经济上、在道德上、在精神上，在其余一切关系上，都还没有脱除那个生它的母胎旧社会的遗风。在这种社会里每个生产者，都向社会正确地取回自己所给予社会的东西（扣除为社会全体所必要的费用之后）。他给予社会的东西，就是他个人的劳动量。……他向社会领受了一种证券，这种证券上面写明'供给这些这些分量的劳动'（扣除了他为共同团体所行的劳动）；拿了这个证券，向消费物的社会的仓库，取出与这个所费的劳动相等的东西。这就是：他把他在这一个形式上所给予社会的东西，在别一个形式上取回。换句话说，就是同量的劳动互相交换。"

这是已经过了过渡期，进了共产主义第一期以后的事。在这时期，社会已完全没有私有生产机关和掠夺剩余价值的有产阶级了，所以一切人都成为"社会的劳动者"而劳动，各人都应其提供的劳动多寡从社会领受一定的报酬。在这各个人"在别一个形式上，取回同在这一个形式上所付给社会的劳动相等分量的劳动"一点看起来，可以说是实现劳动全收权。（但是因为从全体劳动收益当中，先扣除了为社会全体的必要费用之故，所以实不是各人完全取回他的劳动收益全部的。）但我们要问：这种承认劳动全收权的社会，就是马克思当做理想的"共产主义的社会"吗？那不是的。据马克思的意见，一切权利，都是有产阶级社会的残渣，劳动全收权也是一样。同在《哥达纲领批判》当中，他又接着说道：

"在这个地方，明明白白被同'那个规定商品交换（只要它是在同一价值内交换)的原则'相同的原质支配着。不过在这变化过的事情下面,因为(一)无论是谁,都不能提供他的劳动以外的东西,和(二)除了个人的消费物以外,无论什么东西,都不能归个人所有,所以内容和形式,都发生了变化。但是关于各个生产者之间的消费品分配,是被同'商品同价量交换'一样的原则支配着的,即是这个形式同量的劳动,同别个形式同量的劳动交换。

"在商品交换里,'等价的交换'这条原则,只是在全体平均上存立的,在各个的场合是不存立的。但是在这个场合,是没有说有'原则和实际不一致'那样的事的。不过那个'平等权利',从其原则上说,还仍旧是有产者的权利。

"这个平等权利,虽然如上述那样有进步,但仍旧还负有有产者的限制的。为什么呢？因为生产者的权利,与其'劳动给付'成比例,平等还存在用'劳动'这个同一尺度去测量这一点上之故。(所以其结果,不免要发生种种不平等。)有人对于别人,在肉体上或精神上,占着优等的地位,所以在同一时间当中,能够提供更多的劳动,或者更能劳动更多的时间。因为把劳动当做尺度使用,所以其张度及强度,也不可不斟酌的。不然,那就不是尺度了。这样说来,这个叫做'平等权利'的权利,实在是对于不平等的劳动的不平等的权利。不用说,各人都同别人一样,单是一个劳动者;阶级的区别,是不承认了。但是这个,在不知不觉之中,已经把不平等的个人的天分,以及不平等的个人的给予能力,认做'自然的特权'了。所以这个,同一切权利一样,从其内容来说,也是不平等的权利。……还有别的种种差别,例如一个劳动者结了婚,别个劳动者没有结婚;这个人的小孩子,比别个人多等。所以纵使大家做同一劳动勤务,对于社会的消费财物取同一的分量,也要发生一个人在事实上所得的东西比别人多，一个人比别人富那样的事情。如果要想避免这些弊害，那么我们就可以知道：'权利'不是平等的，实在是不平等的。然而这些弊害，在共产主义社会的第一期——即在吃了'久产之苦'（这是指革命的过渡期的）之后，刚从资本主义社会产出不久那些时候的共产主义社会，是不可避的现象。大凡权利这个东西，决不能成为比'社会的经济状态及靠这经济状态附做条件的文化的发展'更高的东西的。"

所谓"在变化过的事情上面，无论是谁，都不能提供他的劳动以外的东西；在别一方面，除了个人的消费物以外，无论什么东西，都不能归属个人所有"，以及"大家都不过是一个相同的劳动者，不承认有阶级的区别"那些话，都不过是说明这么一个时期的社会状态，即一切生产机关都归社会公有，社会没有了叫做有产者及无产者这种阶级区别的时期——即社会已经过了过渡期进入共产主义的时期——的社会状态。在这个时期，社会虽然已经进了共产主义的时期了，然而在起初的时候，社会还没有脱除旧社会的熏习，所以关于消费品的分配，也不能就采用"各取所需"这条原则。为奖励各人的劳动起见，还有应其所提供的劳动的分量而定财富分配的必要。所以虽然已经进到共产主义社会了，然在第一期，却也还承认近于"劳动全收权"的权利的。但我们已经知道，在主张有权利的时候，是没有平等的；一切权利，都是不平等的权利。在这种以各人劳动分量多少来定分配的时候，要发生种种的不公平。例如有两个人，虽然在同样必要的时候，但因为二人的劳动分量不同，所以就发生一个得到较多消费手段，一个得到较少消费手段的事情；还有有更多的必要的人，所得的分配额，反而比有更少的必要的人少的事。这样说来，社会虽然已经进入共产主义时代，然在第一期，什么正义、自由、平等这些东西，都还不能达到完满境域的。据马克思想，这些弊害，到底是不能避免的。

总之，在共产主义的第一期，只不过免除了从生产机关私有所生出来的弊害，至于跟着以劳动量为标准的分配制度所产生的种种不公平，一时还不能免除。这时候有两条重要原则：一条是"不劳动的不许吃"，一条是"做多少工作，给多少报酬"。这就是马克思所说的共产主义的第一期。

（四）共产主义的完成期

共产主义"在那个固有的基础上发展"起来，渐渐儿使社会的生产力成就了巨大的发达，最后就达到"实现共产主义所必需的程度"，而社会的一切组成员也就都得着"生存保证"。做到这样，也决不是不可能的事。到了这个时候，共产主义才脱了半熟期而进到完成期，人类也成为真正的自然支配者。关于这个时期，马克思在《哥达纲领批判》里说道：

"在共产主义社会更高级的状态！在从服从分业原理而发生的个人的奴隶的隶属没有了之后；在精神劳动和肉体劳动的对立废除了之后；在劳动不当做为单维持生活的手段，而劳动自身成为第一个生活要求之后；在生产力随着个人的全面的发展一同增加，而共同财富的源泉都十分流出之后——到了这个时候，社会才完全从狭隘的有产者的法律的地平线拔出来，而且只有在这个时候，社会才能在旗帜上大书特书着'各尽所能，各取所需'。"

所谓"各尽所能",就是"各人应其能力为生产财富而劳动"的意思;所谓"各取所需",就是"各人应其欲望而消费社会财富"的意思。这两句话,是把共产主义社会的生产及消费的根本原则,最简单明晰表现出来的话。这样的社会,马克思并不以为立刻就能实现的。他以为要实现这样的社会,必须先经过许多年数,等到社会的生产力大大地增加,最后,"共同财富的一切源泉都流出来"的时候,这样的社会才能实现。他的共产主义不能称为乌托邦,也就在此。我们之所以不相信别的共产主义,而独信马克思的共产主义,也在于此。

这样的一个社会,就是我们所要的自由社会。在这种社会里,"劳动已不是为生活的单一手段,而其自身就是第一个生活要求"。这种为"生活要求"的劳动,也就是一般人所仰慕的优美愉快的劳动,也就是一般艺术家所企望的"劳动的艺术化"。在这时候,人人都能够自由劳动、自由消费,真是一个快乐世界!而且社会的生产力既然十分发展,精神劳动和肉体劳动的对立既然消灭,则劳动时间一定可以大大减少,余暇时间一定可以大大增加,什么科学、艺术这些东西,谁也不能独占了:真正的自由、平等、正义、幸福,也都只有这时才能完全实现!这就是"各个人都能够自由发展,全体才能自由发展的协同社会"!马克思所谓"共产主义的更高级的状态",就是这样的!

(五)结论

由上所说,马克思的共产主义是什么东西,大概总可以明白

了。我为读者容易记忆起见,再把上文大意总括如下:

1. 社会革命期。这期的特质,就是无产阶级专政。这期最大工作:(一)把一切生产机关收归国有;(二)征服有产阶级并消灭一切阶级;(三)整理生产事业并发展生产力。这期工作,大部分属于破坏。

2. 共产主义半熟期。这一期就是刚从资本主义社会脱出的新共产主义社会的时期,也就是经过了社会革命期后的时期。(在社会革命期中,是正与资本主义社会战争的时期,不能说是已经脱出资本主义社会。)因为它去资本主义社会未远,所以无论在经济上、在道德上、在精神上、在一切关系上,都还遗留着旧社会的遗风。因之,强制力在这时期也还不能免除。这个时期,已没有了阶级的区别和生产机关的私有。无产阶级的国家也已消灭,全社会人都已变做生产劳动者。这时破坏已完,完全努力建设。因为生产机关已为全社会所有,生产事情已有统一的计划,所以生产力也就能充分发展起来。至于分配消费品,还仅能采用"各取所值"一条原则,做多少工才给多少报酬,所以在这时候,还有许多不公平的事情。

3. 共产主义完成期。这个时期,就是生产力已达了十分可惊的程度,完全能够做到"各尽所能,各取所需"的自由共产社会的时期。这就是恩格斯所说"自由的王国",马克思所谓"协同的社会"。

大家请看:马克思的共产主义是对的吗?把共产主义的目的、手段、过程,都一一告诉我们的人,除了马克思之外,还有什么人呢?这种从经济上来主张共产主义不去相信,到底要信什么共产主义呢?世界上主张共产主义的学说,还有比马克思更完备的吗?自由、平等、正义、幸福,是凭空建筑得起吗?究竟是先有了共产主义的经济组织，然后有平等、自由、正义、幸福，还是先有了自由、平等、正义、幸福，然后有共产主义的经济组织呢？这一个差别，是很大的呢！朋友们，都要仔细想一想呵！

现在再说一点我的意见。我以为马克思主义全部理论，都是拿产业发达的国家的材料做根据的，所以他有些话，不能适用于产业幼稚的国家。但我以为我们研究一种学说一种主义，决不应当"囫囵吞枣""食古不化"，应当把那种主义那种学说的精髓取出。比方唯物史观告诉我们：经济组织起了变化，社会组织也就要随之而起变化。我们因此就可以知道：要改变社会组织，必须先改变经济组织。又如马克思经济学说告诉我们：产业社会化的结果，共产主义是必然到来的运命。我们因此又可知道：要想实现共产主义，必须先使产业社会化。诸如此类，举不胜举。所以我们在中国主张马克思主义，实在没有违背马克思主义的精髓，乃正是马克思主义精髓的应用。

我们很知道：如果在中国实行马克思主义，在表面上或者要有与马克思所说的话冲突的地方，但这并不要紧，因为马克思主义的本身，并不是一个死板板的模型。所以我以为我们只要遵守马克思主义的根本原则就是了。至于枝叶政策，是不必拘泥的。

我以为我们千万不要忘记唯物史观，忘记了唯物史观就没有了马克思主义。非但马克思主义者应该注意唯物史观，就是别的社会主义者，也非注意唯物史观不可。一种社会组织，一定要建在一定的经济组织上面。经济组织，是社会组织的基础；没有基础，怎么建筑得起？空想社会主义者的弊病，我们千万不可犯。社会革命，绝非偶然侥幸的事，是要在一定的条件下面来行的。不顾一定的条件，空谈社会革命，是一件无益的事。我们如果真要使社会革命成功，除了遵守唯物史观之外，没有别的办法。

什么正义、人道、自由、平等，都要建筑在一定的经济基础上面的。找不到那种经济基础，空讲自由、平等，就是讲一万年，也是不会实现的。我们并不是不要自由、平等，我们只不过要先筑成能够得到自由、平等的经济基础。我们知道：社会是进化的，由较不完善进于较完善的。要想一步跳过，那完全是梦想。我们对于社会进化必须经过的阶段，是避免不来的。所以我们必须实行阶级斗争，必须采用劳工专政。拿什么"彻底不彻底"的话来反对马克思主义，我看是一钱不值。

总之，马克思的共产主义，一定可以在中国实行的，不过如何才能实行，却全靠我们的努力了！

一九二一年八月

（第九卷第四号，一九二一年八月一日）

马克思学说

陈独秀

（一）剩余价值

马克思是一个大经济学者，他的学说代表社会主义的经济学和亚当·斯密代表个人主义的经济学一样，在这一点无论赞成马克思或是反对者都应该一致承认。

马克思的经济学说，和以前个人主义的经济学说不同之特点，是在说明剩余价值之如何成立及实现。二千几百页的《资本论》里面所反覆说明的，可以说目的就是在说明剩余价值这件事。亚当·斯密也曾说过："在土地未私有资本未集聚的最初状态，劳动者所生产的东西全属劳动者自己所有。"（见《原富》一卷六六页）又说："劳动者自己享有全部生产品的最初状态，土地私有资本集聚之后便不行了。"（见《原富》一卷六四页）这两段明明说因为土地和资本私有的缘故，劳动者不能得着所做的生产品全部分，只得着一部分。那剩余的部分归了何人呢？照马克思的学说，这就叫做剩余价值，是归了资本家的荷包。资本家夺取了劳动者的剩余价值，作为他私有的资本，再生产再掠夺，以次递增，资本是这样集聚起来的,资本制度就是这样发达起来的。话虽这样简单,但是要真实明白剩余价值是什么,以及他是如何成立、如何实现和分配的,本是一件很烦难的事,现在不得不略略说明一下。

要明白马克思所说的剩余价值是什么,首先要明白马克思所指的价值是什么,其次要明白马克思所说的劳动价值是什么及劳动价值如何定法。亚当·斯密以来的经济学者,对于凡物之价格都分为自然价格(Natural Price)、市场价格(Market Price)两种。剩余价值所指的价值,是自然价格所表现的抽象价值,不是市场价格所表现的具体价值,我们千万不可弄错。劳动价值也分二种:(一)劳动力自身之价值,即劳动者每月拿若干工钱把劳动力卖给资本家之价值;(二)劳动生产品之价值,即劳动者每月做出若干生产品之价值。这两种劳动价值是如何定的呢?照马克思的意思是说,凡两件货物互换,这两件货物一定有什么相同的地方,譬如拿若干布匹换若干面粉,这两样货物形式不同,物理的性质不同,用处不同,他们相同的地方只是都为劳动所做的结果,因此所费劳动相等的货物价值亦相等。用十二小时做成的货物,价值比用六小时做成的货物高一倍,一个茶碗价值二角,一个茶壶价值一元,壶的价值比碗大四倍,是因为做壶所用的劳动比做碗的多四倍。所以马克思说:"一切用劳力所制造的商品(就是货物)之价值,乃是由制造时所需社会的劳动分量而定。"(劳动分量,就是劳动时间长短的意思。社会的劳动,是与个别劳动不同的意思。个别劳动有个别勤惰巧拙以及工具精粗的差异,所谓社会的劳动,是指在一定时代的社会状况之下,将这些个别的差异都作为平均程度,因此社会的劳动也叫做平均的劳动。)劳动者把劳动力卖给资本家,因此劳动力自身也是一种商品,所以马克思说:"劳动力这种商品的价值,是由培养他所需的劳动分量，也就是制造劳动者及其家族生活品所需的劳动分量而定。"马克思所谓制造一切商品所费的劳动分量，乃是兼"生的劳动"（制造该商品时所费的劳动）和"死的劳动"（制造该商品时所用原料工具建筑等以前所费的劳动）两种而言，这也是我们不可忽略的。

马克思的价值及劳动价值公例，略如以上所说，以下再说剩余价值是什么。

剩余价值究竟是什么呢？乃是货物的价值与制造这货物所费的价值（兼生的劳动之价值及死的劳动之价值而言）之差额。例如费一万元生产一万五千元的货物，在这货物一万五千元的价值中，除去生产这货物所费一万元的价值，所剩余的五千元就是剩余价值。说详细一点，当分为剩余价值之成立及剩余价值之实现和分配二部分，剩余价值是如何成立的呢？照马克思说，剩余价值是在生产过程中成立的，不是在流通过程中成立的。这个意思十分重要，我们也千万不可弄错。此话怎讲？因为马克思所指出的剩余价值，虽然要在流通过程中才能够实际归到资本家的荷包，但是夺取的方法和剩余价值的本质，都不是指流通过程中一件一件生产品的卖价，乃是指生产过程中劳动者为资本家所做"剩余劳动"的价值。"剩余劳动"又是什么呢？是因为近代利用机器，制造业的规模一天大似一天，手工的生产品比机器的生产品货色不好价钱又贵，因此手工业一天衰败似一天。于是由手工工业时代变了机器工业时代，由家庭工业时代变了工厂工业时代，由独立生产时代变了共同生产时代，这就叫做"产业革命"。自产业革命以来，所有生产所必需的工具（土地、矿山、房屋、机器、原料等）都为资本家所占有，资本家以外的人，除了将自身的劳动力卖给资本家，便做不成工，便得不着生活费用。资本家给他们多少生活费用（即工钱）呢？照马克思的价值公例，一切商品之价值常与制造此商品时所费的劳力相等，劳力（也是一种商品）之价值（即工钱）也常与培养这劳力所需的劳动（即制造劳动者所必需的生活品之劳动）相等。那么，譬如一个劳动者每日所需的生活品值六小时的劳动分量，照理他每日做工六小时便已产出他生活品的价值。然而资本家往往要劳动者每日做工十二小时，所给工钱只值六小时的生活品，其余六小时，在实际上劳动者未曾得着工钱，是替资本家白做了，这白做的六小时就叫作"剩余劳动"。生产品之全部价值都是劳动者做出来的，而劳动者所得只一部分与六小时劳动价值相等的工钱，其余一部分由六小时剩余劳动而生的价值，就叫作"剩余价值"。

　　剩余价值是如何实现和分配的呢？剩余价值虽然成立在生产过程中，但是必须到了流通过程中才能够实现。资本家雇用劳动者产出一定价值的货物，剩余价值的本质及作用固然已经包含在这货物之中，然必待将这货物卖给消费者，把这货物的价值变成市场价格，剩余价值变成货币归到资本家的荷包，这时剩余价值才算实现。譬如一资本家费价值五成的劳动工钱，造成价值十成的棉纱，这时剩余价值五成固然已经由剩余劳动五成在生产过程中成立了，然必待将棉纱卖给消费者，将价值十成的货物变成价格十成的货币归到资本家的荷包，那时五成剩余价值才算实现了。这是因为生产者不能将货物直接卖给最后消费者，中间必须经过贩卖者之手，贩卖者须得一定资本及劳力之报酬，于是生产者不得不在价值以下的价格卖出他的货物。譬如用价值五成工钱造成价值十成的棉纱，因为贩卖者之报酬，价值十成的棉纱至多只能卖得价格八成的货币，因此五成剩余价值中，制造棉纱的资本家只能得着三成,其余二成是归了贩卖棉纱的资本家;制造棉纱的资本家若是向他资本家借过资本,便须拿一部分剩余价值付他资本家的利息;纱厂的地基若是向地主租的,又须拿一部分剩余价值付地租;剩余价值大概是如此分配的,各种资本家分配所余才是制造棉纱的资本家实际得着的剩余价值。所以说,剩余价值是在生产过程中成立的,是在流通过程中实现的。

资本家的资本是夺取劳动者剩余价值变成的,剩余价值是剩余劳动之价值变成的;工作时间越长,剩余劳动越加多。工钱越少,剩余劳动也越加多;出产能力越提高,剩余劳动也越加多;所以资本家想扩张剩余价值,天天在那里提高出产能力,天天在那里反对增加工钱、反对减少工作时间,拿剩余价值变成货币,又拿货币制造商品增加剩余价值,再拿剩余价值变成货币。如此利上生利,这就叫作"资本主义的生产方法"。资本主义的生产营业的规模一天大过一天,掠夺兼并的规模也一天大过一天,加上交通机关一天便利过一天,殖民地新市场一天扩大过一天,精巧的机器一天增多过一天,大银行大公司便一天发达过一天,从前的小工业都跟随着这些制度之发展,逐渐被大工业吸收了压倒了。这种吸收压倒的结果,便是把全社会的资本聚集在少数人手里,这就叫作"资本集中"。在从前小工业时代,资本不集中,因此产业不能发达,所以资本集中使生产能力增加、产业规模扩大,资本主义的生产方法好过以前的生产方法只在这一点。但是在财产私有制度之下,把全社会的财产大部分集中在少数资本家手里,便自然发生以下各项结果:(一)无财产的佣工渐渐增多;(二)生产能力增加而无产佣工的购买能力不能随之增加,因此造成"生产过剩"的结果,生产过剩又必然造成"市场缩小经济恐慌"和"工人失业"两种结果。合起这几项结果,无产佣工的困苦一天比一天沉重,而他们的人数却一天比一天增多,他们的团结也就一天比一天庞大。这个随着资本集中产业扩张而集中而扩张的无产阶级,必有团结起来,夺取国家政权,用政权没收一切生产工具为国有,毁灭资本主义生产方法之一日。

像以上所说资本主义的生产方法怎样利用机器对手工业起了产业革命,怎样夺取剩余价值集中资本,怎样造成大规模的产业组织,同时便造成了大规模的无产阶级,又怎样造成无产阶级对于资本主义革命之危机,这种种历史上经济制度之必然的变化,在马克思学说里叫作"经济的历史观察",又叫作"唯物的历史观察"。

(二)唯物史观

马克思的唯物史观学说虽然没有专书,但是他所著的《经济学批评》《共产党宣言》《哲学之贫困》三种书里都曾说明过这项道理。综合上列三书中所说明的唯物史观之要旨有二:

其一说明人类文化之变动。大意是说:社会生产关系之总和为构成社会经济的基础,法律政治都建筑在这基础上面。一切制度、文物、时代精神的构造都是跟着经济的构造变化而变化的,经济的构造是跟着生活资料之生产方法变化而变化的。不是人的意识决定人的生活,倒是人的社会生活决定人的意识。

其二说明社会制度之变动。大意是说:社会的生产力和社会制度有密切的关系,生产力有变动,社会制度也要跟着变动,因为经济的基础(即生产力)有了变动,在这基础上面的建筑物自然也要或徐或速的革起命来,所以手臼造出了封建诸侯的社会,蒸汽制粉机造出了资本家的社会。一种生产力所造出的社会制度,当初虽然助长生产力发展,后来生产力发展到这社会制度(即法律、经济等制度)不能够容它更发展的程度,那时助长生产力的社会制度反变为生产力之障碍物,这障碍物内部所包涵的生产力仍是发展不已,两下冲突起来,结果,旧社会制度崩坏,新的继起,这就是社会革命。新起的社会制度将来到了不能与生产力适合的时候,它的崩坏亦复如是。但是一个社会制度,非到了生产力在其制度内更无发展之余地时,决不会崩坏。新制度之物质的生存条件,在旧制度的母胎内未完全成立以前,决不能产生,至少也须在成立过程中才能产生。

马克思社会主义所以称为科学的不是空想的,正因为他能以唯物史观的见解,说明资本主义的生产方法和资本主义的社会制度所以成立所以发达所以崩坏,都是经济发展之自然结果,是能够在客观上说明必然的因果,不是在主观上主张当然的理想。这是马克思社会主义和别家空想的社会主义不同之要点。

有人以为马克思唯物史观是一种自然进化说,和他的阶级争斗之革命说未免矛盾。其实马克思的革命说乃指经济自然进化的结果,和空想家的革命说不同;马克思的阶级争斗说乃指人类历史进化之自然现象,并非一种超自然的玄想。所以唯物史观说和阶级争斗说不但不矛盾,并且可以互相证明。

马克思的好友恩格斯曾述说马克思的意见道:"在历史各时代,必然有它的生产分配之特殊方法,又必然由这种特殊方法造出一种社会制度,那时代的政治和文明之历史,都建设在那个基础上面,依据那个基础说明。所以人类全历史是阶级争斗的历史,即掠夺阶级和被掠夺阶级、压制阶级和被压制阶级对抗的历史。这些阶级争斗的历史相连相续，构成社会进化之阶级，到了现在又达到一种新阶级，被掠夺被压制的阶级（即无产劳动者）要脱离掠夺压制阶级（即绅士阀资本家）的权力，将自己解放出来；同时还要将一切掠夺压制和阶级差别阶级争斗完全铲除，永远把社会全体解放出来。"这一段话可以说是把唯物史观说和阶级争斗说打成一片了。

（三）阶级争斗

一八四八年马克思和恩格斯共著的《共产党宣言》，是马克思社会主义最重要的书，这书的精髓，正是根据唯物史观来说明阶级争斗的。其中要义有二：

（一）一切过去社会的历史都是阶级争斗的历史。

例如在古代有贵族与平民，自由民与奴隶；在中世纪有封建领主与农奴，行东与佣工。这些压制阶级与被压制阶级，自来都是站在反对的地位，不断的明争暗斗。封建废了，又发生了近代有产者与无产者这两个阶级新的对抗、新的争斗。

（二）阶级之成立和争斗崩坏都是经济发展之必然结果。例如欧洲在封建时代的工业组织之下，生产事业是由同行组合一手把持的，到了发现了印度、中国等市场和美洲、非洲等殖民地的时候，便不能应付新市场需要的增加了，于是手工工厂组织应运而生，各业行东遂被工场制造家所挤倒，接着市场日渐扩大，需要日渐增加，交通机关和交换方法都日渐发展，这时手工工厂组织也不能应付了，于是又有蒸汽及大机器出来演成产业革命，从此手工工业又被大规模的近代产业所挤倒，近代的有产阶级便是这样成立的。

近代产业建设了世界的市场,有了这些市场、商业、航业、陆路、交通都跟着发达,这些发达又转而促进产业发达,产业、商业、航业、铁路既这样发达,有产阶级也跟着照样发达,资本越加多,产业越扩大,将中世纪留下的一切阶级都尽情推倒了。由此可知近代有产阶级乃长期发达和生产及交换方法迭次革命的结果。由此可知做有产阶级基础的生产和交换方法,是萌芽在封建社会里面,这种生产和交换方法发展到一定地步,封建社会的生产和交换制度(即农业手工封建的制度)便不能和那已经发展的生产力适合,这种制度便成了生产力的障碍物,便必然要崩坏,结局果然崩坏了,封建的制度倒了,自由竞争的制度代之而兴,适合这自由竞争的社会及政治制度也就跟着出现,有产阶级的经济及政治权利也就跟着得到了。有产阶级得势以后,造成了极雄大惊人的生产力(像工业、农业、轮船、铁道、电报、运河等),惹起这般大规模生产及交换的社会,将人口财产及生产机关都集中了,建设了许多都市,将乡村人口移到都市,使乡村屈服在都市支配之下,使多数人民脱离了朴素的乡村生活,使野蛮和未开化国屈服于文明国,农业国屈服于工业国,东洋屈服于西洋。但是到了有产阶级的生产力发展到了与有产阶级社会的制度不适合的时候,社会制度就成了社会生产障碍物,有产阶级及有产阶级社会的制度也是必然要崩坏的。崩坏的征兆就是商业上的恐慌,这种恐慌隔了一定期间便反复发生,一回凶过一回,常常震动有产阶级社会的全部。这恐慌发生的缘故,是由于资本主义的生产方法所造成的生产过剩,是由于有产阶级社会的制度过于狭小,不能包容那过于发展的大生产力。有产阶级救济这种恐慌的方法,不外一面开辟新市场,一面尽量剥削旧市场,这只能救济一时,终是朝着更广大更凶猛的恐慌方面走去。如此，有产阶级颠覆封建制度的武器现在却向着有产阶级自身了。有产阶级不但造成了致自己死亡的武器，还培养了一些使用武器的人，这些人就是近代的劳动阶级，也就是无产阶级。

无产阶级是跟着有产阶级照同一的比例发达起来的。近代产业发展的结果，一般小资产的小商人小工业家，一方面因为他们的专门技能为新生产方法所压倒，一方面因为他们的小资本为大规模的产业所压倒，都不断地降到无产阶级；可是一方面产业愈加发展，一方面无产阶级不但人数愈加增多，而且渐次集中结成大团体，因为生活不安，对于有产阶级渐次增长阶级抵抗的觉悟，发生争斗，始于罢工，终于革命。有产阶级存在根本的条件，是在资本成立及蓄积；资本的重要条件，是在工钱制度；工钱制度，全靠劳动相互竞争。但有产阶级既已促进了产业进步，便已经使劳动者从竞争的孤立变成协力的团结了，近代产业发达，使有产阶级的生产及占有之基础从根破坏。有产阶级所造成的首先就是自身的坟墓，有产阶级之倾覆及无产阶级之胜利，都是不能免的事。

马克思说明阶级争斗大略如此，我们实在找不出和唯物史观有矛盾的地方。

（四）劳工专政

从前有产阶级和封建制度争斗时，是掌了政权才真实打倒了封建，才完成了争斗之目的；现在无产阶级和有产阶级争斗，也必然要掌握政权利用政权来达到他们争斗之完全目的，这是很明白易解的事。所以马克思在《共产党宣言》里说：

"从前一切阶级一旦得了政权，没有不拼命使社会屈从他们的分配方法,巩固他们已得的地位。

"有产阶级发达一步,他们政治上的权力也跟着发达一步。……自他们成为有产阶级后,近代代议制度国家的政权都被他们一手把持。

"劳动阶级第一步事业就是必须握得政权。

"劳动阶级革命,第一步就是使他们跑上权力阶级的地位,也就是民主主义的战胜。既达到第一步,劳动阶级就利用政权渐次夺取资本阶级的一切资本,将一切生产工具集中在国家手里,就是集中在组织为支配阶级的劳动者手里……其初少不得要用强迫手段对付私有财产和资本家的生产方法,才得达到这种目的。

"原来政权这样东西,不过是一个阶级压制一个阶级一种有组织的权力;劳动者和资本家战斗的时候,迫于情势,自己不能不组织一个阶级,而且不能不用革命的手段去占领支配阶级的地位,不得不用权力去破坏旧的生产方法。

他又在所著《法兰西内乱》里说:

"劳动阶级要想达到自己阶级之目的,单靠掌握现存的国家是不成功的。"

他又在所著《哥达纲领批判》里说:

"由资本主义的社会移到社会主义的社会之中间,必然有一个政治的过渡时期。这政治的过渡时期,就是劳工专政。"

(第九卷第六号,一九二二年七月一日)

自由世界与必然世界

瞿秋白

今年春夏间,《努力周报》丁文江、胡适之先生等与张君劢先生辩论科学与人生观。我看他们对于自然科学与社会科学之争辩实在打不着痛处。可是因为辩论所涉太广,我不愿意直接加入,弄得我的文章变成论战体("polé'mique")的,读者反不易懂。我只说"所论的问题,在于承认社会现象有因果律与否,承认意志自由与否",别的都是枝节。所以我试一论"必然"与"自由"的意义——"That is the question！"

一、自然现象及社会现象之规律性

人类社会的发展与自然界的发展各有不同的历史。最显著的差异便是:自然界里只有无意识的、盲目的各种力量流动而互相影响。此中共同因果律的表现,亦仅只因为这些力量的互动。自然界里绝对无所谓愿望、目的。人类社会的历史里却大不同——这里的行动者是有意识的人,各自秉其愿欲或见解而行,各自有一定的目的。固然,研究各时代或各战役的时候,这一异点,应当特别注意,因为它对于人类历史有很大的价值,然而并不能因此而否认历史的进程之共同因果律。表面上看来,历史之中,虽然有人所愿望的目的,而实在还是偶然的事居多。所愿望的事能够真正实现的,非常之少。人的目的往往互相冲突反对,或者是根本上不能实行,或者是手段不足以实行。历史之中无数不同的倾向及行动互相冲突,其结果却与无意识的自然界毫无差异。凡行动都有所愿望的目的;然而此等行动之结果却往往并非所愿。即使表面上看来,结果与原定目的相符,而实际上此等结果又能引出非所愿望的事,决不能刚刚是人所愿望的。因此,社会里与自然界同样是偶然的事居多。然而凡有"偶然"之处,此"偶然"本身永久被内部隐藏的公律所支配。科学的职任便在于发现这些公律。

　　历史的进程大致是:各人自求其目的而有所行动,于是无数人的行动互相牵掣推移而进展,便成历史。各人的目的和意志受愿望与见解的规定。然而直接规定愿望和见解的各种影响,又各不相同。此等影响或来自外物,或出于思想:虚荣心,"爱真理及正义",个人的毒恨,甚至于一切肉欲。然而一方面,我们已经说明个人的愿望决不能完全实现,所以这些愿望根本上便只有第二等重要的价值。别方面,却发生了新的问题:"究竟是什么样的力量支配着人的意志而能使移易方向?究竟是什么样的历史原因反映于人的思想里而引起各种愿望?"

　　旧派的唯物论向来不设这种问题。他们的历史观实在是唯用主义(实验主义)的。可以分历史上的人物为"好人"与"坏人",各依其所愿望为标准而断,研究的结果大半是好人吃亏而坏人沾光。于是就说历史发展中并无所谓"天道"——这算是唯物论!其实这种学说自己就反对唯物论。他以为思想的动机是历史事实的最后原因,而不去研究那思想动机后所隐匿的动机。这种学说的不一贯,不在于他承认思想动机之存在,而在于他不追究思想动机之后的最后原因。

历史现象的研究应当更深一层。英雄伟人以至于群众的动机,不论是显而易见的或是隐匿难见的,都不是历史现象的最后原因。最后原因却是造成这种种动机的现实力量。黑智儿的历史哲学不承认个人的动机是最后原因,然而他承认是哲学思想的流派。他寻求最后的原因不在历史之中,而在历史之外。譬如黑智儿解释希腊史,他不细细考究希腊史实之间的联系原因,而说希腊史是真美个性之创造过程,说是艺术作品的实现。客观的唯心论之谬误,就在于此。

历史中之政治家的动机,不论是有意的或是无意的,必定与最后原因相联系。个人的动机无论如何重要,总敌不过群众的动机,或是民族的,或是阶级的。所以研究历史的原因,必须追究群众动机的根源。然而群众动机,还不仅在于短期的爆发或涌动(如中国五四运动时之群众心理),而在于能引起历史上之巨大变更的长期运动。所谓时代思潮,或是明显的有组织有意识的,或是隐藏的无组织无意识的。先细察此等动机——或是直接明了的,或是托之神秘幻想的——只要是能侵入群众及其首领(所谓伟人)的头脑的,都要研究,再进便求此等动机的最后原因。如此,方能发现历史进化里的公律以及某一时代或某一地域之特别公律。

二、自由与必然

既如此,一切动机(意志)都不是自由的而是有所联系的,一切历史现象都是必然的。所谓历史的偶然,仅仅因为人类还不能完全探悉其中的因果，所以纯粹是主观的。决不能因为"不知因果"便说"没有因果"。

或者有人说："若是承认一切现象，甚至于精神现象都是必然的，那人的行为都成了盲目的不自由的了！"其实所谓"自由"（绝无因果）仅仅是尚未了解的"必然"。"必然"的所以显着是盲目的，亦仅仅因为暂时不可了解。凡是可以了解的"必然"，就决不是盲目的。"自由"不在于想象里能离自然律而独立，却在于能探悉这些公律。因为只有探悉公律之后，方才能利用这些公律，加以有规划的行动，而达某种目的。因此所谓"意志自由"，当解作"确知事实而能处置自如之自由"。若是否认因果律，就算自由，那真是盲目的真理了！人的意志愈根据于事实，则愈有自由；人的意志若超越因果律，愈不根据于事实，则愈不自由。因为不知因果律，便无从决定行为，只有孤注一掷的赌博的侥幸心，而绝无所谓自由意志。"自由"实在是能克制自然及自己，然必以知悉自然的必要为根据。所以"自由"本是历史发展之必然的产物。最早的人，在昧昧时代，各方面都不自由，与禽兽无异。然而每一次的文化进步，都是行近自由的一步。人类历史的初步便是火之发明，发现机械的动及摩擦可以生热及火——到最近代的文明，却是变热力成机械的动。人类离自然而独立自由，完全在于探悉自然界的公律。人类历史的发展里，人若欲求得自由，欲求脱离社会现象之"自生自灭性"的压迫，而进于自由处置社会现象的威权，亦必须探悉社会现象里的"必然"的因果律。空言意志自由，甚至于否认因果律以立意志自由——那简直是自相矛盾。

三、历史的必然与有意识的行动

资本主义时代的强有力的生产工具若能变成公共的财产,生产制度若得按照社会关系而组织,那时,人类方能完全克服自然,才能完全制止自己的盲动。只有到了那个时候,人类方才能有意识地制造自己的历史。只有到了那个时候,人类的意志(社会的原因)方才渐渐的能实现。只有到了那个时候,为人类所支配而动的社会原因,方才能渐近其所愿望的目的。"这是从必然世界至自由世界之一跃"。

第一,应当明了"必然"的意义。亚里士多德便说"必然"有种种程度的不同。譬如:必然要吃药,病才会好;必然要呼吸,人才会活;必然要到上海去,才能讨着债。这是所谓"附条件的必然"——假使要病好,我们便应当吃药;假使要活,我们便应当呼吸。人类经营生活,对外物有所动作,常常遇见这一种的"必然":假使他要收获,他便必然要先种植;假使他要打野兽,他便必然要射箭;假使他要开动汽机,他便必然要积蓄热力。此种"附条件的必然"里,显然有"服从"的成分在内。人若能不费劳力,而满足自己的需要,那时他就更自由些。因此,即使人能征服自然,使自然为人服务,那时,人仍旧是服从自然。然而这种对于自然之"服从"却是人类解放的条件。人若服从自然则对于自然的威权反而增长,人的自由亦就增长。所谓服从自然,是说服从自然律。所谓征服自然,是说征服自然本身。组织有规划的社会生产时亦是如此。服从技术上及经济上的某几种"必然",人便能破毁那受自己生产品所支配的"作茧自缚"的怪现象,人便能得多量的真正自由。他的"服从"正是他的"解放"之源泉。

其次,所谓"必然"还有"障碍力"的意思。就是特别的一种力量,强迫我们不能照着自己的心愿去做,而只能做违心之举。这种"必然"的确是人的自由的对敌。然而应当知道,外力固然足以使事实与我们的心愿相违异,可是他亦能使事实与我们的心愿相适合。我们的心愿,自己能成为一种外力。只看我们的观点如何。譬如"强迫地主无代价移让土地权于贫农"——这是一件事实,他对于地主,确是很可恨的一种历史的必然;然而对于贫农,却是自由意志之表现。至于"以相当报酬赎取土地于地主"——对于地主是自由意志之表现,对于贫农便是可恨的历史的必然。

于是可见"附条件的必然"和"障碍力的必然"都不是绝对与自由意志不能并立的,却是相反相成的。

再则,最重要最根底的问题,便是"因果的必然"。那"附条件的必然"是主观的行动,"障碍力的必然"是主观的受动。至于"因果的必然"才是客观的解释。或者以为社会发展既有因果的必然,便可以绝不行动,便无从有意识地去助长某种历史的发展。这种学说以为只有两种情形:"或者我认这种现象是必然的,不可免的,那便用不着去助长他;或若我的行动是引起这种现象所必需的,那便这种现象不能叫做必然的。谁又竭力去助长那必然的不可免的太阳之东升呢?"

太阳之东升与人类社会关系绝无联系,不是它的因,亦不是它的果。所以可与社会现象相对待。至于社会现象和历史,对于人类却不同了。历史是人做的。当然,人的意向不能不是历史发展的一因素。可是,人所做成的历史偏偏是这样的而不是那样的,正因为其中亦有个"必然"在。既有这一"必然",便有这"必然"的果——人的某种意向。此种意向再回过去做社会发展因素。"意向"并不与"必然"不相并立,不过意向亦受"必然"的规定罢了。

每一阶级倾向于求解放,行社会的变革,他的行动亦是这一变革的因。然而他的行动及种种意向又是某种经济发展的果,所以他自己亦受"必然"的规定。

社会学之所以能成科学,全在于他能解释明白人之社会的目的何故发生。社会的目的是社会发展过程之必然的果,追寻他最后的原因,却在于经济发展。

既然知道历史的必然,人的行动就更可以"自由些"——更容易达到目的些。我可以看着自己的行动以为是某种必然的社会运动所需要的种种条件之一。我的行动因此更有意识些。所以决不能因为既有历史的必然便不要有意识的行动。只有否认历史的必然时,方才真正否认社会学,否认社会科学,而一切社会运动都成盲目的无意识的侥幸行动。

四、理想与社会的有定论

理想是什么?普通人的答案是:"理想是目的,是我们道德上所不得不立的目的,可是因为太高了,我们不能达到。"所以有所谓"信仰理想"。其实"信仰"与理想绝对不相关涉。只有与现实毫不相关的理想,容得人家信仰。现在许多中国人都说社会主义的理想是好极了,可惜不能实行。这种人是最信仰社会主义的理想的。反而是对社会主义怀疑的人,还想着些现实世界。那种颂扬社会主义的人,比警察可怕万倍。理想与现实之间必须有密切的联系。假使没有联系,那种理想便是幻象。譬如章士钊的农村立国之类,就是这种东西。社会主义的理想却密切联系着现实生活。真正的理想就是明天的现实。现在的现实是过去的果,亦就是将来的因。现实是流变不居的。既有流变,便有公律,依此现实流变不居的里面公律而后能预见将来的现实。这种将来的现实对于现在便是理想。假使没有这种必然的公律,哪里能发生对于将来的理想呢?张君劢先生以为自然界有"相同现象"可以做科学的对象。人类社会间则有英雄豪杰等,不能发现"同相"人,故不能以科学测度,这是很错的。科学的公律正是流变不居的许多"异相"里所求得的统一性。譬如雷雨前的天色实在没有一次是绝对相同的,然而亦不因此而不能求得雷雨的公律。中国革命与法国革命的环境形势大相差异,然而并不因此而不能求得革命的公律。

因有公律可寻,所以才有社会理想。真正的社会理想只有根据于科学公律所求得的"将来之现实"。

既然如此,或者可以说:"一切英雄豪杰的理想家,所谓'天才',所谓'创造',似乎都是无用的,都是不足奇的了。"那却不然!从客观方面说来,现实的社会生活以至于艺术思想,从旧的变成新的形式,恰好用得着理想家或天才,他们是这种变革里所必需的"历史工具"。然而此等历史工具仍旧是历史的产物。社会科学的证据不在于孙文之类似罗倍士比埃尔,而在于孙文之不似罗倍士比埃尔。假使中国与法国革命前的经济制度及国际地位等绝不相同,而能生一孙文恰好与罗倍士比埃尔相似,那才足以证明社会现象之无因果呢。再则,从主观方面说来,英雄或天才能参加伟大的历史运动,能当得起历史工具,是很荣耀的事,然而他至少要能知道几分社会现象的必然公律。那自然现象的公律,若是没有物质,必不能有;社会现象的公律,若是没有人,亦决不能有。可是决不能据此便说个性可以不顾社会公律。

总之,社会现象是人造的,然而人的意志行为都受因果律的支配。人若能探悉这些因果律,则其意志行为更切于实际而能得多量的自由,然后能开始实行自己合理的理想。

因此,"必然论"是社会的有定论(déterminisme),而不是"宿命论"(fatalisme)。社会的有定论说明"因果的必然",只有不知道"因果的必然"的人,方趋于任运的宿命主义,或者行险的侥幸主义。

五、社会与个性

社会的有定论说社会现象的最后原因在于经济,并不曾否认社会里的心理现象及个性天才,他仅仅解释心理及天才的原因而已。

"科学与人生观的论战"里,人生派一让步到仅仅"情感是超科学的"(梁启超),再让步到仅仅"先天的义务意识是超科学的"(范寿康)。请问:戊戌以前的旧中国"儒者"遇着李贽、谭嗣同、梁启超之流,不由得不起一种极厌恶的情感,他们先天的义务意识是要请这班"大逆不道"的人上菜市口去砍头。现时的中国智识阶级却对这班"大逆不道"的人表历史上的同情,他们先天的义务意识是要请这班"先知先觉"的人进中国思想史古物陈列馆里去——这样的情感和义务意识是否是超科学的,是否是先天的? 当然不是! 这都可以以科学解释其因果。最后的因,便是中国经济的变迁——从宗法社会到资产制度的动象能规定那社会的情感及义务意识的流变。

社会现象的最后原因,精确些说,是生产力(包含"自然""技术"和"工力"三者)。

社会现象变迁的程序大致可以说明如下：

一、生产力之状态；

二、受此等生产力规定的经济关系；

三、生长于此经济"基础"上之社会政治制度；

四、一部分直接受经济现象的规定,别部分受生长于经济现象上的社会政治制度的规定之社会心理(社会的人之心理)；

五、反映此等社会心理的种种性质之"社会思想"——社会思想家之理想。

每种社会理想无不根据于当代的社会心理(时代的人生观)。然而社会心理随着经济动象而变,于是在这流变之中可以先发现一二伟大的个性,代表新的社会心理之开始(个性的人生观)。每一期人与自然界的斗争,由于自然的适应而生技术上的变革。于此斗争的过程里,得综合技术的成绩而成系统的智识(科学)。然而技术的变革,必定影响于经济关系；经济关系又渐渐确定新的政治制度,变更人与人之间的斗争阵势。于是政治制度较稳定的时期,大家引用当时所已得及已承认的智识,便有大致相同的对于人生及宇宙的概念——养成当代的社会心理。如此转辗流变,至有新技术、新科学、新斗争之时,便能生新人生观。这是人生观所以有时代的不同之原因。再则,当新的社会心理创始之期——政治制度受剧变之时,平素隐匿未见的阶级矛盾显然地爆发,伟大的个性能先见此新人生观,立于新阶级的观点而与旧阶级开始思想上之斗争。这是人生观所以有个性的(阶级的)不同之原因。

新阶级的群众对于某一问题,因其对于生产工具之关系相同,大致有同一的态度。所以解决这一问题的趋向，亦就不相上下。然而阶级的观点永久与经济环境相关，所以各阶级及阶级内，各"层"的观点必不相同，解决这一问题的趋向也就各自相异。此种群众的动机在阶级内有共同的解决问题的趋向，本来亦是经济原因的必然结果。况且在各阶级之间又有各种趋向的斗争，互相牵掣而各不能达，于是又落于第二次的客观的必然结果。经济发展的"必然"如此愈演愈复，使各阶级的解决问题的趋向，所谓"意志"，亦愈适应而愈精密，能渐近真正的解决。可是，某一阶级利于有此必然的结果，别一阶级则否。因此，前一阶级的解决问题法日近于真理，而后一阶级的解决问题法便日远于真理。

　　个性孕育在社会里，它受当代社会心理的暗示，亦受当时社会里阶级斗争的影响。学者能发见当时社会里所已有的问题，虽然大家还视为当然的事，它却能发疑问。然而它不能制造出社会所没有的问题。佛经上的譬喻——若是梦见人头生角，那是因为醒时"此处见头，彼处见角"。人决不能梦见他绝对没有概念或印象的东西。解决问题的方法，亦只是当代所能有的种种手段。即使顶天立地的最伟大的个性，亦决不能在孔子时代想着现代的共产主义。当代的社会心理有阶级的分化，个性能"自由"选择某一阶级的观点，"自由"趋向于某一阶级的解决问题法——当然依此个性之环境及性格而定。他却不能跳出当代社会而以他"绝对自己"的观点为立足地。尤其是一切道德善恶及所谓"义务意识"，完全建筑在当时社会人与人之间的关系上。绝对的"利己主义的人生观"只能存在于无社会的矿物世界里，其实是无己可利。人类往往以利己主义出发而得利他主义的结果，一切利他互助主义都产生于利己斗争的过程里。所以社会里个性的动机在初民时代便是社会的,在现今有阶级的社会里便是阶级的。伟大的个性能超越阶级而"自由"选择观点,是因为这一斗争的过程显示了必然的因果律,使他不得不转移其观点于新阶级,结果仍旧是阶级的观点。所以个性的动机仅仅是群众动机的先锋、阶级动机的向导。

大致可以说,因生产力的状态而成当代的经济关系;因经济的关系而生政治制度;因政治制度而定群众动机;因群众动机而有个性动机。经济动向流变,故个性动机随此阶级分化而各易其趋向,足以为新时代的政治变革的种种因素中之一因素。历史的规律性便在于此。

然而最重要的,还在于适应新变化的个性能自己觉得历史流变之"必然的因果",那时,他方能超阶级而"自由"选择观点。至于阶级的社会心理亦因对于"必然的因果"之认识日益清晰,而能自化为人类的社会理想。初民个人依利己主义而向自然进攻。人与自然的斗争过程里发现自然现象的公律,能使他不得不结合共产部落而同进于较自由之域——实在是利他。无产阶级的"阶级个性"依利己主义而向现存制度进攻。阶级斗争的过程里发现社会现象的公律,能使无产阶级觉悟:"非解放人类直达社会主义不能解放自己"——实在亦是利他。个性之于阶级,亦与阶级之于人类的关系相同。

总之,科学的因果律不但足以解释人生观,而且足以变更人生观。每一"时代的人生观"为当代的科学智识所组成;新时代人生观之创始者便得凭借新科学智识,推广其"个性的人生观"使成时代的人生观。可是新科学智识得之于经济基础里的技术进步及阶级斗争里的社会经验。所以个性的先觉仅仅应此斗争的需要而生,是社会的或阶级的历史工具而已。他是历史发展的一因素,他亦是历史发展的一结果。

各个性的努力足以促进历史的进化，正因为他们在斗争过程里不断发见历史的"必然因果"，所以能使人类运用"自然律"及"社会律"同登"自由之域"。

譬如人不知道电气的公律时只有信电神，知道公律之后便能应用电气；人不知道资本集中律时，只能受它的害，知道之后便能应用此集中律以达无阶级无政府之共产社会。

我们现在可以总结：

一、社会现象的规律性应当先求之于社会的最后原因。不能以个人动机或群众动机作为社会现象的惟一因素，当再求此因素之因素。

二、社会现象确有因果律可寻，惟知此因果律之"必然"，方能得应用此因果律之"自由"。

三、人的意识是社会发展之果，既成社会力量之后亦能为社会现象之因，然必自知此因果联系，人的意志方能成社会现象之有意识的因。

四、社会的有定论以科学方法断定社会现象里有因果律，然后能据此公律推测"将来之现实"就是"现时之理想"。

五、社会发展之最后动力在于"社实的实质"——经济，由此而有时代的群众人生观，以至于个性的社会理想。因经济顺其客观公律而流变，于是群众的人生观渐渐有变革的要求，所以涌出适当的个性——此种"伟人"必定是某一时代或某一阶级的历史工具。

历史的工具运用"必然"的公律——由个性而阶级而人类，由无意识而有意识——成为群众的实际运动。群众运动的斗争正需要此历史的工具，社会的实质亦已能产生此历史的工具，于是方开始从"必然世界"进于"自由世界"的伟业。

人要从"自然之奴"进于"自然之王"必须知道自然律;人要克服社会的自生自灭性必须知道社会律。

一九二三年十一月二十四日

(季刊·第二期,一九二三年十二月二十日)

实验主义与革命哲学

瞿秋白

哲学的思潮往往是时代的人生观变易之际的产物。譬如法国革命前的百科全书派、启蒙学派，或是欧战前后的复古思潮——都是社会制度根本动摇时的影响。然而每一时代新旧交替之际，各派思想的争辩都含有阶级的背景。中国五四运动前后，有实验主义出现，实在不是偶然的。中国宗法社会因受国际资本主义的侵蚀而动摇，要求一种新的宇宙观、新的人生观，才能适应中国所处的新环境——实验主义的哲学，刚刚能用它的积极方面来满足这种需要。这固然是中国"第三阶级"发展时的思想革命，可是实验主义的本身，在欧美思想界里所处的地位是否是革命的呢？这却是一个疑问。

实验主义首先便否认理论的真实性，而只看重实用方面——"多研究问题，少谈主义！"可是这一个原则，亦没有抽象的价值。它的应用亦是因时因地而异其性质的。它应用于中国的时候，对于资产阶级是很好的一种革命手段：且不要管什么礼教，怎样能发展你自己，便怎样做。可是他对于劳动阶级的意义却是：不用管什么社会主义了，怎样能解决你们目前的难题，便怎样做去算了。于是大家蒙着头干去，当前的仇敌，固然因此大受打击，而后面的群众也不至于"妄想"——岂不是很好的手段？所以"且解决目前问题,不必问最后目的"——这种原则,用之于中国,一方面是革命的,一方面就是反动的。至于欧美呢,这却纯粹是维持现状的市侩哲学。

诚然不错,实验主义教中国人自问"为着什么而生活,怎么样生活",在中国是旧制度崩坏,新阶级兴起时的革命标语；在欧美却是旧阶级衰落时,自求慰藉的呓语——因为实验主义给的答案是"怎样应付现状"。阶级所处的地位不同,这"应付"的方法也就不同：在中国的第三阶级,要应付军阀的压迫,所以是革命的；在欧美的资产阶级,要应付劳工阶级的反抗,所以是反动的。

中国这样文化落后的国家,处于国际竞争之间,当然需要科学的知识,以为应付之用,所以实验主义带着科学方法到中国。其实这是一种历史的误会。实验主义只能承认一些实用的科学知识及方法,而不能承认科学的真理。实验主义的特性就在于否认一切理论的确定价值。它是欧洲资本主义社会的实用哲学,尤是"美国主义"。实验主义竭力综合整理现代市侩的心理,暗地里建筑成一个系统——虽然它自己是否认一切哲学系统的。

市侩所需要的是"这样亦有些,那样亦有些"：一点儿科学,一点儿宗教,一点儿道德,一点儿世故人情,一点儿技术知识,色色都全,可是色色都不彻底。这样才能与世周旋。可是决不可以彻底根究下去,不然呢,所得的结论,便是彻底改造现存制度,而且非用革命方法不可。那多么可怕呵！现状是可以改造的,却不必根本更动现存的制度,只要琐琐屑屑,逐段应付好了。所以实验主义是多元论,是改良派。

实验主义是什么？

詹姆士说:实验主义的方法,最先便是消弭哲学上辩来辩去辩不完的争论问题。宇宙是一元的还是多元的? 是唯物的还是唯心的? 是自由的还是必然的? 这是永久不能解决的问题。宇宙的真实,其实可以不用讨究。实验主义只问某种意见在实用上有什么结果。假使某人认甲种意见为真理,认乙种意见为非真理,在实用的结果上,有什么区别? 若是没有什么区别,那就很不用争辩。真正的争辩,只有实用上两种意见有不同的结果时,方有价值。

实验主义的名称——Pragmatism 的语根与欧洲文 Practic(实行)一字相同,本为希腊字"行动"之意。普通的哲学系统,大致都以"静观"作考察宇宙的观点,从没有问及宇宙的变易之可能与必然的,亦没有注意到现实世界的积极精神的。实验主义却是一种行动的哲学。

"实验主义远避一切抽象的不可及的东西,一切纸上的解决,先天的理由,一切硬性的不可变易的原则,一切锁闭的系统以及一切绝对与原理。它只问具体的,切近的东西,只问事实行动及权力。"(詹姆士之《实验主义》)实验主义不愿意做锁闭的系统,它要成一种新的研究方法——有这方法可以研究现实生活,并且改革现实生活;它的根本精神,就是使一切"思想"都成某种行动的"动机";它时时刻刻注重现实生活的实用方面及积极性质,这都是实验主义的优点。

然而实验主义的弱点,却亦在它的轻视理论——因为实验主义的宇宙观根本上是唯心论的。

照实验主义说来,一切理论不是解释疑谜的答案,而只是工具罢了。凡是一种理论,一方面是我们对付外界的手段,别方面是一种逻辑的工具,如此而已。人的知识,究竟符合于客观世界与否,并不重要,重要的在于这种知识能否促进我们的某种行动。因此,一切学说的价值,照实验主义的意思说来,只要看他对于我们是否有益。某种学说假使是有益的,便是真实的;有几分利益,便有几分真理。一切真理都应当合于我们的需要。一切学说的真实与否,完全看它实用上的结果而定。"哪一种理论对于我们最有贡献,最能领导我们,最能解决现实生活里的各部分的问题,最能综合我们的一切经验,丝毫不爽——这种理论,实验主义方认为是真实的。假使宗教能合乎上述的条件,假使'上帝'的概念有这样的能力,那么,实验主义又何所根据而反对上帝仍存在呢?"(詹姆士)只要对于事实有利益,不管他究竟真不真,这种理论总是好的。假使宗教能"安人心",那么,宗教亦是真理。

实验主义的意思,以为真理自身并无何等价值。每种学说必须与人的实际需要发生关系,方能成为真理。假使宗教能帮助我们经营实际生活,减少我们生活里的苦恼,那么,宗教亦是真实的,而且是必要的。

实际上真理是否能作如此解释呢?不然的。仅仅是"有益"还不能尽"真实"的意义。一种思想,必须是真实的,必须是合于客观的事实的,方能是有益的——思想的积极精神必须反映现实里的积极精神。事实上无所用其"积极"的地方,单是我们主观的努力是无用的。一定要客观世界给我们一个保证:保证客观里的一切发展是依定律的,这些定律可以做我们人的行动的指导的——那时方有积极之可能。如今实验主义只问理论能否做人的行动的动机——那就是承认一切催眠术式的学说亦是真实的。譬如说,中国现在要一个好政府——你们只要承认这一个意见,动手去干就好了,不必细问这一种意见,是否客观上有实行的可能。中国政治的发展，社会里各种力量的形势，依社会变易的定律，是否容许好政府式的救中国，也应当考虑一下。

　　何以实验主义以为一切理论自身本无何等价值？这是因为实验主义的宇宙观根本建筑在多元论上。"……现实世界若是离了人的思想，就变成很难捉摸的东西。现实世界接触了人的经验之后，还没有定名，便只造成某种观念；或者呢，现实世界还没有被人认识明白之先，能因经验而与人以某种概念。在这种时候，只有一种模糊的绝对的不可捉摸的意象——纯粹理想上的一种界说。"（詹姆士）如此说来，所谓现实世界只是人的种种色色的感觉之总和。这种感觉以外的真实世界，若是不和我们的经验接触，那么，他的存在与否，都不成问题。于是我们便能任意分割经验上得来的感觉，使成种种事物、种种关系及联系以及我们自己的观念。感觉固然是受外界的刺激而来，绝不受我们的管束的，可是我们有自己的利益和需要，凭着这些利益和需要我们来决定：许许多多感觉之中对于哪几种感觉我们便注意，对于哪几种便不注意。因此，现实世界的内容，可以由我们自己选择。外物自外物，我自我。我凭我的需要，择取外物的观念——我所见的现实世界，未必便是别人所见的；我现在所见的现实世界，未必便是我将来所见的。于是外物都成了我们任意造出来的东西，我们凭着自己的需要而设想出来的。詹姆士说："……就是在感觉方面我们的精神亦能在一定的范围里有自由选择的能力。我们能取此舍彼——这便是感觉方面的界限。注重感觉所得的某几部分，而不注意其余的部分，我们就划出一个先后来了。在这里再整理出一个系统之后，我们方能了解他。总之，我们有的是一块大理石，要自己拿来雕一个形象出来。"在某一现实世界里，我们有几种目的，便照着这些目的制造出一种观念来,这些目的以外的现实世界,我们可以不问。因此,对于实验主义,不但没有绝对的现实,并且亦没有客观的现实。其结果完全是唯心论的宇宙观,它的真理便成了主观的。所以一切"真实"只是为我们思想的方便(Expedient)而设——一切"正义",亦都是为我们行为的方便而设。

照实验主义的观点看来,假使某种真理,因种种缘故而变成无益的,亦就成了谬见。换句话说,假使原有的目的和需要变了,以前的真理便变成非真理了。人的需要、现实生活的要求、主观的愿望及目的——是知识和意见之真否的最高标准。这些目的和需要愈有价值,愈高尚,那么,能以达到这些目的和需要的学说也就愈有价值、愈真实。

现实生活里的目的和愿望完全依着我们的利益而定的——所以实验主义的重要观念在于利益;再则,各人的利益不尽相同——所以实验主义便只能承认:有几种利益便有几种真理。从表面上看起来,往往有人以为这种学说和马克思的互辩律的唯物主义(Le matérialisme dialectique)很相近,其实不然。

第一层应当注意的就是——马克思主义所注重的是科学的真理,而并非利益的真理。马克思主义以为:"各种观念是由于各种感觉所引起的,感觉乃是人对于外界环境直接起的反应作用。人的行为大致依照着自己的需要和利益而定——尤其是每一社会阶级的行为是如此。"仅仅承认在心理方面说来,每一社会阶级对于自己有益的真理,对于那种能够做自己阶级斗争的好工具的学说,格外接近些,却并没有承认一切有益的学说都是真理,亦没有承认人的愿望和目的可以做外物的标准、真理的规范,更没有承认知识的内容是主观的。

实验主义的积极精神早已包含在互辩律的唯物论里。互辩律的唯物论的根本观念,是承认我们对于外物的概念确与外物相符合。因此,我们要利用外物,只能尽它实际上所含有的属性,来满足我们的需要,达到我们的目的。客观的现实世界里所没有的东西,不能做我们行动的目标。现实只有一个,真理亦只有一个。我的观念及思想,当然是时时刻刻变的,然而这是因为客观的现实世界在那里时时刻刻地变,却并不是因为我们主观的目的在那里变。照互辩律的唯物论的意义,我们亦在时时刻刻变易外界的现实生活,然而只能依着客观的趋向。我们不能要做什么便做什么。现实生活处处时时矫正我们的行动。我们的观念反映客观的现实很正确的时候,我们的行动便不至于和现实相冲突,不至于"碰钉子"。某种意见是真理——并不因为它对于我们有益;这种意见对于我们有益——却因为它是真理,换句话说,就是因为他切合客观的现实世界。客观的现实世界确是变易不息的,我们因此要求科学的真理——确定的真理,求此变易之中"不易",不能像实验主义那样,只能暂时有益于我们的算真理。我们得了科学的真理,客观世界的定律之后,才能彻底地改造社会,不能安于琐屑的应付。

实验主义既然只承认有益的方是真理,它便能暗示社会意识以近视的浅见的妥协主义——决不是革命的哲学。

(季刊・第三期,一九二四年八月一日)